Triangles

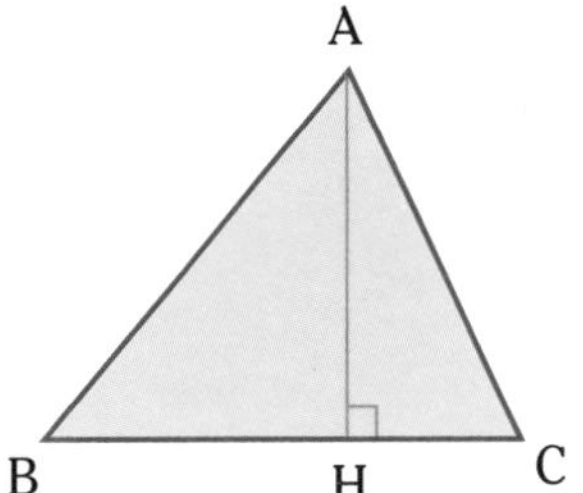

AH est la hauteur issue du sommet A.

Triangle rectangle

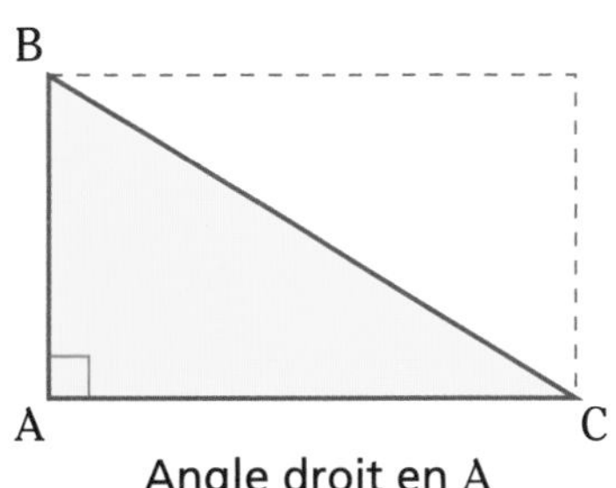

Angle droit en A

Triangle isocèle

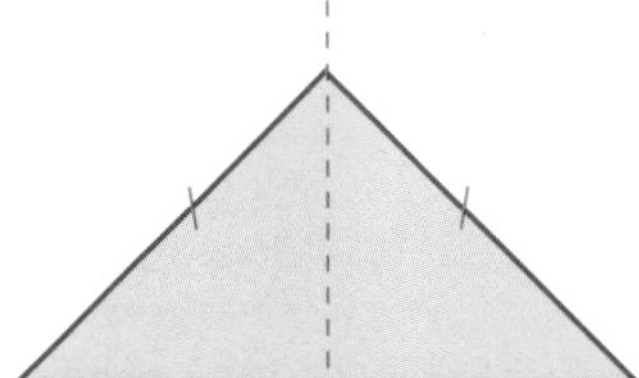

Un axe de symétrie.
Deux côtés de même mesure.
Deux angles égaux.

Triangle équilatéral

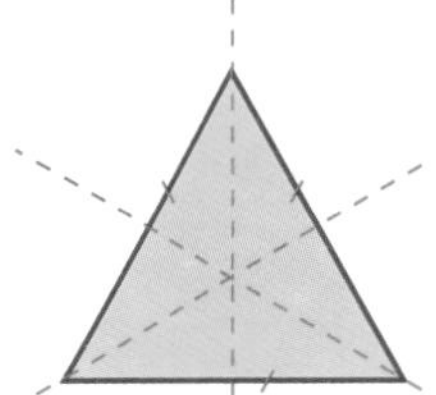

Trois axes de symétrie.
Trois côtés de même mesure.
Trois angles égaux.

Quadrilatères

Un **quadrilatère** est un polygone qui a quatre côtés.

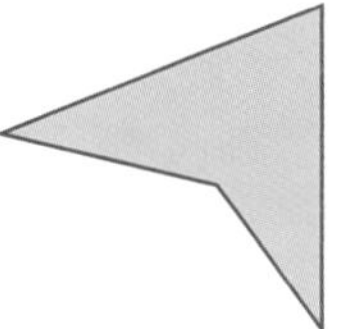
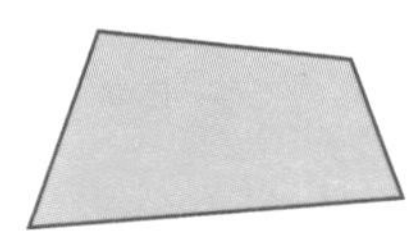
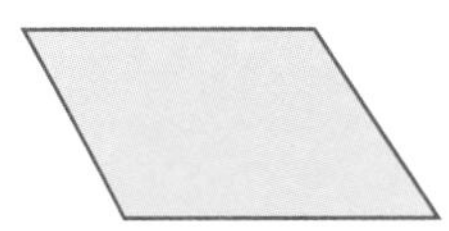

Un **trapèze** est un quadrilatère qui a deux côtés parallèles.

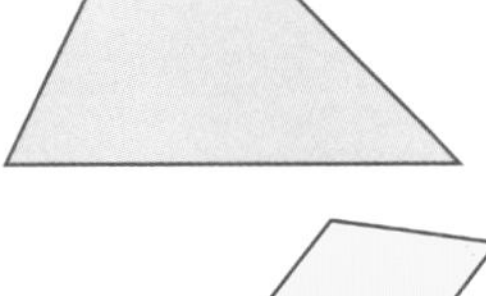

Un **parallélogramme** est un quadrilatère dont les côtés opposés sont parallèles.

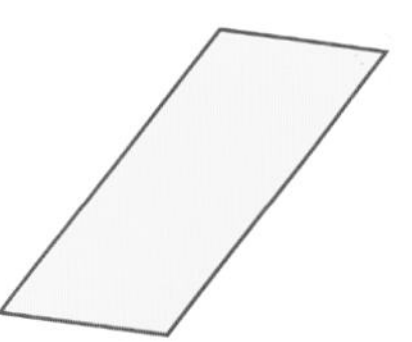

Un **rectangle** a quatre angles droits, les côtés opposés sont parallèles et de même longueur.

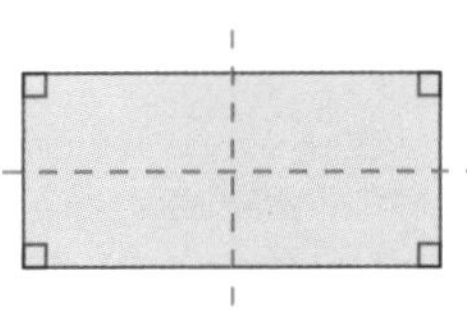
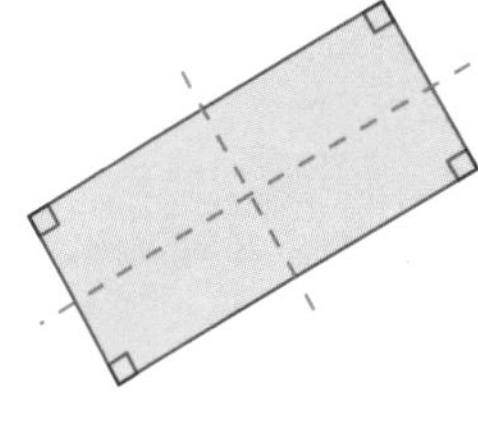

Un **losange** a quatre côtés égaux. Les côtés opposés sont parallèles.

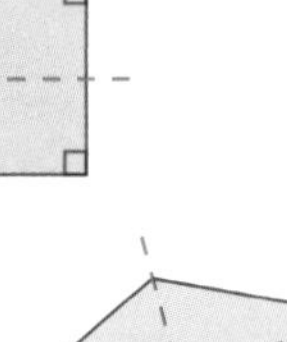

Un **carré** a quatre angles droits et quatre côtés égaux. Les côtés opposés sont parallèles.

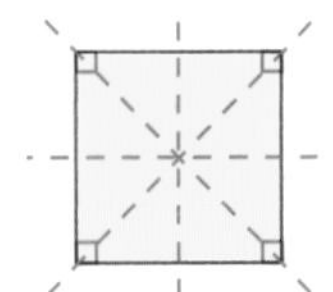
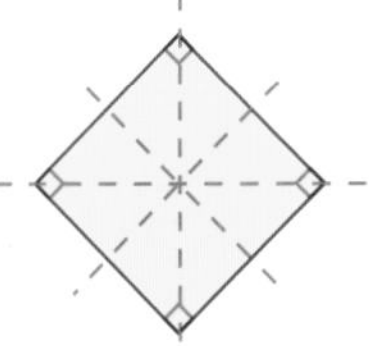

POUR COMPRENDRE LES MATHÉMATIQUES

J.-P. Blanc
Directeur d'école

A. Dubois
Directrice d'école

P. Bramand
Professeur agrégé

P. Debû
Professeur d'I.U.F.M.

J. Gély
Directeur d'école

É. Lafont
Professeur des Écoles

D. Peynichou
I.M.F.

A. Vargas
Directeur d'école

Mode d'emploi

Ce manuel, conforme aux programmes de 2007, a été conçu dans une optique résolument constructiviste : **« Faire des mathématiques, c'est résoudre des problèmes. »** Nous avons apporté un soin particulier à la maîtrise du **langage**, au **débat mathématique**, à la pratique du **calcul raisonné** (calcul réfléchi, calcul automatisé, calcul instrumenté), à l'**analyse de problèmes** (recherche personnelle et argumentation), aux **activités géométriques** (analyse de figures, tracés à main levée…) et à la recherche de l'**autonomie** des élèves.

Quelques pages d'**Ateliers informatiques** permettent aux élèves, en autonomie, d'approfondir leurs connaissances dans le cadre du B2i.

La **préparation de l'évaluation** est conduite à l'aide d'exercices type QCM facilitant la correction et la remédiation.

Une **mascotte**, Mathéo, guide et aide les enfants par ses questions pertinentes ou ses conseils judicieux tout au long de l'ouvrage.

➤ Introduite par un débat sur la notion étudiée, la double page **leçon** a pour support une **activité de recherche** suivie par des exercices et des problèmes d'application.

Calcul mental

Rappel pour l'enseignant. Les batteries d'items figurent dans le guide pédagogique.

S'exercer, résoudre

Mise en pratique individuelle et progressive des apprentissages abordés dans l'activité de recherche. La couleur des numéros des exercices permet de signaler leur rangement par ordre de difficulté croissante.

Compétences

Informations pour l'enseignant. Compétences des Programmes 2007 traitées dans la leçon.

Lire, débattre

Activité collective, de courte durée, conduite par l'enseignant, et permettant d'introduire la leçon par un débat mathématique. Elle contribue aussi à sensibiliser les enfants à certains éléments culturels, scientifiques, artistiques, historiques…

Chercher

Activité de recherche individuelle ou par groupes. La mise en commun conduite par l'enseignant est collective. Elle vise à développer chez les enfants un comportement de recherche :
- émettre des hypothèses et les tester ;
- procéder à des essais successifs et les gérer ;
- élaborer et éprouver la validité d'une solution originale ;
- argumenter.

Mémo

Points importants à retenir et à réinvestir.

Coin du chercheur

Exercice ludique qui fait appel à la logique, à l'observation… que l'enfant peut traiter individuellement à n'importe quel moment.

Réinvestissement *ou* Calcul réfléchi

Exercice indépendant de la leçon qui reprend des apprentissages antérieurs ou qui propose des méthodes de calcul introduites par une activité.

Banque d'exercices

Renvois à des exercices complémentaires de remédiation, de consolidation et d'approfondissement qui figurent dans la banque en fin de période.

➤ Calcul réfléchi

L'expression « calcul réfléchi » recouvre à la fois des calculs dont le traitement est purement mental et des calculs effectués en s'appuyant sur des traces écrites.

Comprendre et choisir

Exploitation de diverses procédures mises en œuvre pour résoudre un même calcul.

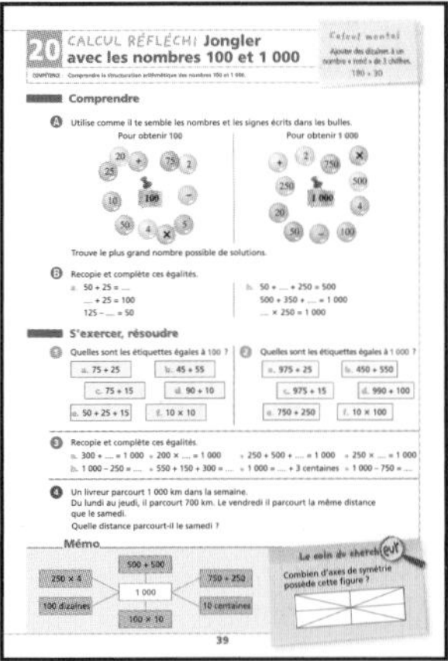

➤ Problèmes : procédures personnelles

Ces pages développent chez l'élève un comportement de recherche dans des problèmes pour lesquels il ne dispose pas de solution experte.

Chercher, argumenter

Activité de recherche pour développer le désir de chercher, l'imagination et les capacités de résolution.

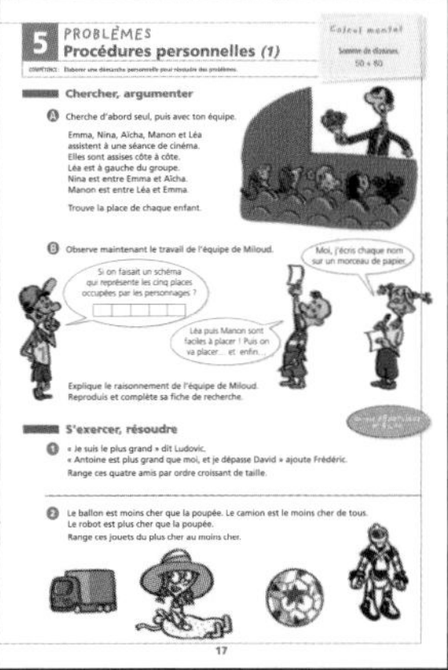

➤ Problèmes

Ce sont des problèmes pour apprendre. Ils ont pour but de développer chez les élèves un **comportement de recherche** et des **compétences d'ordre méthodologique**.

Lire, chercher

La spécificité des textes utilisés en mathématiques nécessite un travail particulier relatif à leur lecture : recherche des indices pertinents, aller-retour fréquents entre l'énoncé et la question..., avec prise d'informations sur supports variés.

➤ Mobilise tes connaissances

Situations plus complexes que les précédentes, en relation avec **d'autres domaines de savoirs**. Leur résolution nécessite la mobilisation de plusieurs catégories de connaissances.

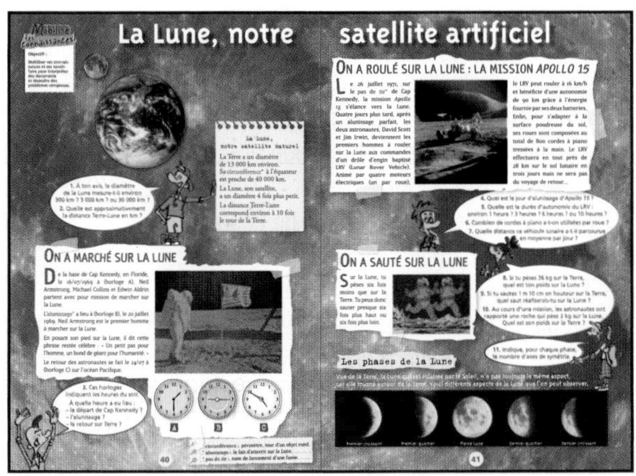

➤ Fais le point

En fin de période, l'enseignant dispose d'exercices préparatoires à **l'évaluation**. La présentation du type QCM permet une correction aisée. La colonne *Aide* apporte soit un soutien à l'élève en autonomie, soit une orientation pour l'enseignant lors de la **rémédiation**.

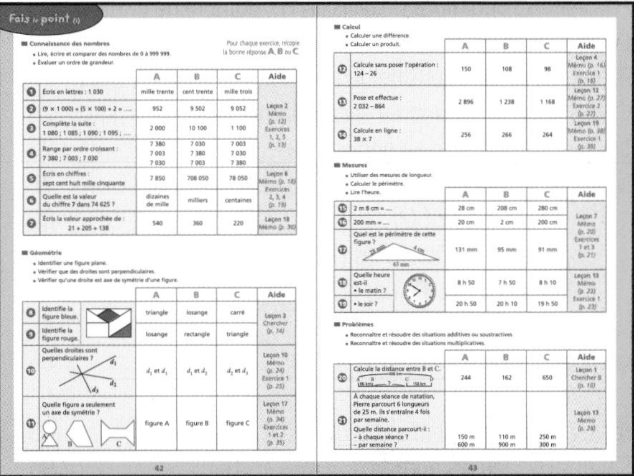

Sommaire

Table des matières par domaine

- Connaissances des nombres
- Calcul
- Espace et géométrie
- Grandeurs et mesure
- Problèmes

Connaissances des nombres

Calcul

Espace et géométrie

Grandeurs et mesure

Problèmes

Bienvenue

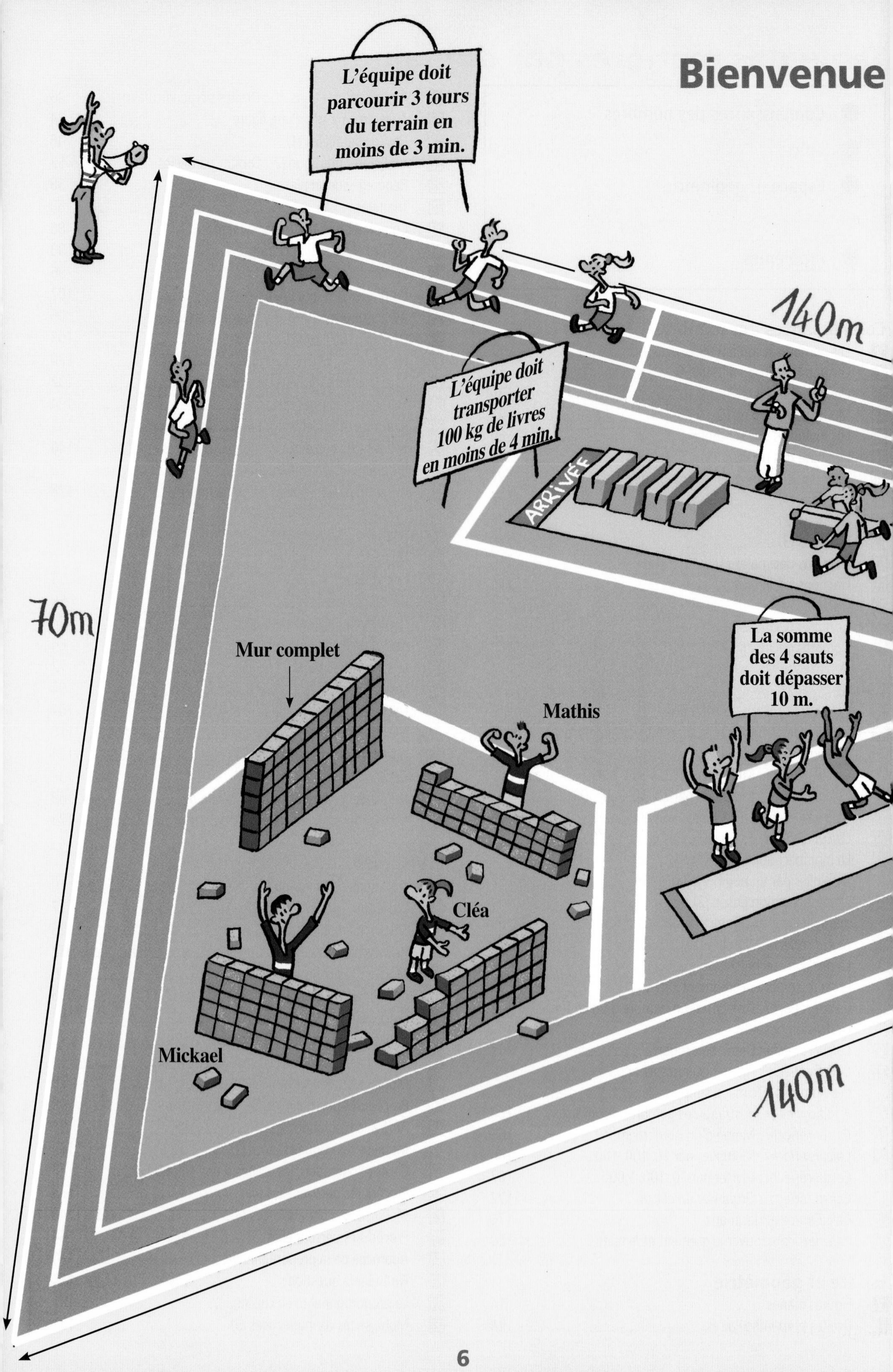

L'équipe doit parcourir 3 tours du terrain en moins de 3 min.
140m
L'équipe doit transporter 100 kg de livres en moins de 4 min.
ARRIVÉE
70m
Mur complet
Mathis
La somme des 4 sauts doit dépasser 10 m.
Cléa
Mickael
140m

au CM1

Pour commencer l'année, une classe de CM1 organise un tournoi.
Chaque équipe de quatre élèves doit disputer une série d'épreuves

1re épreuve : Courir

1 Combien mesure le tour du terrain de sport ?

2 Quelle distance parcourt chaque équipe ?

3 Ce terrain a-t-il la forme :
– d'un triangle équilatéral ?
– d'un triangle isocèle ?
– d'un triangle rectangle ?

4 L'équipe d'Ingrid a terminé le parcours en 250 secondes.
A-t-elle réussi l'épreuve ? Pourquoi ?

2e épreuve : Lancer

Chaque joueur doit faire tomber le plus de briques possible.

5 Combien de briques contient le mur ?

6 Combien de briques ont fait tomber :
Mathis ? Cléa ? Mickael ?

7 Range ces résultats par ordre croissant.

3e épreuve : Sauter

8 L'équipe d'Ali a réussi les quatre sauts suivants :
Ali : 340 cm Boris 280 cm
Charlotte : 305 cm Dalila : 285 cm
Range ces quatre sauts du plus petit au plus grand.

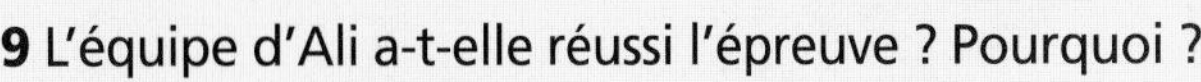

9 L'équipe d'Ali a-t-elle réussi l'épreuve ? Pourquoi ?

4e épreuve : Porter

Les équipiers de Théo ont transporté sept cartons.

10 Combien de dictionnaires ont-ils transportés ?

11 Quelle est la masse des cartons transportés ?
L'équipe a-t-elle réussi l'épreuve ? Pourquoi ?

5e épreuve : Construire

12 L'équipe de Hugo doit construire le solide jaune. Parmi les quatre patrons proposés, lequel doit-elle choisir ?

13 Elle doit ensuite construire deux solides avec les patrons ① et ②.
Quels solides va-t-elle obtenir ?

Tu peux retrouver de nombreux détails, dans ce dessin, illustrant les notions mathématiques étudiées dans la période, comme l'indique le tableau du bas de la page.
En voici quelques uns.

Trouves-en d'autres.

Utiliser des unités de longueur.

Lire l'heure.

Vérifier que des droites sont perpendiculaires.

Comparer des nombres de 0 à 999 999.

Résoudre des situations multiplicatives.

Calculer un produit.

Identifier des figures planes.

Période 1

	Leçons		Leçons
• Reconnaître et résoudre des situations additives ou soustractives.	**1**	• Vérifier que des droites sont perpendiculaires.	**10, 11**
• Lire, écrire et comparer les nombres jusqu'à 9 999.	**2, 6**	• Reconnaître et résoudre des situations multiplicatives.	**13**
• Identifier une figure plane.	**3**	• Calculer un produit.	**14, 15, 19, 20**
• Calculer une différence (1).	**4, 8, 12**	• Vérifier qu'un droite est axe de symétrie d'une figure.	**17**
• Résoudre des problèmes.	**5, 16, 21**	• Évaluer un ordre de grandeur.	**18**
• Utiliser des mesures de longueur.	**7**		
• Lire l'heure.	**9**		

1 PROBLÈMES Situations additives ou soustractives

COMPÉTENCE : Reconnaître une situation additive ou soustractive simple.

Calcul mental

Petites sommes et différences.
8 + 5 ; 9 – 3

Lire, débattre

Chercher

A Dans le parking de la Poste, 148 places sont déjà occupées.
39 nouvelles voitures viennent s'y garer.
Quel est alors le nombre de voitures garées dans ce parking ?

a. Choisis l'opération qui permet de trouver la réponse : 148 + 39 ou 148 – 39

b. Calcule, puis rédige la réponse.

B Reste-t-il des places libres dans le parking ?

Si oui, combien ?

Reproduis le schéma, complète-le, puis rédige la réponse.

250
148 39 ....
....

C Quel est le nombre de places du parking du Palais ?

Mémo

Pour résoudre un **problème**, il est souvent utile de s'aider d'un schéma afin de trouver le sens des opérations.

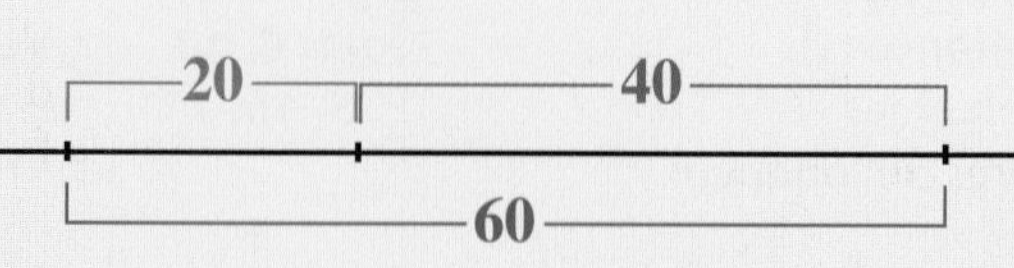

60 = 20 + 40
40 = 60 – 20
20 = 60 – 40

S'exercer, résoudre

Banque d'Exercices n°s 1 et 2 p. 44.

1 À Rio, 342 passagers montent à bord de l'avion qui effectue le vol Rio-Lisbonne-Paris. À Lisbonne, 102 passagers descendent et aucun ne monte.
Combien de passagers vont débarquer à Paris ?

2 26 élèves du CE2, 23 élèves du CM1 et 4 adultes s'installent dans le car pour aller visiter la Palais des Papes, à Avignon.
Combien de passagers sont montés dans ce car ?

3 Yannick mesure 155 cm, son grand frère Éric 187 cm.
Quelle est leur différence de taille ?

4 Aujourd'hui, le glacier a vendu 18 cornets de glace à la fraise, 49 au chocolat et 8 à la pistache.
Combien de cornets a-t-il vendus en tout ?

5 Un automobiliste doit parcourir 425 km pour rejoindre son domicile. Il démarre à 8 heures. Il s'arrête à 12 heures pour déjeuner après avoir parcouru 260 km.
Quelle distance lui reste-t-il encore à parcourir ?

6 Le prix du tapis a été effacé. Retrouve-le.

Facture — Les Galeries Modernes — GM

	PRIX UNITAIRE	
1 lit	256	€
1 armoire	363	€
1 fauteuil	199	€
1 tapis		€
TOTAL	915	€

7 Avec une altitude de 8 848 m, l'Everest est le plus haut sommet du monde. Des alpinistes ont établi leur camp de base à 5 680 m. Le jour suivant, ils s'installent 880 m plus haut.

a. À quelle altitude se trouvent-ils alors ?

b. Quelle altitude les sépare du sommet ?

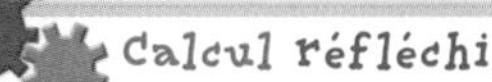

Calcul réfléchi

Sommes de deux nombres *(1)*

Observe :

47 + 32 = 47 + 30 + 2 = 77 + 2 = 79

Calcule.

- 54 + 13
- 45 + 24
- 67 + 31
- 146 + 42
- 235 + 24

Le coin du chercheur

Trouve les 6 carrés qui se cachent dans cette figure.

2 Les nombres jusqu'à 9 999

COMPÉTENCE : Consolider la connaissance des nombres entiers naturels.

Calcul mental

Dictée de nombres.
cent quatre-vingt-deux

Lire, débattre

Les cartes valent 10, 100 ou 1 000 points. Quelle est la valeur de chacune d'elles ?

J'ai 2 130 points.

Clément

Et moi, 2 220 !

Anaïs

Quel est le nombre de points de Teddy ?

Moi, 2 040

Sophie

Un moment, il faut que je compte !

Teddy

Chercher

A Qui a obtenu le plus grand nombre de points ? le plus petit ?
Range les nombres de points de tous les enfants par ordre croissant.

B En utilisant les mots suivants : **vingt** **cent** **mille** **deux** **trois**
écris en lettres le nombre de points d'Anaïs, puis celui de Teddy.

C Observe l'exemple :

3 210 = 3 000 + 200 + 10
3 210 = (3 × 1 000) + (2 × 100) + (1 × 10)

Décompose de la même façon les nombres suivants : • 2 130 • 2 220 • 3 120

D Parmi les nombres que tu viens de décomposer, lesquels ont :
a. le même chiffre des centaines ?
b. le même chiffre des dizaines ?

E Quel est le nombre de centaines dans le score de Clément ?
Quel est le nombre de dizaines dans le score d'Anaïs ?

F Reproduis la droite graduée ci-dessous sur ton cahier. Écris approximativement le nombre de points de chaque enfant.

2 000 3 000

Mémo

Dans le nombre **4 237** :

7 est le chiffre des **unités**
3 est le chiffre des **dizaines**
2 est le chiffre des **centaines**
4 est le chiffre des **milliers**

4 237 est le **nombre d'unités**
423 est le **nombre de dizaines**
42 est le **nombre de centaines**
4 est le **nombre de milliers**

S'exercer, résoudre

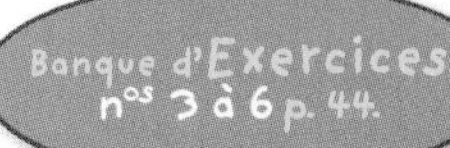

1 Recopie, puis écris les nombres ou les décompositions.

a. 3 245 = 3 000 + ... + ... + ...
3 245 = (3 × ....) + (2 × ....) + (4 × ....) + ...

b. 6 204 = 6 000 + ... + ...
6 204 = (6 × ....) + (.... × ....) + ...

c. (4 × 1 000) + (8 × 100) + 5 = ...

d. 3 090 = 3 000 + ...
3 090 = (3 × ....) + ...

e. (5 × 1 000) + (8 × 10) + 3 = ...

f. 8 000 + 90 + 7 = ...

2 Recopie le tableau et complète chaque ligne par l'écriture des nombres en chiffres ou en lettres.

Trois mille cent quatre-vingt-quinze	....
....	3 604
....	1 879
Six cent soixante-dix-neuf	....
Sept mille sept	....
....	6 005
Deux mille quatre-vingt-quatre	....

3 Range ces Territoires et Départements d'Outre-mer selon l'ordre décroissant de leur distance à la métropole.

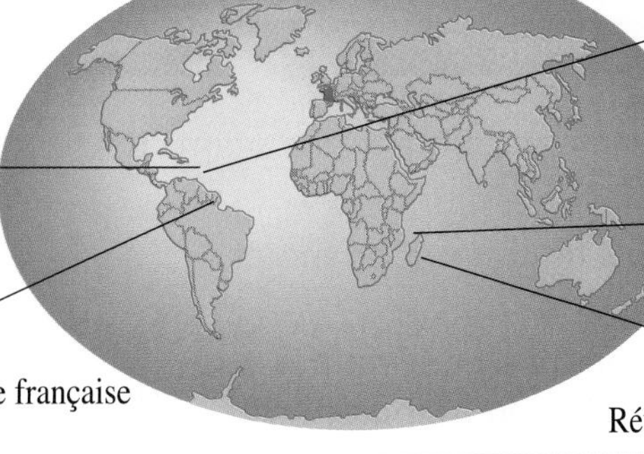

4 *Devinette.*
Je suis l'un de ces nombres : ◆ 3 425 ◆ 1 720 ◆ 3 420 ◆ 210
Mon nombre de centaines est supérieur à 20. Je suis un nombre entier de dizaines.

Qui suis-je ?

5 Reproduis cette droite graduée. Écris les nombres repérés par les flèches.

0 — A — B — C — D — 10 000

Calcul réfléchi

Sommes de deux nombres *(2)*

Observe :

38 + 25 = 30 + 20 + 8 + 5
= 50 + 13 = 63

Calcule.

◆ 36 + 28 ◆ 45 + 37 ◆ 58 + 23 ◆ 66 + 25 ◆ 86 + 26

Le coin du chercheur

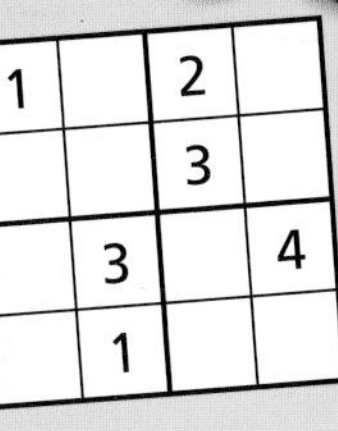

Complète les cases vides avec les nombres 1, 2, 3 ou 4 de façon que dans chaque ligne ou dans chaque colonne le même nombre ne soit jamais répété.

1		2	
		3	
	3		4
	1		

3 Figures planes

COMPÉTENCES : Reconnaître de manière perceptive une figure plane, en donner le nom.
Identifier une figure simple dans une configuration plus complexe.

Calcul mental

Somme de dizaines.

40 + 30

Lire, débattre

Chercher

A Indique les numéros des figures que tu connais et écris leurs noms dans un tableau du modèle ci-dessous.

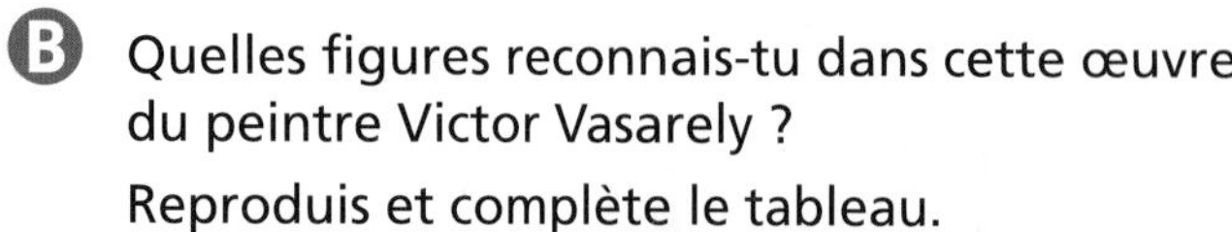

N° de la figure	Nom
....	....

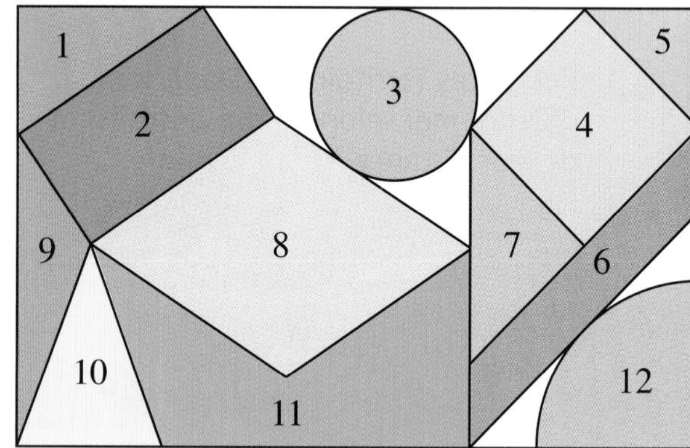

a. Quelles figures ont au moins un angle droit ?

b. Lesquelles ne peuvent pas être décomposées en triangles ?

B Quelles figures reconnais-tu dans cette œuvre du peintre Victor Vasarely ?

Reproduis et complète le tableau.

Nom de la figure	Nombre d'angles droits	Nombre de côtés égaux

Mémo

Je reconnais une figure **d'abord** au premier coup d'œil.
Je vérifie ensuite en utilisant des instruments : règle, équerre, compas, bande de papier...

S'exercer, résoudre

Banque d'Exercices n° 7 p. 44.

1 Combien de carrés comptes-tu dans cette figure ?

2 Parmi les figures numérotées :

a. lesquelles ont leurs côtés tous égaux ?

b. lesquelles ont au moins un angle droit ?

c. combien de triangles comptes-tu ?

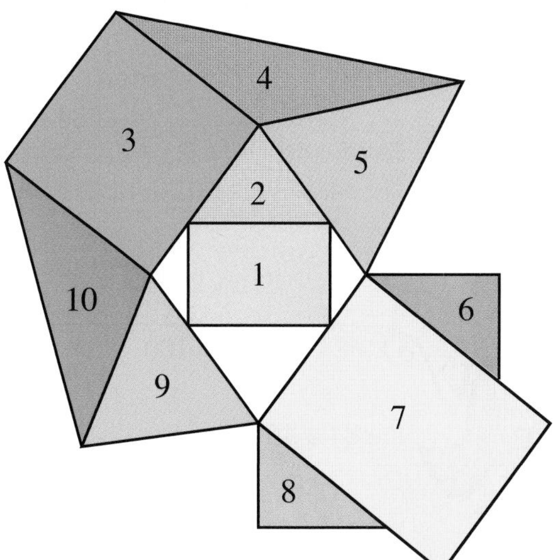

3 Tom a réalisé le tableau ci-dessous.

a. Quelles figures a-t-il dû coller :

– en premier ?

– en second ?

b. Quelles figures peut-il coller en dernier ?

Attention, certaines formes empiètent sur les autres !

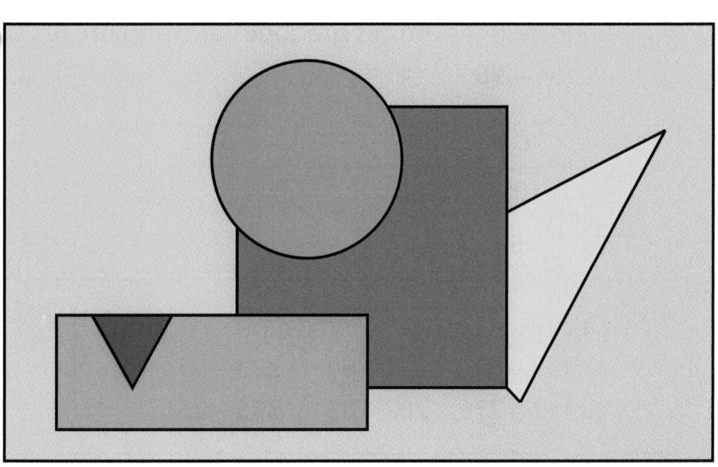

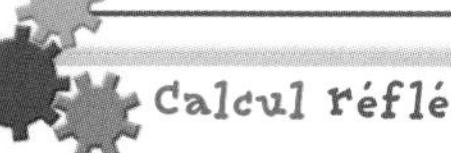

Calcul réfléchi

Les doubles

Observe :

double de 37 = double de 30 + double de 7 = 60 + 14 = 74

Calcule les doubles des nombres suivants :

- 24
- 28
- 35
- 39
- 56

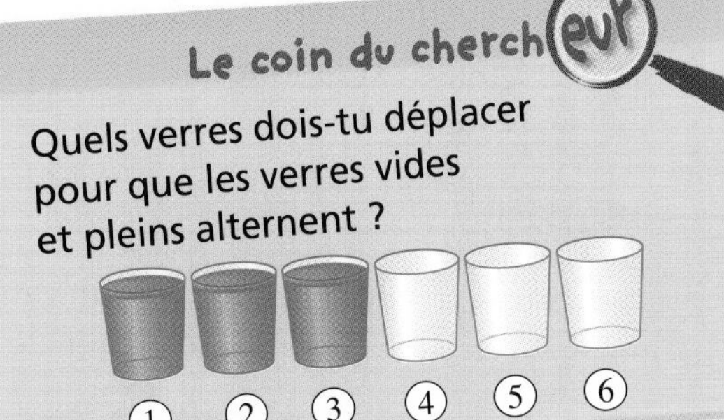

Le coin du chercheur

Quels verres dois-tu déplacer pour que les verres vides et pleins alternent ?

4 CALCUL RÉFLÉCHI
La soustraction

COMPÉTENCE : Retrancher un nombre de deux chiffres en utilisant une droite graduée.

Calcul mental

Somme de deux nombres de deux chiffres.

12 + 25

Comprendre et choisir

Marion et Hugo calculent **123 – 84** par deux méthodes différentes.
Reproduis et complète leurs calculs.

Marion

Je calcule en faisant des **sauts avant**.
De 84, je vais à 100, puis à 123.

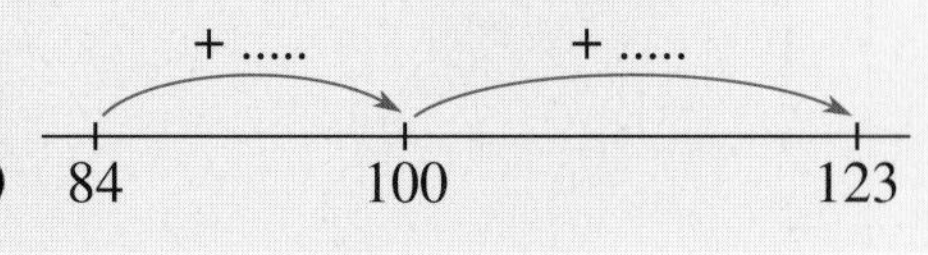

De 84 à 100, il y a ....

De 100 à 123, il y a ....

De 84 à 123, il y a .... + ... = ...

Donc 123 – 84 = ...

Hugo

Je calcule en faisant des **sauts arrière**.
Pour retrancher 84, je retranche d'abord 3, puis 80 et 1.

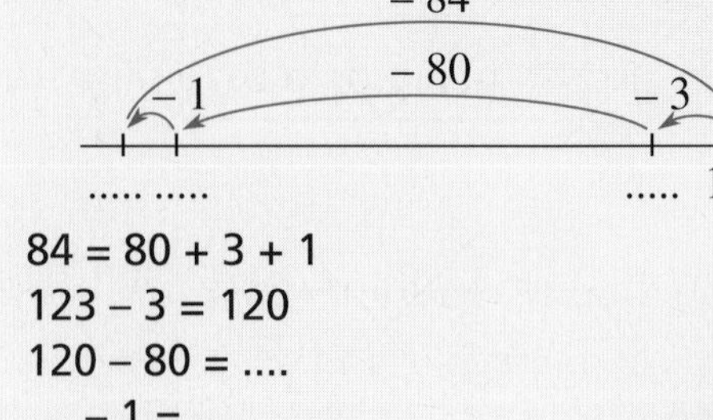

84 = 80 + 3 + 1

123 – 3 = 120

120 – 80 = ...

.... – 1 = ...

123 – 84 = ...

Pour faciliter les calculs, passe par des dizaines ou des centaines entières.

S'exercer, résoudre

Banque d'Exercices n° 8 p. 44.

1 Reproduis les droites graduées et complète les calculs.

a. **184 – 96**

+ ..... + ...

96 100 184

184 – 96 = ...

b. Calcule **153 – 75**

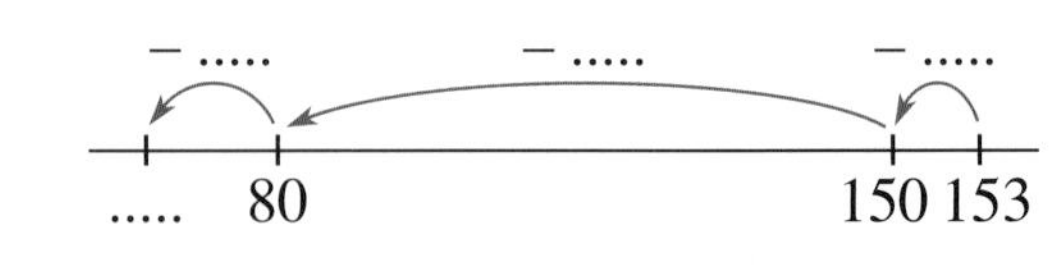

153 – 75 = ...

2 Calcule.

a. 138 – 54   127 – 66   223 – 54

b. 152 – 77   202 – 85   315 – 26

3 Achille mesure 152 cm, son petit frère Arsène, 94 cm.

Quelle est leur différence de taille ?

4 Le menuisier coupe un morceau de 68 cm dans un chevron de 225 cm.

Quelle est la longueur de la partie restante ?

5 Les coureurs du Tour de France cycliste s'élancent pour une étape de 182 km. Au bout de 87 km, le premier franchit un col.

Quelle distance le sépare alors de l'arrivée ?

Mémo

Pour retrancher un nombre, je peux utiliser une **droite graduée** et effectuer des **sauts avant** ou **arrière** sur celle-ci.

5 PROBLÈMES
Procédures personnelles *(1)*

COMPÉTENCE : **Élaborer une démarche personnelle pour résoudre un problème.**

Calcul mental

Somme de dizaines.
50 + 80

Chercher, argumenter

A Cherche d'abord seul, puis avec ton équipe.

Emma, Nina, Aïcha, Manon et Léa
assistent à une séance de cinéma.
Elles sont assises côte à côte.
Léa est à gauche du groupe.
Nina est entre Emma et Aïcha.
Manon est entre Léa et Emma.

Trouve la place de chaque enfant.

B Observe maintenant le travail de l'équipe de Miloud.

Si on faisait un schéma qui représente les cinq places occupées par les personnages ?

Moi, j'écris chaque nom sur un morceau de papier.

Léa puis Manon sont faciles à placer ! Puis on va placer… et enfin…

Explique le raisonnement de l'équipe de Miloud.
Reproduis et complète sa fiche de recherche.

Banque d'Exercices n° 9 p. 44.

S'exercer, résoudre

1 « Je suis le plus grand » dit Ludovic.
« Antoine est plus grand que moi, et je dépasse David » ajoute Frédéric.
Range ces quatre amis par ordre croissant de taille.

2 Le ballon est moins cher que la poupée. Le camion est le moins cher de tous.
Le robot est plus cher que la poupée.
Range ces jouets du plus cher au moins cher.

6 Les nombres jusqu'à 999 999

COMPÉTENCE : Étendre la connaissance des nombres entiers naturels jusqu'à 999 999.

Calcul mental
Complément à la dizaine supérieure.
18 +... = 20

Lire, débattre

Anaïs propose à ses amis d'ajouter deux nouvelles cartes à leur jeu.

Avec ton équipe, trouve la valeur des deux nouvelles cartes : « Terre » et « Soleil ».

Chercher

A Quel est le nombre de points de Teddy ?

Range par ordre croissant le nombre de points de tous les enfants.

B Dessine les cinq cartes pour représenter chacun des nombres suivants.
- 203 000
- 30 200

C a. Pour avoir une carte « Terre », combien de cartes « Étoile » faut-il échanger ?

Recopie et complète : 10 000 = 1 000 × ....

b. Pour avoir une carte « Soleil » :
– combien de cartes « Terre » faut-il échanger ?
– combien de cartes « Étoile » faut-il échanger ?

Recopie et complète : 100 000 = 10 000 × .... 100 000 = 1 000 × ....

D Dans le nombre de points de Sophie, quel est :

a. le chiffre des milliers ? le nombre de milliers ?

b. le chiffre des dizaines de milliers ? le nombre de dizaines de milliers ?

c. le chiffre des centaines de milliers ? le nombre de centaines de milliers ?

E Écris en lettres le nombre de points de chaque enfant.

Mémo

Dans **512 063** :
512 est le **nombre de milliers**
2 est le **chiffre des milliers**

Classe des mille			Classe des unités		
c	d	u	c	d	u
5	1	2	0	6	3

S'exercer, résoudre

Banque d'Exercices n°s 10 à 13 p. 44.

1 Recopie et complète cette grille de nombres croisés.

Horizontalement
1. soixante-quinze mille cent vingt-neuf
2. trois cent six mille huit cent un
3. quatre-vingt-un mille trente
4. quatre cents ◆ quatre-vingt-dix
5. neuf cent soixante mille deux cent quarante-sept
6. mille ◆ huit

	A	B	C	D	E	F
1						
2						
3						
4						
5						
6						

Verticalement
A. soixante-treize ◆ quatre cent quatre-vingt-onze
B. cinq cent huit mille soixante
C. cent soixante et un mille
D. deux cent quatre-vingts ◆ vingt
E. quatre-vingt-dix mille trois cent quatre-vingt-quatorze
F. dix mille soixante-dix-huit

2 Ce tableau indique la superficie de quelques grands lacs dans le monde.

a. Quel est le plus grand ?

b. Quel est le plus petit ?

c. Range les superficies de ces lacs par ordre croissant.

Tu peux chercher les pays où se trouvent ces lacs sur ce site : http://fr.wikipedia.org/wiki/Liste_des_lacs_du_monde

Lac Victoria	68 100 km²
Lac Supérieur	82 350 km²
Lac Baïkal	31 500 km²
Lac Érié	25 719 km²
Lac Peipsi	3 500 km²
Lac Ontario	18 529 km²
Lac Michigan	57 750 km²

3 a. Écris en lettres la population des trois agglomérations suivantes :

◆ Hyères : 51 312 habitants ◆ Thionville : 39 480 habitants ◆ Toulouse : 390 401 habitants

b. Que représente le chiffre 3 dans chacun de ces nombres ?

4 Parmi les nombres du tableau, lesquels ont :

a. le même nombre de centaines de milliers ?

b. le même nombre de milliers ?

c. le même chiffre des milliers ?

d. le même chiffre des centaines ?

Classe des mille			Classe des unités		
c	d	u	c	d	u
2	4	2	1	6	0
2	3	4	6	0	0
	2	4	6	5	0
2	3	4	5	0	0

5 En utilisant une seule fois chacun des chiffres 2, 3, 4, 5, 6, 8, écris :

a. le plus grand nombre possible de six chiffres ;

b. le plus petit nombre possible de six chiffres.

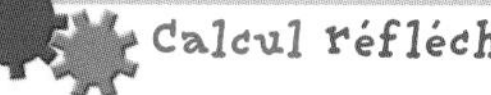

Calcul réfléchi

Ajouter des multiples de 5

Observe :

5 + 5 = 10

45 + 35 = 40 + 30 + 10 = 80

Calcule.

◆ 65 + 25 ◆ 55 + 35 ◆ 75 + 15 ◆ 105 + 35 ◆ 185 + 45

Le coin du chercheur

Nous avons autant d'argent l'un que l'autre.

Combien dois-je te donner pour que tu aies 10 euros de plus que moi ?

7 Du mètre au millimètre

COMPÉTENCES : Connaître les sous-multiples du mètre. Utiliser les équivalences entre les unités. Effectuer des opérations sur les longueurs.

Calcul mental

Complément à 100.
90 + …

Lire, débattre

- La distance entre deux villes
- L'altitude d'une montagne
- La taille d'une personne
- Le diamètre d'un tuyau
- Le périmètre d'un rectangle
- La profondeur d'une piscine
- La hauteur d'un immeuble.
- La contenance d'une bouteille
- Le tour de cou

Chercher

A Découpe une bande de papier d'un décimètre de longueur.

a. Combien de bandes d'un décimètre faut-il assembler pour former une bande d'un mètre ?

Recopie et complète :

- 1 m = ... dm
- 1 m = ... cm

b. Observe ta règle graduée. Recopie et complète :

- 1 cm = ... mm
- 1 m = ... mm

1 dm = 10 cm

La mesure du tour du drapeau est son périmètre.

B a. Mesure les côtés du drapeau de la Pologne.

– Calcule le périmètre du drapeau.

– Trouve le périmètre de la partie rouge.

b. Le périmètre de la partie rouge est-il égal à la moitié du périmètre du drapeau ?

C Trace une ligne brisée ABCD qui mesure 2 dm 5 mm. Écris sa mesure en cm et mm.

a. Indique les mesures choisies pour chacun des segments :

AB = ... BC = ... CD = ...

b. Compare ton tracé avec celui de ton voisin.

Une ligne brisée ? Ah oui, je me souviens !

A B C D

Mémo

1 m = 10 dm = 100 cm = 1 000 mm
1 dm = 10 cm = 100 mm
1 cm = 10 mm

Pour effectuer une opération avec des longueurs, tu dois les exprimer avec la **même unité**.
2 m 5 cm + 43 cm = 205 cm + 43 cm = 248 cm

m	dm	cm	mm
1	0	0	0
2	0	5	
	4	3	

S'exercer, résoudre

1 Écris en **cm** :

- longueur de la table : 2 m 15 cm
- largeur d'une feuille : 210 mm
- hauteur du bureau : 720 mm
- longueur du tableau : 2 m 50 cm

2 Range les longueurs de ces pas par ordre croissant.

- 81 cm
- 9 dm
- 799 mm

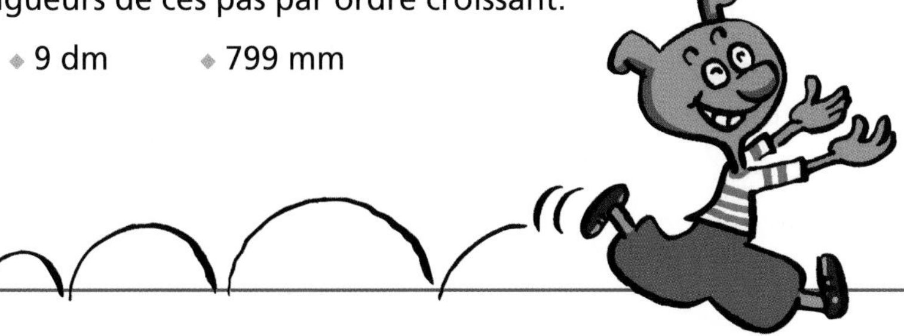

3 Calcule.

- 50 cm + 50 mm
- 8 dm + 82 cm + 540 mm
- 6 dm 8 mm + 52 mm

4 Combien de doubles décimètres mis bout à bout faut-il pour obtenir 1 mètre ?

5 Trace un carré de 20 cm de périmètre.

6 Mesure chaque segment du chemin parcouru par Julie la fourmi.

a. Calcule la longueur totale.

b. Donne la réponse en mm, puis en cm et mm.

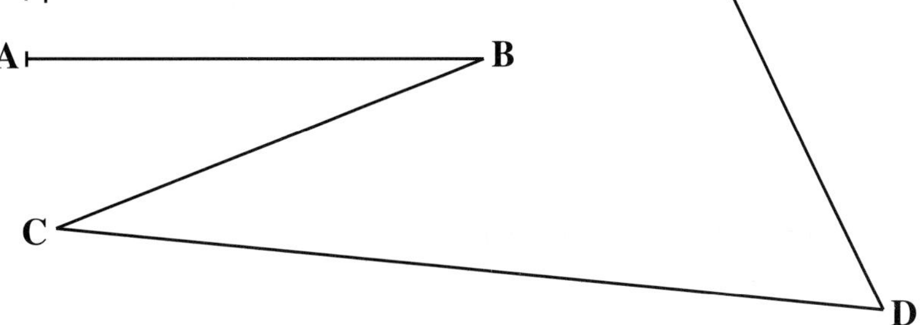

7 Mesure les dimensions de la couverture de ton livre de mathématiques. Calcule son périmètre.

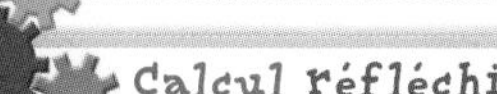

Calcul réfléchi

Les moitiés

Observe :

moitié de 48 = moitié de 40 + moitié de 8
= 20 + 4
moitié de 48 = 24

Calcule les moitiés des nombres.

- 44
- 46
- 62
- 68
- 84
- 86

Le coin du chercheur

Un escargot grimpe le long d'un puits profond de 12 m. Chaque jour il monte 3 m. Chaque nuit, il glisse et descend 2 m.

Combien de jours lui faut-il pour sortir du puits ?

8 CALCUL RÉFLÉCHI Utiliser la propriété de la différence

COMPÉTENCES : Connaître la propriété fondamentale d'une différence et l'utiliser.
Aborder la technique de la soustraction.

Calcul mental

Retrancher un petit nombre.
18 – 3

Chercher

A Dragan possède un billet de 50 €, Samuel un billet de 50 € et un billet de 20 €.

a. Quelle est leur différence de fortune ?

b. Chacun gagne un billet de 10 €. Leur différence de fortune a-t-elle changé ?

Situation de départ

Dragan

Samuel

Situation après le gain de 10 €

Dragan

Samuel

c. Et si au lieu d'avoir 10 € en plus, ils avaient dépensé 10 €, leur différence de fortune aurait-elle changé ?
Calcule la nouvelle différence.

d. Que peux-tu en conclure ?

Pour t'aider, tu peux fabriquer des billets factices avec des morceaux de papier.

B Trouve des différences égales pour faciliter les calculs, puis complète-les.

a. 56 – 17 = (56 + ...) – (17 + 3) = ... – .... = ...

b. 72 – 28 = (72 + ...) – (28 + ...) = ...

c. 51 – 32 = (51 – ....) – (32 – 2) = ...

Il est plus facile de retrancher des dizaines entières.

Banque d'Exercices n° 16 p. 45

S'exercer, résoudre

1 Trouve des différences égales pour faciliter les calculs, puis calcule selon l'exemple.

34 – 18 = (34 + 2) – (18 + 2) = 36 – 20 = 16

a. 42 – 18 b. 64 – 17 c. 53 – 26 d. 81 – 33

2 Recopie les différences quand elles sont égales.

a. 84 – 36 84 – 46 b. 65 – 28 66 – 27 c. 92 – 37 90 – 35

d. 72 – 29 73 – 30 e. 123 – 57 126 – 60 f. 624 – 336 524 – 236

3 Avant la récréation, Malik possédait 70 billes et Ludivine 50.

a. Quelle était la différence entre leurs nombres de billes ?

b. Pendant la récréation, chacun perd 21 billes.
Quelle est maintenant cette différence ?

Mémo

La différence de deux nombres **ne change pas si on ajoute ou retranche un même nombre** à chacun des nombres de la différence.

51 – 38 = (51 + 2) – (38 + 2) = 53 – 40 = 13

51 – 32 = (51 – 2) – (32 – 2) = 49 – 30 = 19

9 Lire l'heure

COMPÉTENCE : Lire l'heure sur un cadran à aiguilles.

Calcul mental

Différence de dizaines, de centaines.

80 – 20 ; 500 – 200

Lire, chercher

Au cours de l'étape du Tour de France Gap – Alpe-d'Huez, les heures de passage du peloton ont été les suivantes :

A Quelle heure était-il dans chacune de ces villes ?

a. Dans quelle ville étaient les coureurs à « 3 heures moins le quart » ?

b. Où étaient-ils à « 4 heures moins cinq » ?

B Le peloton est passé à Freynet-d'Oisans 20 minutes après La Grave. Quelle heure était-il alors ?

S'exercer, résoudre

Banque d'Exercices nos 17 et 18 p. 45.

1 Observe les pendules.

①

②

③

④

⑤

a. Écris l'heure du matin et celle du soir correspondant à chacune d'elles.

b. Écris l'heure du matin des pendules ③ et ④ d'une autre façon.

c. Quelle heure indiquera la pendule ② une demi-heure plus tard ?

Mémo

1 heure = 60 min

matin : 10 h
soir : 10 + 12 = 22 h

8 h 45
ou 9 h moins le quart

Le coin du chercheur

Mathis a trois pommes identiques. Il a glissé une pièce en or dans l'une d'elles.

Trouve celle qui contient la pièce en n'effectuant qu'une pesée.

10 Droites perpendiculaires

COMPÉTENCES : Vérifier que deux droites sont perpendiculaires.
Tracer des angles droits et des droites perpendiculaires.

Calcul mental

Dictée de nombres.
deux mille trois

Lire, débattre

Dans quel cas la balle reviendra-t-elle dans la main de Mathéo ? Pourquoi ?

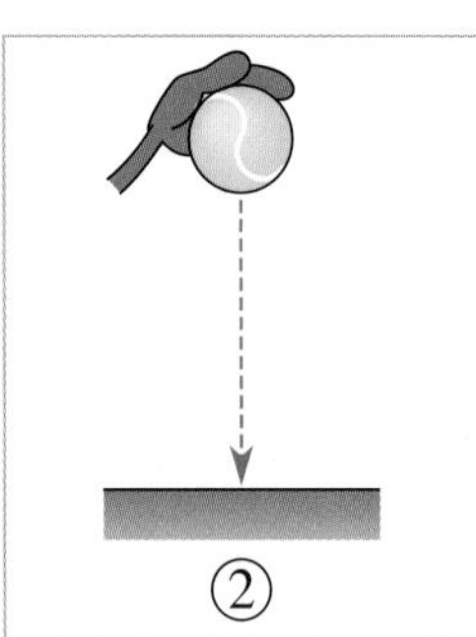

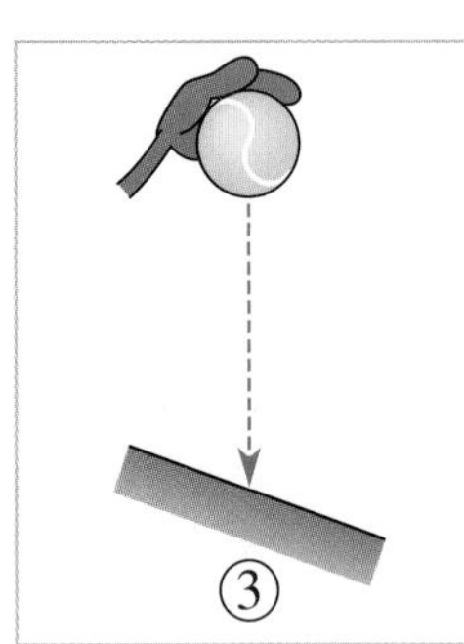

Chercher

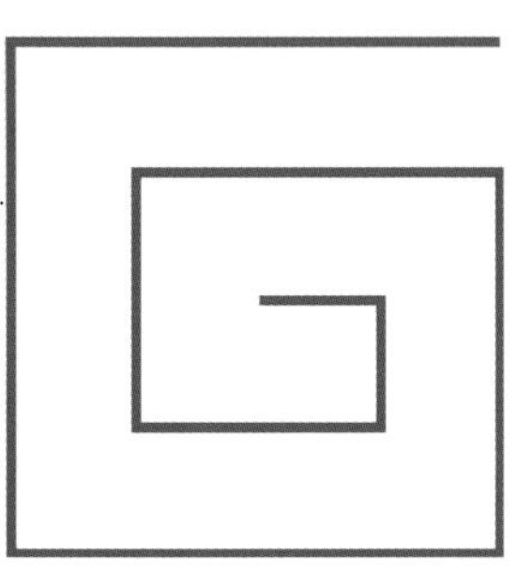

A Observe la figure.

a. Comment appelle-t-on les angles de cette figure ? Quels instruments a-t-on utilisés pour la construire ?

b. Reproduis-la à main levée, puis avec les instruments de géométrie.

B Fabrique une équerre en réalisant le pliage ci-contre.

a. Déplie et repasse au crayon chaque pli. Tu obtiens deux droites. Que peux-tu dire de ces deux droites ?

b. Utilise l'équerre que tu viens de fabriquer pour trouver les droites perpendiculaires des figures ci-dessous.

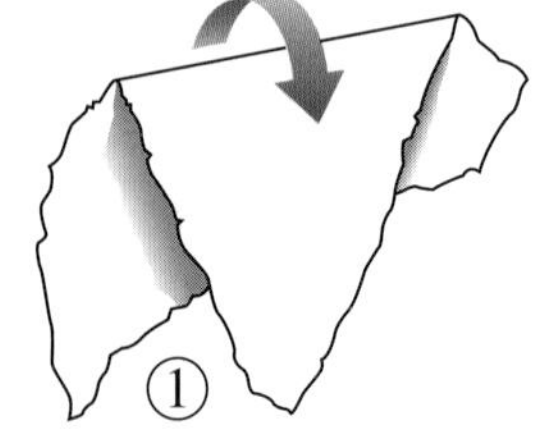

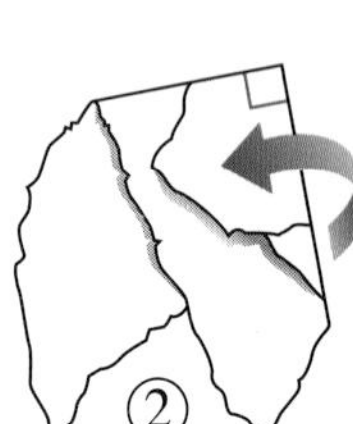

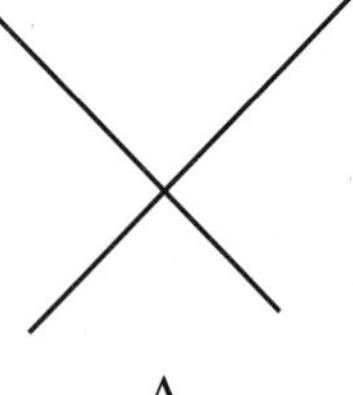

A

B

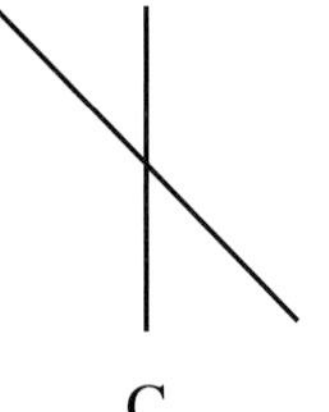

C

D

Mémo

Pour vérifier qu'un angle est **droit** ou tracer des **droites perpendiculaires** utilise une **équerre**.
Tu peux la fabriquer par pliage avec un morceau de papier.

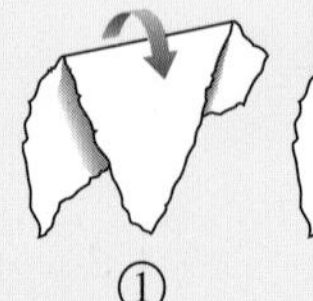

S'exercer, résoudre

Banque d'Exercices n°s 19 et 20 p. 45.

1 Quelles sont les droites perpendiculaires ?

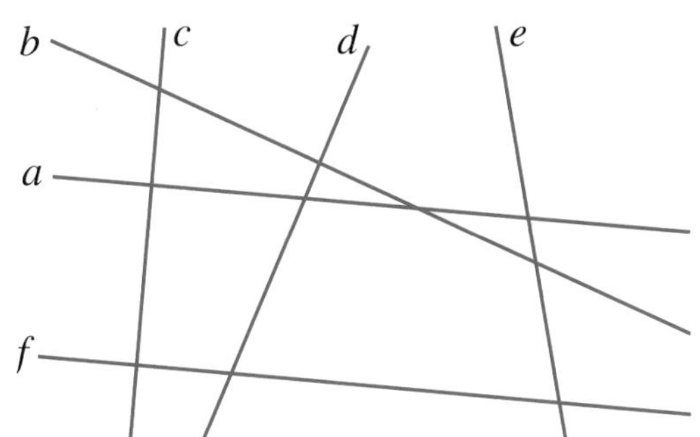

2 Sur une feuille de papier uni, reproduis chaque figure et trace les trois droites perpendiculaires à la droite d qui passent par chacun des points A, B et C.

a. Les points A, B et C sont sur la droite d.

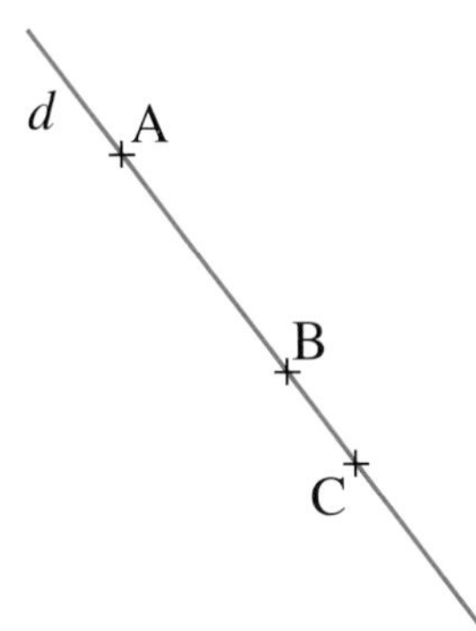

b. Les points ne sont pas sur la droite d.

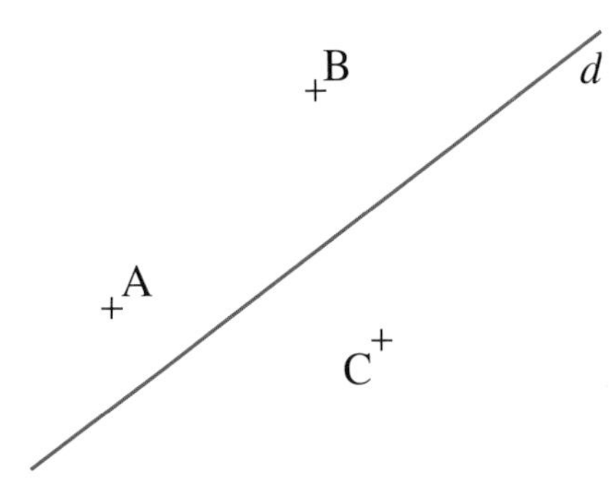

3 Observe cette figure, puis reproduis-la.

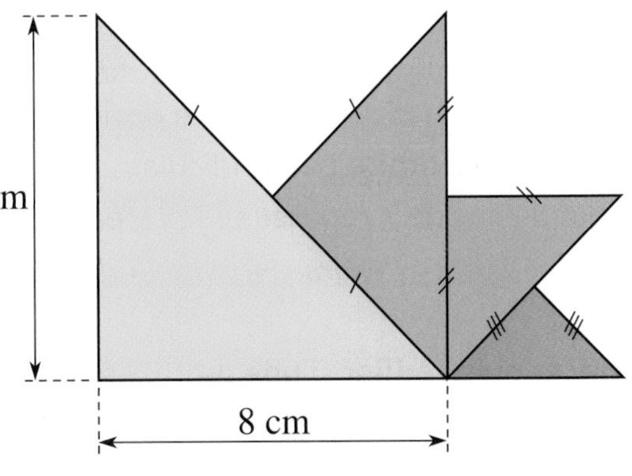

Calcul réfléchi

Différence de deux nombres

Observe :

84 – 26 = (84 – 24) – 2 = 60 – 2 = 58

Calcule.

- 67 – 28
- 74 – 26
- 83 – 37
- 71 – 35
- 95 – 27

Le coin du chercheur

Avec deux camarades, prends une ficelle et gradue-la jusqu'à 12. Utilise-la pour former un triangle dont les côtés mesurent 3, 4 et 5 unités.

Quelle sorte de triangle obtiens-tu ?

Tu as fabriqué une équerre avec une ficelle !

Atelier informatique (1)

Tracer des droites perpendiculaires

Calcul mental

Complément à la centaine supérieure

92 + ... = 100

COMPÉTENCE : Utiliser un logiciel de géométrie dynamique pour tracer des droites perpendiculaires.

1. Ouvre le logiciel **Déclic*** et observe les boutons de base.

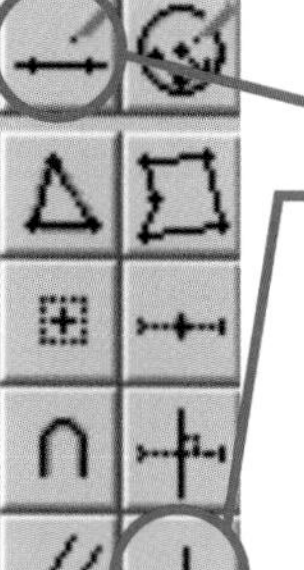

Ce bouton permet de tracer une droite passant par deux points.
Ce bouton permet de tracer une perpendiculaire.

Clique sur le bouton « **Supprimer** »,
puis sur le point ou la droite que tu souhaites effacer.

Positionne la souris sur ces boutons : les mots « droite » et « perpendiculaire »... vont apparaître

2. Tracer une droite

– Clique sur le bouton 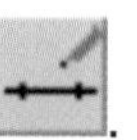.

– Place un premier point, puis un deuxième : la droite est tracée automatiquement.

– Utilise la palette de couleurs pour colorier cette droite (si la palette n'est pas présente, clique dans le menu sur « Fenêtre », puis sur « Palette ») : clique sur le pinceau, puis clique sur le bleu et enfin clique sur la droite.

– N'oublie pas de « reposer » le pinceau en cliquant à nouveau dessus, ainsi que sur la couleur noire.

3. Tracer une droite perpendiculaire

– Clique sur le bouton .

– Place un point sur la feuille, puis clique sur la droite.
La droite perpendiculaire à cette droite passant par le point est tracée automatiquement.

– Colorie cette droite perpendiculaire en rouge.

– N'oublie pas de « reposer » le pinceau en cliquant à nouveau dessus, ainsi que sur la couleur noire.

• *Qu'observes-tu à l'endroit où les deux droites se coupent ?*

4. Tracer puis vérifier si une droite est perpendiculaire à une autre

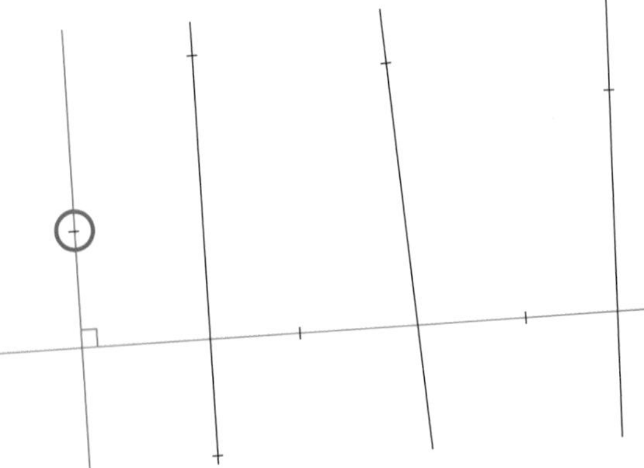

– Clique sur le bouton et essaie de tracer plusieurs droites perpendiculaires à la droite bleue.

– Clic gauche maintenu sur le point de la perpendiculaire (la main se transforme en crayon), fais glisser la perpendiculaire sur les autres droites.

• *Que peux-tu dire si les droites se superposent ?*

• *Combien as-tu tracé de droites perpendiculaires à la droite bleue ?*

* Cette activité a été conçue à partir du logiciel **Déclic 32** (téléchargeable gratuitement sur *http://emmanuel.ostenne.free.fr/*), mais elle peut être facilement adaptée et réalisée avec tout logiciel de géométrie dynamique.

12 La soustraction posée

COMPÉTENCE : Maîtriser l'algorithme de la soustraction.

Calcul mental

Retrancher deux nombres proches.

31 – 29

Comprendre

Une famille part de Nice en voiture pour se rendre en vacances en Bretagne. Le trajet mesure 1 254 km. Le premier jour elle parcourt 657 km.

Quelle distance lui reste-t-il à parcourir ?

Voici comment calcule Mélanie :

Recopie et termine la soustraction.

	1	2	5	[1]4
–		6	5	7
				7

4 moins 7, je ne peux pas.
J'ajoute 10 unités :
4 + 10 = 14
14 – 7 = 7
J'écris 7.

	1	2	5	[1]4
–		6	[1]5	7
				7

J'ai ajouté 10 unités à 1 254
Pour ne pas changer la différence, j'ajoute une dizaine à 657.
5 + 1 = 6

	1	2	[1]5	[1]4
–		[1]6	[1]5	7
			9	7

5 – 6, je ne peux pas.
J'ajoute 10 dizaines :
5 + 10 = 15
15 – 6 = 9
J'écris 9.

Banque d'Exercices n° 21 p. 45.

S'exercer, résoudre

1 Recopie et effectue les opérations suivantes.

```
  6 7 5        4 6 5        2 0 2 4
– 1 5 3      – 1 5 7      – 1 5 7 5
```

2 Pose et calcule.
- 325 – 87
- 564 – 175
- 3 021 – 1 642

3 Recopie et complète.

```
a.   2 4 ● 2     b.   4 ● 5 ●     c.   6 2 2 3
   –   7 2 8        –   8 ● 6        – ● ● ● ●
     ● ● 4 ●          3 5 2 4          3 5 6 9
```

4 Une famille réserve un séjour de 1 100 € dans une agence de voyages. Elle verse 565 € d'acompte. Combien lui restera-t-il à payer ?

5 Calcule la différence d'altitude entre le sommet du mont Blanc (4 808 m) et celui de l'Everest (8 848 m).

6 Calcule la différence de longueur entre les deux plus longs tunnels routiers, celui du Saint-Gothard, en Suisse, qui mesure 16 918 m, et celui de l'Alberg, en Autriche, qui mesure 13 972 m.

Mémo

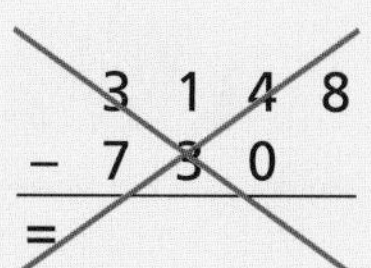

	m	c	d	u
	3	1	4	8
–		7	3	0
=				

Le coin du chercheur

Quel est le plus grand de ces nombres en chiffres romains ?

LX ou **XL** ?

13 PROBLÈMES Situations multiplicatives

COMPÉTENCE : Reconnaître des situations multiplicatives.

Calcul mental

Tables de multiplication de 2, 5, 10.

2×8

Lire, débattre

Julia possède 37 sachets de 9 pin's publicitaires.

Combien de pin's a-t-elle ?

Facile ! Je calcule 9 + 9 + 9 + ...

Moi je fais une opération plus rapide.

Quelle opération Salimata va-t-elle effectuer ?

Chercher

A Observe les dessins ci-contre et lis toutes les questions avant de répondre.

1. Quel est le nombre de pétales ?

2. Combien de timbres sont rangés sur la page d'album ?

3. Quel est le nombre total de billes ?

4. Combien de passagers ces quatre bus permettent-ils de transporter?

25 billes

40 billes

30 billes

54 places

54 places

54 places

54 places

Tu peux utiliser la calculatrice.

a. À quelles questions peux-tu répondre en effectuant une multiplication ?

b. Réponds maintenant à ces questions.

B Combien coûte l'équipement complet pour cinq basketteuses ?

Compare ton calcul à ceux de tes camarades.

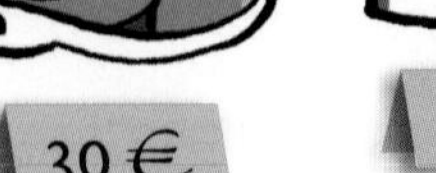

19 €

12 €

Mémo

Il est plus rapide de calculer 78×5 que de calculer $78 + 78 + 78 + 78 + 78$.

S'exercer, résoudre

Banque d'Exercices n° 22 p. 45.

1 Quel est le nombre de chocolats dans la boîte ? de perles sur le boulier ? de litres dans ces bidons ?

Écris les opérations, calcule et rédige les réponses.

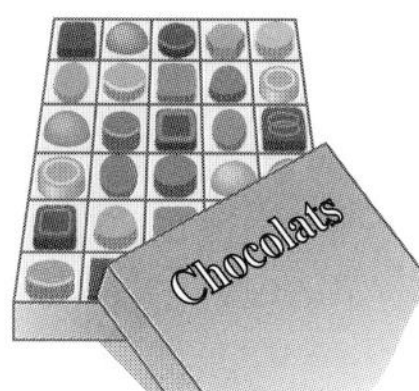

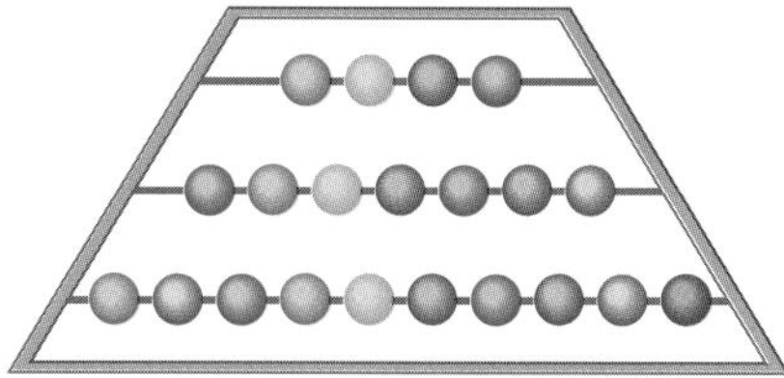

2 Léo a invité quatre amis au restaurant. Un repas coûte 18 euros.

Combien Léo a-t-il dépensé ?

3 La salle de spectacle comporte 12 rangées de 25 fauteuils et une dernière rangée de 30 fauteuils.

Quel est le nombre de places dans cette salle ?

4 Calcule le montant de cette facture.

LA MAISON DU MODÈLE RÉDUIT			
Quantité	**Articles**	**Prix unitaire**	**Total**
6	Wagons	38 €	....
36	Rails	3 €	....
1	Locomotive SACM	240 €	....
		Prix total	....

Tu peux utiliser la calculatrice pour les exercices 3, 4 et 5.

5 Le responsable de la BCD commande
8 Contes de Perrault
23 livrets de lecture, 4 DVD
et un dictionnaire.

Calcule le montant de sa commande.

Calcul réfléchi

Ajouter 9, 19, 29…

Observe :

9 = 10 – 1 ; 19 = 20 – 1 ; 29 = 30 – 1

47 + 19 = (47 + 20) – 1 = 67 – 1 = 66

Calcule.

- 45 – 9
- 67 – 9
- 56 – 19
- 83 – 29
- 92 – 39

Le coin du chercheur

Un archer tire 60 flèches.
Il tire une flèche par minute.
À midi, il tire la première.

À quelle heure tirera-t-il sa dernière flèche ?

14 CALCUL RÉFLÉCHI
Multiplier par 10, 100, 1 000

COMPÉTENCE : Multiplier par 10, 100, 1 000.

Calcul mental

Tables de multiplication de 2, 4, 8.

4 × 3

Comprendre

Pierre calcule **37 × 10** et Besma **48 × 100**.

A Observe, recopie et complète leurs calculs.

Pierre

37 × 10 = 10 × 37
10 c'est une dizaine
10 × 37 c'est 37 dizaines
37 × 10 = ...

48 × 100 = 100 × 48
100 c'est 1 centaine
100 × 48 c'est 48 centaines
48 × 100 = ...

Besma

J'ai compris comment faire pour multiplier par 1 000. Et toi ?

B Calcule : ◆ 53 × 1 000 ◆ 50 × 1 000

Banque d'Exercices n° 23 p. 45.

S'exercer, résoudre

1 Calcule.

a.	45 × 10	54 × 100	23 × 1 000
b.	74 × 10	83 × 100	40 × 1 000
c.	152 × 10	241 × 100	120 × 1 000

2 Recopie et complète.

a.	86 × .... = 8 600	.... × 10 = 5 100
b.	96 × .... = 960	.... × 100 = 24 000
c.	780 × .... = 78 000	.... × 1 000 = 31 000

3 Tamara achète 10 boîtes de 15 sucettes.
Combien de sucettes pourra-t-elle distribuer ?

Calcule sans poser les multiplications, bien sûr !

4 Corentin achète 24 carnets de 10 timbres pour son association.
Combien de timbres a-t-il achetés ?

5 À la piscine, Safia a nagé 100 longueurs de bassin de 25 m.
Quelle distance a-t-elle parcourue ?

6 Un stade de football comprend :
– une tribune couverte de 5 000 places ;
– et 20 gradins de 1 000 places assises.
Combien de spectateurs assis ce stade peut-il accueillir ?

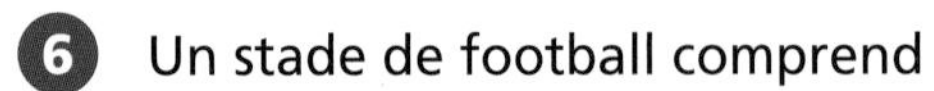

Mémo

Pour multiplier un nombre par 10, 100 ou 1 000, il suffit d'écrire **un, deux** ou **trois zéros** à la droite de ce nombre.

25 × 10 = 250   25 × 100 = 2 500   25 × 1 000 = 25 000

15 CALCUL RÉFLÉCHI Multiplier par 20, 30, 200, 300…

COMPÉTENCE : Multiplier par un nombre entier de dizaines, de centaines.

Calcul mental

Tables de multiplication de 3, 6.

3 × 5

Comprendre

A Zélia et Caroline calculent **42 × 20**.

Recopie et termine leurs calculs.

Pour multiplier par 20,
je multiplie par 10, puis par 2.
42 × 20 = (42 × 10) × 2
= .... × 2
=

Zélia

Pour multiplier par 20,
je multiplie par 2, puis par 10.
42 × 20 = (42 × 2) × 10
= .... × 10
=

Caroline

Maintenant tu sais multiplier par 200 puisque 200 = 2 × 100

B À ton tour, calcule : • 21 × 200 • 15 × 300

S'exercer, résoudre

1 Calcule.

a. 45 × 20	b. 60 × 20	c. 12 × 30	d. 50 × 40
45 × 200	60 × 200	12 × 300	50 × 400

2 La tirelire de José contient 15 pièces de 20 centimes.
Quel est le montant de ses économies ?

Calcule sans poser les multiplications.
Tu peux écrire les résultats intermédiaires des calculs.

3 Les enfants de l'école des Amandiers ont préparé 21 guirlandes de 40 étoiles chacune.
Combien d'étoiles ont-ils fabriquées ?

4 Un chauffeur de taxi parcourt en moyenne 300 km par jour.
Quelle distance parcourt-il en 15 jours de travail ?

Mémo

Pour multiplier un nombre par **20, 30**…, on multiplie d'abord par **2, 3**,…, puis par **10**.

Pour multiplier un nombre par **200, 300**…, on multiplie d'abord par **2, 3**,…, puis par **10**.

Le coin du chercheur

Déplace 2 allumettes pour former un carré et deux rectangles.

16 PROBLÈMES
Rechercher des données

COMPÉTENCE : Rechercher les informations pertinentes dans différents types de documents pour résoudre un problème.

Calcul mental

Tables de multiplication de 6, 7.

6×7

Lire, chercher

Le Théâtre Antique d'Orange, en Provence, est le théâtre romain le mieux conservé en Europe.

Infos pratiques

Théâtre Antique et Musée d'Orange
Rue Madeleine Roch
84100 ORANGE

Horaires
- janvier, février, novembre, décembre 9 h – 16 h 30
- mars, octobre 9 h – 17 h 30
- avril, mai, septembre 9 h – 18 h
- juin, juillet, août 9 h – 19 h

Situation
Dans le centre-ville d'Orange, à 29 km d'Avignon.

Accès
- autoroutes A7 et A9, sortie Orange centre et suivre les indications.
- route Nationale 7, sortie Orange centre et suivre les indications.
- bus de la gare SNCF
- parking à proximité.

Théâtre Antique d'Orange

A Combien d'heures le Théâtre Antique d'Orange est-il ouvert au public chaque jour du mois de mai ? Chaque jour du mois d'août ?

B Une famille habitant Arles va visiter le Théâtre. Elle passe par Avignon, situé à 37 km d'Arles.

Calcule la longueur du trajet aller-retour qu'elle effectue.

C Cette famille est composée de deux adultes et de trois enfants âgés de 5, 8 et 11 ans.

a. Combien devrait-elle payer pour visiter ce monument ?

b. Grâce à « l'**Offre familles** », combien va-t-elle réellement dépenser ?

Tarifs
Plein tarif : **8,00 €**
Réduit *(enfants de 7 à 17 ans, étudiants, invalides, demandeurs d'emploi)* : **6,00 €**
Enfants *(moins de 7 ans)* : **gratuit**

Offre familles

Une entrée enfant gratuite

Pour 3 personnes* payantes d'une même famille.

*Adultes ou enfants

payants

gratuit

S'exercer, résoudre

1 Depuis 1985, le château de Castelnaud, en Dordogne, abrite le musée de la guerre au Moyen Âge.

Une classe de CM1 est venue le visiter. Quatre adultes ont encadré cette sortie. Observe le ticket d'entrée.

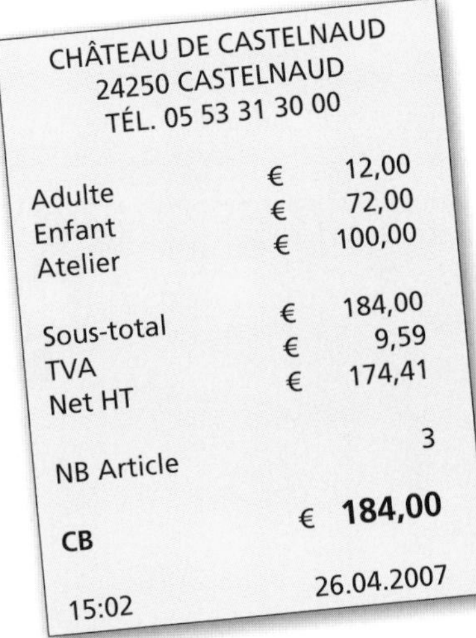

CHÂTEAU DE CASTELNAUD
24250 CASTELNAUD
TÉL. 05 53 31 30 00

Adulte	€	12,00
Enfant	€	72,00
Atelier	€	100,00
Sous-total	€	184,00
TVA	€	9,59
Net HT	€	174,41
NB Article		3
CB	€	**184,00**
15:02		26.04.2007

Tarif groupe	adulte	**6 euros**
	enfant primaire	**3 euros**
	atelier pédagogique	**100 euros**
1 adulte gratuit pour 10 enfants		

a. Par quel moyen de paiement l'enseignant a-t-il réglé le droit d'entrée ?

b. Quelles sont la date et l'heure du début de la visite ?

c. Quel est l'effectif de ce groupe d'enfants ?

d. Combien d'adultes ont payé ? Pourquoi ?

Observe attentivement le ticket de caisse.

2 À Paris, le Grand Palais est situé en bordure des Champs-Élysées. Il abrite régulièrement salons et expositions temporaires. Sa coupole est en verre et en acier.

Données générales	
Construction	1897 – 1900
Matériaux	Pierre, acier, verre
Longueur	240 m
Hauteur	44 m
Masse de la coupole	9 000 tonnes dont 7 000 t d'acier (comme la tour Eiffel)
Surface	13 500 m^2

a. Combien d'années la construction du Grand Palais a-t-elle duré ?

b. Quelle est la masse de verre de la coupole ?

c. La longueur du bâtiment est-elle environ 2 fois, 5 fois ou 10 fois plus grande que la hauteur ?

Rénovation de la charpente (2001-2005)
– 15 000 rivets changés – 60 000 kg de peinture utilisée – 700 tonnes d'acier remplacé

d. Pour repeindre la charpente, on a utilisé des pots de 30 kg de peinture.

– Quelle est la masse de 1 000 pots ?

– Combien de pots a-t-on utilisés ?

17 Axes de symétrie d'une figure

COMPÉTENCES : Percevoir qu'une figure possède un ou plusieurs axes de symétrie.
Vérifier, en utilisant différentes techniques, qu'une droite est axe de symétrie d'une figure.

Calcul mental

Tables de multiplication de 10, 9.

9×5

Lire, débattre

Chercher

A Quel est le nombre d'axes de symétrie de chaque polygone ?

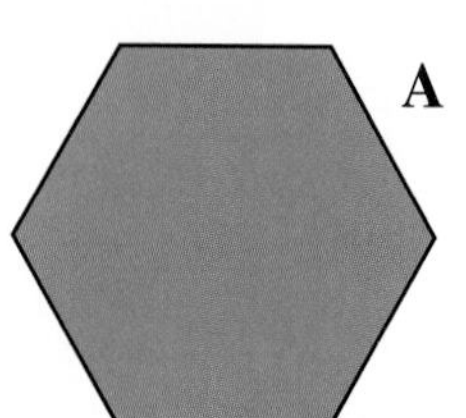

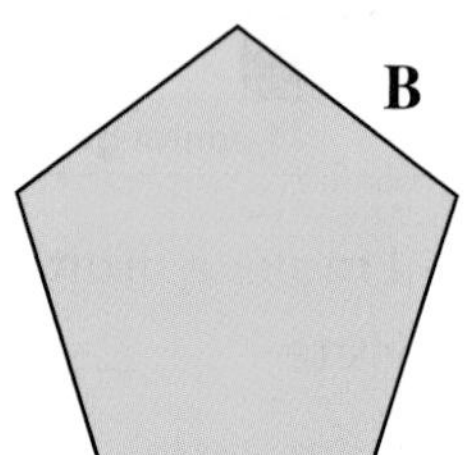

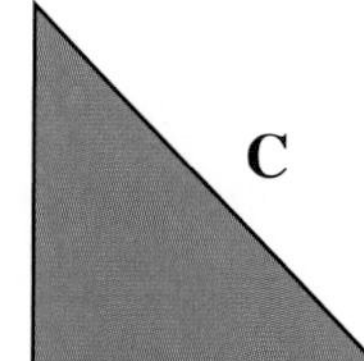

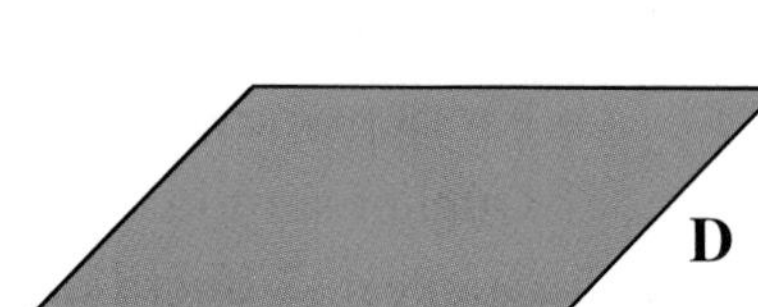

Pour vérifier tes réponses, tu peux décalquer les figures, les découper, les plier, construire des gabarits, les retourner dans leur trace ou te servir d'un miroir.

B Dessine un carré de 4 carreaux de côté. Trace ses axes de symétrie.

C Observe ces figures.

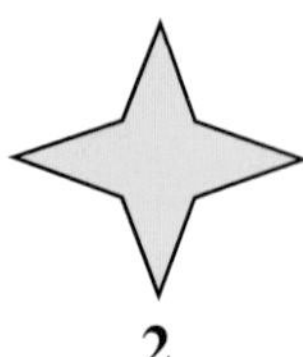

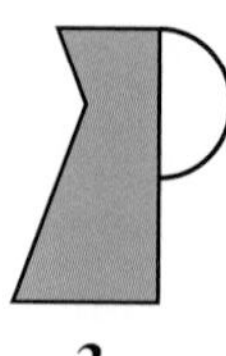

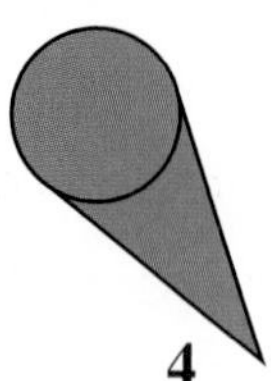

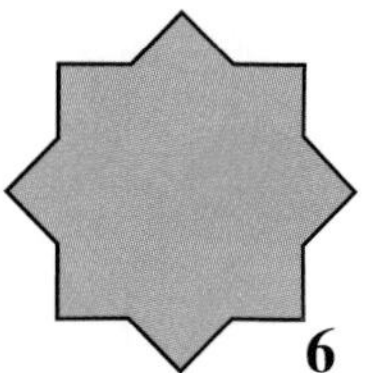

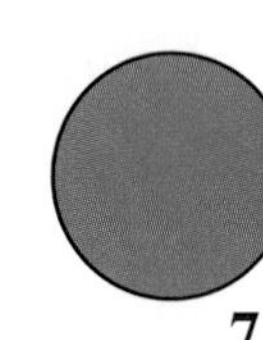

a. Laquelle ne possède pas d'axes de symétrie ?

b. Lesquelles possèdent plusieurs axes de symétrie ?

c. Laquelle possède le plus grand nombre d'axes de symétrie ?

Mémo

Pour vérifier qu'une figure admet un axe de symétrie, tu peux :

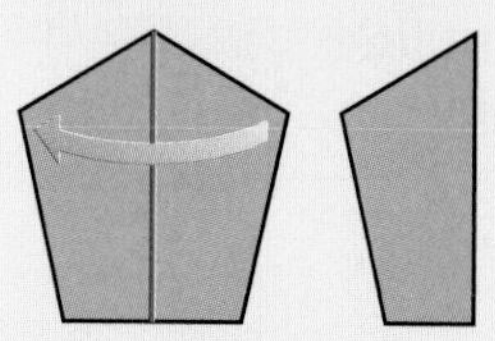

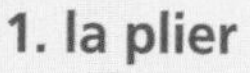

1. la plier

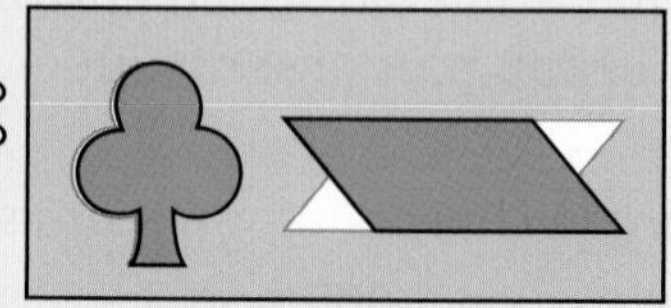

2. la retourner dans sa trace

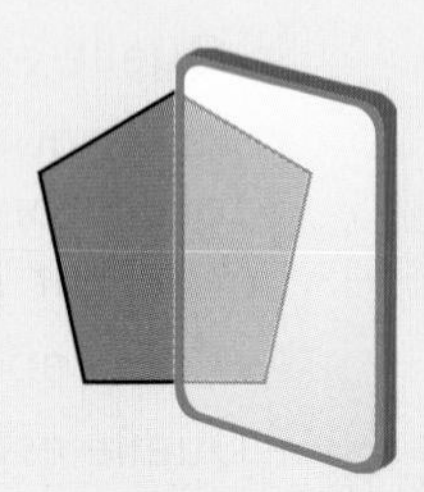

3. utiliser un miroir

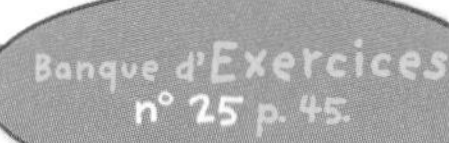

S'exercer, résoudre

1 Pour quelles figures, la droite rouge est-elle axe de symétrie ?

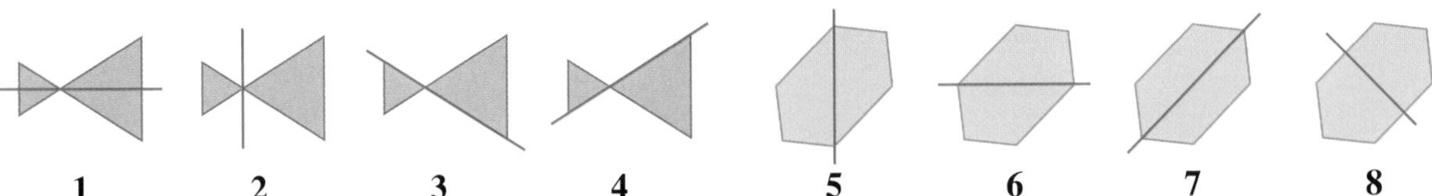

1 2 3 4 5 6 7 8

2 Reproduis les lettres qui ont un axe de symétrie. Trace cet axe à main levée.

F B D K M E A

3 Combien d'axes de symétrie le motif de cette faïence arabe possède-t-il ?

4 Gabrielle a dessiné une fleur sur l'écran de son ordinateur.

Combien d'axes de symétrie cette fleur possède-t-elle ?

5 Dessine ces figures à main levée et trace leurs axes de symétrie.

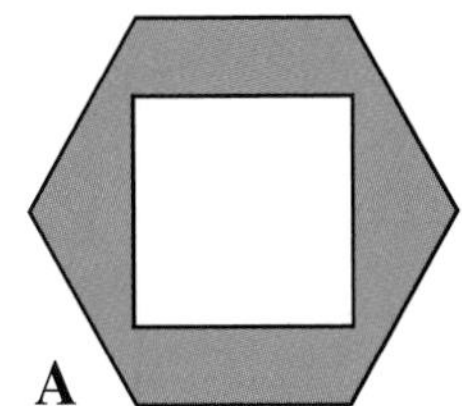

A

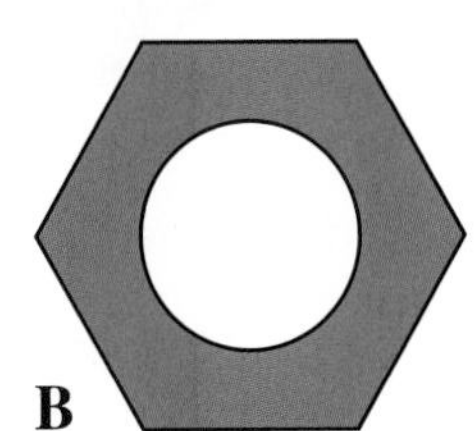

B

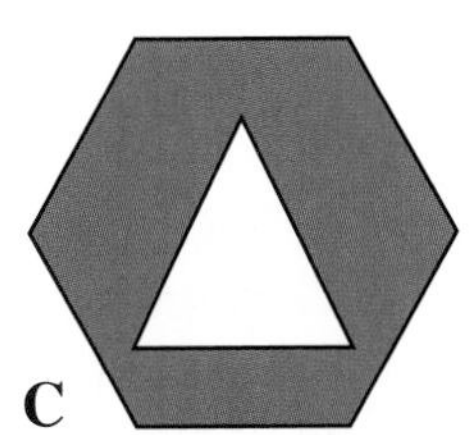

C

Calcul réfléchi

Ajouter 8, 18, 28…

Observe :

8 = 10 – 2 18 = 20 – 2 28 = 30 – 2

54 + 18 = (54 + 20) – 2 = 74 – 2 = 72

Calcule.

- 36 + 8
- 57 + 8
- 65 + 18
- 47 + 18
- 34 + 28

Le coin du chercheur

Anna n'a pas encore 30 ans.
Dans le nombre qui indique son âge, le chiffre des unités est la moitié de celui des dizaines.

Quel est l'âge d'Anna ?

18 Ordre de grandeur

COMPÉTENCES : Évaluer un ordre de grandeur d'un résultat en utilisant un calcul approché.
Utiliser à bon escient la calculatrice.

Calcul mental

Petits produits.
4 × 3

Lire, débattre

Charlotte

Timéo

Production française de déchets*	
Collectivités	14
Ménages	28
Entreprises	89
Agriculture	374
Bâtiment, travaux publics	343

* en millions de tonnes en 2004.
Source : ADEME.

Comment fait-il pour calculer aussi vite !

Chercher

A Arrondis les nombres du tableau de la production française des déchets à la dizaine la plus proche.

Pour donner une valeur arrondie d'un nombre, aide-toi d'une droite graduée.

10 20 30 40 50
Ménages

B Calcule la production des déchets avec les nombres arrondis.
Timéo a-t-il raison ?

C Agriculture, Bâtiment et travaux publics sont les plus gros producteurs de déchets. Arrondis les nombres 374 et 343 à la centaine la plus proche.

D En 2004, on a recyclé 1 712 milliers de tonnes d'équipements électriques et 1 318 milliers de tonnes de véhicules.

Cela fait environ 2 000 milliers de tonnes de déchets recyclés.

Je vois tout de suite que tu t'es trompé.

Comment Charlotte a-t-elle fait ?

Mémo

Pour vérifier un calcul, cherche mentalement une valeur approchée du résultat.
180 est la **valeur approchée** de **182** à la **dizaine** près.
200 est la **valeur approchée** de **182** à la **centaine** près.

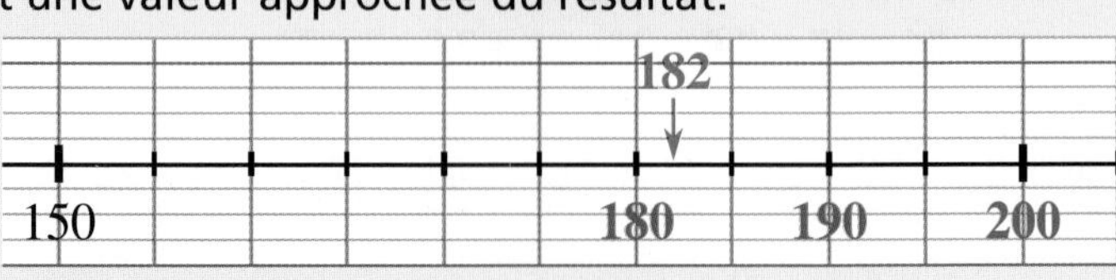

S'exercer, résoudre

1 Donne la valeur approchée à la dizaine d'euros près du prix de ces articles.

2 Trouve d'abord la valeur approchée du résultat sans effectuer l'opération.

	Valeurs approchées		
a. 38 + 84	100	120	150
b. 1 709 – 1 210	300	700	500
c. 21 × 38	800	600	1 000
d. 68 + 398 + 42	400	500	600
e. 521 × 17	1 000	5 000	10 000

Vérifie tes réponses avec la calculatrice.

3 Pour chaque opération, choisis la bonne réponse en utilisant la valeur approchée.

a. 267 + 314 + 195
- 576 ◆ 776 ◆ 376

b. 689 + 311
- 900 ◆ 1 000 ◆ 1 200

c. 803 – 698
- 305 ◆ 105 ◆ 505

d. 12 × 26
- 312 ◆ 112 ◆ 212

4 Xavier veut acheter l'ensemble des quatre articles dans la vitrine. Un billet de 100 € suffira-t-il à régler ses achats ?
Trouve la réponse sans poser l'opération.

5 En 2005, plus de 47 000 entreprises ont versé en moyenne 1 centime d'euro par emballage à *Eco-Emballages* et *Adelphe*. Ces deux organismes ont aidé 1 479 collectivités locales à mettre en place le tri des déchets dans environ 34 500 communes parmi les 36 785 communes françaises.

a. Parmi ces nombres, lesquels sont des valeurs approchées ?

b. Donne une valeur approchée des autres nombres à la dizaine de milliers près.

Calcul réfléchi

Multiplier par 10, 100, 1 000

Observe :

32 × 10 = 10 × 32 = 32 dizaines = 320
45 × 100 = 100 × 45 = 45 centaines = 4 500
24 × 1 000 = 1 000 × 24 = 24 milliers = 24 000

Calcule.
◆ 47 × 10 ◆ 56 × 10 ◆ 78 × 100 ◆ 20 × 1 000 ◆ 34 × 1 000

Le coin du chercheur

Combien de triangles comptes-tu ?

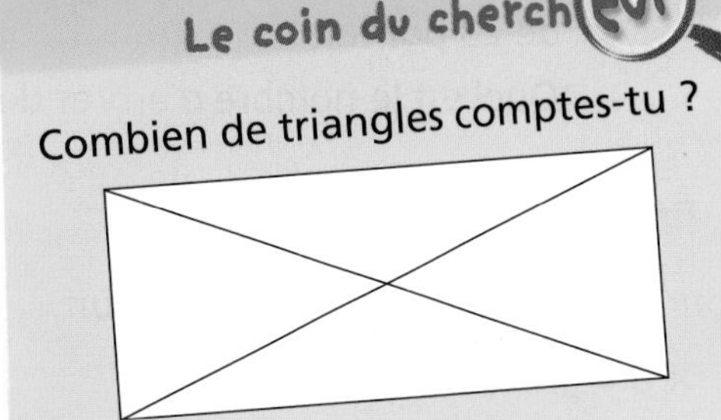

19 CALCUL RÉFLÉCHI
La multiplication en ligne

COMPÉTENCE : Multiplier par un nombre d'un chiffre (calcul en ligne).

Calcul mental

Ajouter un petit nombre à un nombre de 3 chiffres.

124 + 3

Comprendre et choisir

Rachid et Léa calculent le produit **26 × 8**.

a. Observe comment procède Rachid et termine ses calculs.

26 = 20 + 6
26 × 8 = (.... × 8) + (.... × 8)
26 × 8 = ... + ...
26 × 8 = ...

Rachid

b. Observe comment procède Léa et termine ses calculs.

8 = 10 – 2
26 × 8 = (26 × 10) – (26 × ....)
26 × 8 = ... – ....
26 × 8 = ...

Léa

c. Trouve une autre façon de calculer ce produit.

S'exercer, résoudre

Choisis ta méthode et calcule sans poser les multiplications. Pour t'aider, tu peux écrire les résultats intermédiaires.

Banque d'Exercices n°s 26 et 27 p. 45.

1 Calcule.

a. 28 × 6   35 × 7   47 × 8

b. 42 × 7   63 × 3   54 × 4

2 Sofiane a acheté 8 paquets de 25 images. Combien d'images possède-t-il ?

3 Théo joue avec ses soldats. Il les dispose en 9 rangées de 24.
Combien de soldats possède-t-il ?

4 Karine a effectué 6 étapes de 64 km à bicyclette.
Quelle distance a-t-elle parcourue ?

5 Dans un restaurant scolaire, on sert en moyenne 96 repas chaque jour.
Combien de repas sert-on pendant 4 jours ?

6 La tempête a détruit 6 rangées de 17 pommiers et 5 rangées de 23 poiriers.
Quel est le nombre d'arbres détruits ?

Mémo

Pour simplifier le calcul d'un produit, on peut **décomposer** les nombres.

23 × 8 = (20 × 8) + (3 × 8)   18 × 8 = (18 × 10) – (18 × 2)

20 CALCUL RÉFLÉCHI Jongler avec les nombres 100 et 1 000

COMPÉTENCE : Comprendre la structuration arithmétique des nombres 100 et 1 000.

Calcul mental

Ajouter des dizaines à un nombre « rond » de 3 chiffres.

180 + 30

Comprendre

A Utilise comme il te semble les nombres et les signes écrits dans les bulles.

Pour obtenir **100**

20 + 75 2 25 100 10 − 50 4 × 5

Pour obtenir **1 000**

+ 2 750 × 250 1 000 500 4 20 50 − 100

Trouve le plus grand nombre possible de solutions.

B Recopie et complète ces égalités.

a. 50 + 25 = ...
.... + 25 = 100
125 − .... = 50

b. 50 + ... + 250 = 500
500 + 350 + ... = 1 000
.... × 250 = 1 000

S'exercer, résoudre

1 Quelles sont les étiquettes égales à **100** ?

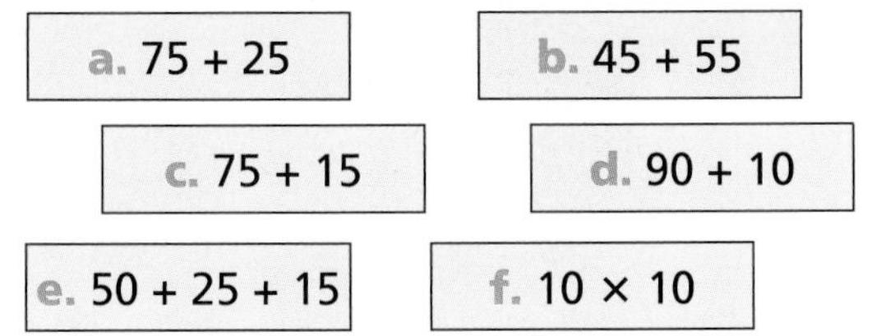

2 Quelles sont les étiquettes égales à **1 000** ?

a. 975 + 25
b. 450 + 550
c. 975 + 15
d. 990 + 100
e. 750 + 250
f. 10 × 100

3 Recopie et complète ces égalités.

a. 300 + ... = 1 000 ◆ 200 × .... = 1 000 ◆ 250 + 500 + ... = 1 000 ◆ 250 × .... = 1 000

b. 1 000 − 250 = ... ◆ 550 + 150 + 300 = ... ◆ 1 000 = ... + 3 centaines ◆ 1 000 − 750 = ...

4 Un livreur parcourt 1 000 km dans la semaine.
Du lundi au jeudi, il parcourt 700 km. Le vendredi il parcourt la même distance que le samedi.
Quelle distance parcourt-il le samedi ?

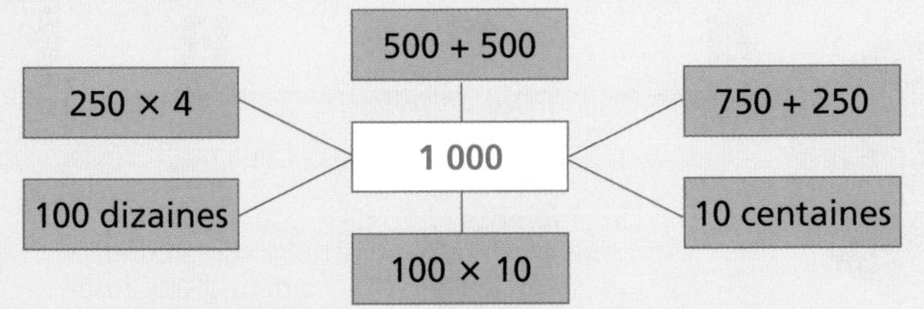

Le coin du chercheur

Combien d'axes de symétrie possède cette figure ?

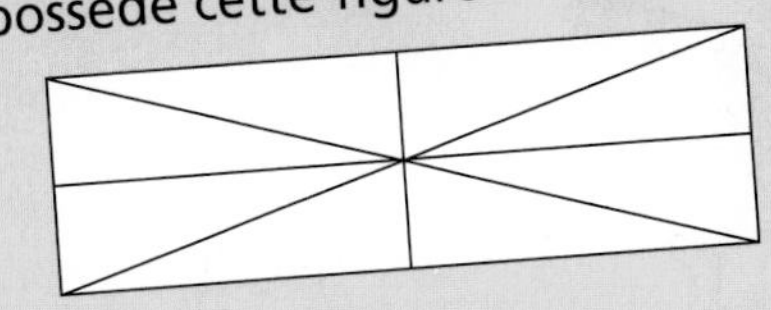

21 La Lune, notre satellite artificiel

Mobilise tes connaissances !

Objectif

Mobiliser ses connaissances et ses savoir-faire pour interpréter des documents et résoudre des problèmes complexes.

La Lune, notre satellite naturel

La Terre a un diamètre de 13 000 km environ.
Sa **circonférence*** à l'équateur est proche de 40 000 km.
La Lune, son satellite, a un diamètre 4 fois plus petit.
La distance Terre-Lune correspond environ à 10 fois le tour de la Terre.

1. À ton avis, le diamètre de la Lune mesure-t-il environ 300 km ? 3 000 km ? ou 30 000 km ?

2. Quelle est approximativement la distance Terre-Lune en km ?

On a marché sur la Lune

De la base de Cap Kennedy, en Floride, le 16/07/1969 à (horloge A), Neil Armstrong, Michael Collins et Edwin Aldrin partent avec pour mission de marcher sur la Lune.

L'**alunissage*** a lieu à (horloge B), le 20 juillet 1969. Neil Armstrong est le premier homme à marcher sur la Lune.

En posant son pied sur la Lune, il dit cette phrase restée célèbre : « Un petit pas pour l'homme, un bond de géant pour l'humanité. »

Le retour des astronautes se fait le 24/07 à (horloge C) sur l'océan Pacifique.

A

B

C

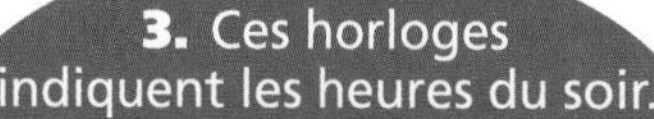

3. Ces horloges indiquent les heures du soir.

À quelle heure a eu lieu :
– le départ de Cap Kennedy ?
– l'alunissage ?
– le retour sur Terre ?

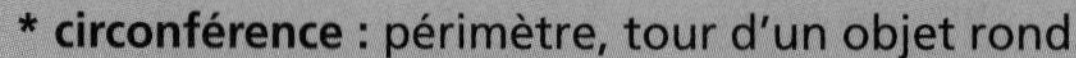

* **circonférence :** périmètre, tour d'un objet rond.
* **alunissage :** le fait d'atterrir sur la Lune.
* **pas de tir :** zone de lancement d'une fusée.

On a roulé sur la Lune : la mission Apollo 15

.e 26 juillet 1971, sur le **pas le tir*** de Cap Kennedy, la nission Apollo 15 s'élance ers la Lune.
Quatre jours plus tard, après ın alunissage parfait, les deux ıstronautes, David Scott et im Irwin, deviennent les preniers hommes à rouler sur la .une aux commandes d'un lrôle d'engin baptisé LRV (Luıar Rover Vehicle). Animé par juatre moteurs électriques (un ɔar roue), le LRV peut rouler à 16 km/h et bénéficie d'une autonomie de 90 km grâce à l'énergie fournie par ses deux batteries.
Enfin, pour s'adapter à la surface poudreuse du sol, ses roues sont composées au total de 800 cordes à piano tressées à la main. Le LRV effectuera en tout près de 28 km sur le sol lunaire en trois jours mais ne sera pas du voyage de retour...

4. Quel est le jour d'alunissage d'Apollo 15 ?

5. Quelle est la durée d'autonomie du LRV : environ 1 heure ? 3 heures ? 6 heures ? ou 10 heures ?

6. Combien de cordes à piano a-t-on utilisées par roue ?

7. Quelle distance ce véhicule lunaire a-t-il parcourue en moyenne par jour ?

On a sauté sur la Lune

Sur la Lune, tu pèses six fois moins que sur la Terre. Tu peux donc sauter presque six fois plus haut ou six fois plus loin.

8. Si tu pèses 36 kg sur la Terre, quel est ton poids sur la Lune ?

9. Si tu sautes 1 m 10 cm en hauteur sur la Terre, quel saut réaliserais-tu sur la Lune ?

10. Au cours d'une mission, les astronautes ont rapporté une roche qui pèse 3 kg sur la Lune.

Quel est son poids sur la Terre ?

www.astronomes.com/c1_solaires/p141_lune.html

www.fr.wikipedia.org/wiki/Lune

11. Indique, pour chaque phase, le nombre d'axes de symétrie.

Les phases de la Lune

Vue de la Terre, la Lune qui est éclairée par le Soleil, n'a pas toujours le même aspect, car elle tourne autour de la Terre. Voici différents aspects de la Lune que l'on peut observer.

Premier croissant — Premier quartier — Pleine Lune — Dernier quartier — Dernier croissant

Connaissance des nombres

- Lire, écrire et comparer des nombres de 0 à 999 999.
- Évaluer un ordre de grandeur.

Pour chaque exercice, recopie la bonne réponse **A**, **B** ou **C**.

		A	B	C	Aide
1	Écris en lettres : 1 030	mille trente	cent trente	mille trois	
2	(9 × 1 000) + (5 × 100) + 2 = ...	952	9 502	9 052	**Leçon 2** Mémo *(p. 12)* Exercices 1, 2, 3 *(p. 13)*
3	Complète la suite : 1 080 ; 1 085 ; 1 090 ; 1 095 ;	2 000	10 100	1 100	
4	Range par ordre croissant : 7 380 ; 7 003 ; 7 030	7 380 7 003 7 030	7 030 7 380 7 003	7 003 7 030 7 380	
5	Écris en chiffres : sept cent huit mille cinquante	7 850	708 050	78 050	**Leçon 6** Mémo *(p. 18)* Exercices 2, 3, 4 *(p. 19)*
6	Quelle est la valeur du chiffre **7** dans 74 625 ?	dizaines de mille	milliers	centaines	
7	Écris la valeur approchée de : 21 + 205 + 138	540	360	220	**Leçon 18** Mémo *(p. 36)*

Géométrie

- Identifier une figure plane.
- Vérifier que des droites sont perpendiculaires.
- Vérifier qu'une droite est axe de symétrie d'une figure.

		A	B	C	Aide
8	Identifie la figure bleue.	triangle	losange	carré	**Leçon 3** Chercher *(p. 14)*
9	Identifie la figure rouge.	losange	rectangle	triangle	
10	Quelles droites sont perpendiculaires ? (d_1, d_2, d_3)	d_1 et d_3	d_1 et d_2	d_2 et d_3	**Leçon 10** Mémo *(p. 24)* Exercice 1 *(p. 25)*
11	Quelle figure a seulement un axe de symétrie ? (A, B, C)	figure A	figure B	figure C	**Leçon 17** Mémo *(p. 34)* Exercices 1 et 2 *(p. 35)*

Calcul

- Calculer une différence.
- Calculer un produit.

		A	B	C	Aide
12	Calcule sans poser l'opération : 124 – 26	150	108	98	**Leçon 4** Mémo *(p. 16)* Exercice 1 *(p. 16)*
13	Pose et effectue : 2 032 – 864	2 896	1 238	1 168	**Leçon 12** Mémo *(p. 27)* Exercice 2 *(p. 27)*
14	Calcule en ligne : 38 × 7	256	266	264	**Leçon 19** Mémo *(p. 38)* Exercice 1 *(p. 38)*

Mesures

- Utiliser des mesures de longueur.
- Calculer le périmètre.
- Lire l'heure.

		A	B	C	Aide
15	2 m 8 cm = ...	28 cm	208 cm	280 cm	**Leçon 7** Mémo *(p. 20)* Exercices 1 et 3 *(p. 21)*
16	200 mm = ...	20 cm	2 cm	200 cm	
17	Quel est le périmètre de cette figure ? 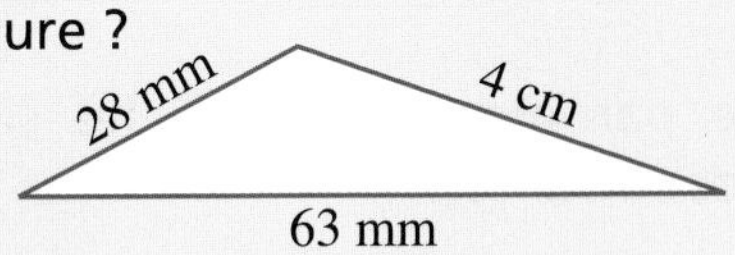	131 mm	95 mm	91 mm	
18	Quelle heure est-il • le matin ? 	8 h 50	7 h 50	8 h 10	**Leçon 9** Mémo *(p. 23)* Exercice 1 *(p. 23)*
19	• le soir ?	20 h 50	20 h 10	19 h 50	

Problèmes

- Reconnaître et résoudre des situations additives ou soustractives.
- Reconnaître et résoudre des situations multiplicatives.

		A	B	C	Aide
20	Calcule la distance entre B et C. 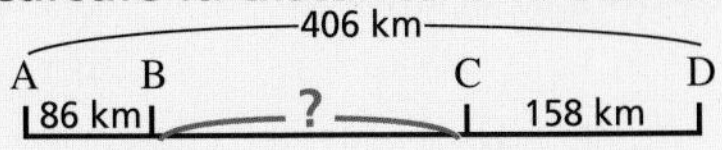	244	162	650	**Leçon 1** Chercher B *(p. 10)*
21	À chaque séance de natation, Pierre parcourt 6 longueurs de 25 m. Il s'entraîne 4 fois par semaine. Quelle distance parcourt-il : • à chaque séance ? • par semaine ?	150 m 600 m	110 m 900 m	250 m 300 m	**Leçon 13** Mémo *(p. 28)*

LEÇON 1

1 Trois classes de l'école des Pins participent à une sortie nature. Parmi les 73 enfants, 24 sont en classe de CE2, 26 en CM2 et les autres en CM1.
Quel est l'effectif du CM1 ?

2 Amandine et Célia vident le contenu de leur tirelire. « J'ai 17 € », s'écrie Amandine ! « Tu as 8 € de plus que moi » dit Célia.
Combien possède Célia ?

LEÇON 2

3 Décompose les nombres selon l'exemple.
6 953 = (6 × 1 000) + (9 × 100) + (5 × 10) + 3
6 953 = 6 000 + 900 + 50 + 3
- 3 080
- 4 444
- 2 999
- 8 008

4 Avec les chiffres **3**, **0**, **7** et **6**, écris :
a. le plus petit nombre de quatre chiffres ;
b. le plus grand nombre de quatre chiffres.

5 Combien faut-il de pièces de 1 €, de billets de 10 € et de 100 € pour avoir 2 135 € en utilisant le moins de pièces et de billets possible ?

6 Range par ordre décroissant les profondeurs des mers et des océans ci-dessous.

Fosse sud-est de la Sicile (mer Méditerranée)	4 115 m
Fosse de Porto Rico (océan Atlantique)	9 218 m
Fosse du Cap Matapan (mer Méditerranée)	5 121 m
Fosse de la Sonde-Java (océan Indien)	7 450 m
Fosse de Madagascar ouest (océan Indien)	6 400 m

LEÇON 3

7 a. Écris le nom des figures que tu reconnais.

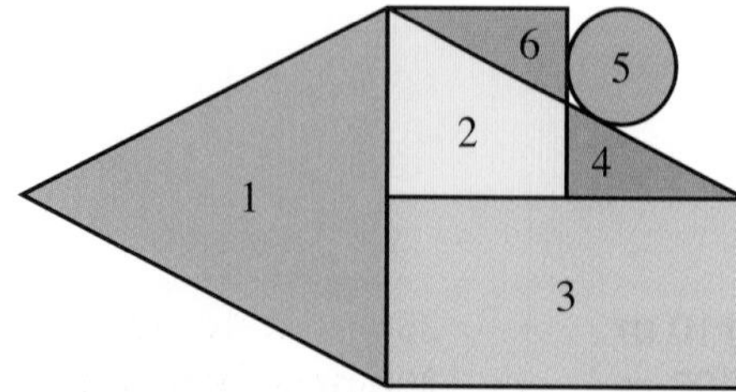

b. Combien de triangles comptes-tu ?

LEÇON 4

8 Calcule sans poser les soustractions.
- 135 – 82

  – .... – 2 ; 135

- 202 – 75

  + ... + ... ; 75 100 202

LEÇON 5

9 Quatre camarades comparent leur taille.
« Je suis plus grande que toi », dit Léa à Marie.
« Marie est plus grande que moi, mais je dépasse Thomas », ajoute Fred.
Range les quatre enfants par ordre croissant de leur taille.

LEÇON 6

10 Écris les nombres suivants en chiffres :
- cent mille cent
- six cent huit mille cinq cents
- trois cent mille huit
- deux cent quarante-trois mille quatre-vingt-cinq

11 Range par ordre croissant les superficies des îles suivantes.

Grande-Bretagne	228 200 km²
Guadeloupe	1 705 km²
Sumatra	471 000 km²
Réunion	2 512 km²
Madagascar	596 356 km²

12 Reproduis la droite graduée et place les nombres suivants :
- 640 000
- 460 000
- 680 000

400 000 — 500 000 — 600 000 — 700 000

13 Recopie chaque ligne et complète-la.

Nombre précédent	Nombre donné	Nombre suivant
....	909	....
....	2 420	....
....	8 000	....
....	3 999	....

LEÇON 7

14 Décompose selon l'exemple.

285 mm = 2 dm 8 cm 5 mm

- 623 mm
- 1 520 mm
- 5 100 mm
- 709 mm

15 Recopie et complète.

- 1 dm 5 cm 7 mm = ... mm
- 3 dm 9 mm = ... mm
- 1 m 8 mm = ... mm
- 7 dm 4 mm = ... mm

LEÇON 8

16 a. Amélie possède 128 € et Antoine 94 €. Quelle est la différence de leur fortune ?

b. Chacun d'eux achète un sac de plage qui coûte 14 €.
La différence de leur fortune change-t-elle après cet achat ?

c. Vérifie-le en calculant.

LEÇON 9

17 Écris l'heure indiquée par chaque cadran.

Matin

Soir

18 Le TGV à destination de Paris doit arriver à la gare Lyon/Part-Dieu à 8 h 40. Il est annoncé avec un retard de 20 minutes.
À quelle heure arrivera-t-il ?

LEÇON 10

19 Nomme les angles droits de cette figure.

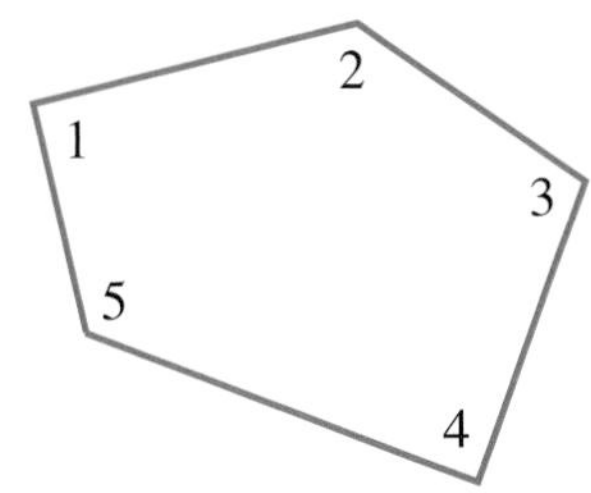

20 Dans quelles figures les droites sont-elles perpendiculaires ?

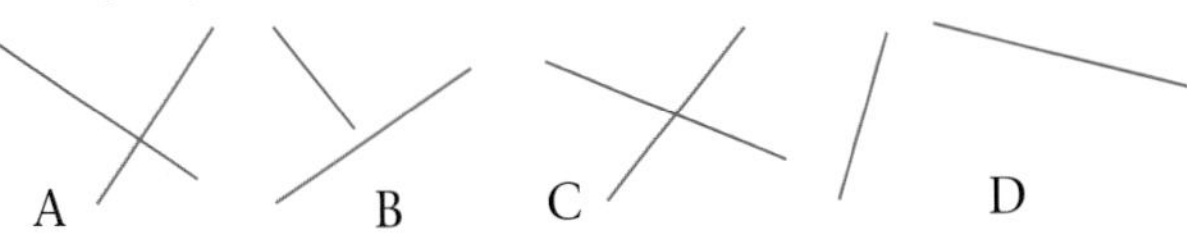

LEÇON 12

21 Recopie et complète les soustractions.

	4	2	5	....
–		7	....	4
=	....	....	9	5

	3	8	4	9
–	....	....	....	....
=	1	6	0	6

LEÇON 13

22 Léa a rempli 20 pages de son album de timbres. Chaque page peut recevoir 4 colonnes de 8 timbres.

a. Combien de timbres chaque page contient-elle ?

b. Combien de timbres l'album contient-il ?

LEÇONS 14 ET 15

23 Calcule.

- 9 × 10
- 17 × 10
- 45 × 100
- 31 × 1 000
- 12 × 20
- 8 × 200
- 300 × 14
- 500 × 6

24 Recopie et complète les égalités.

a. 5 × .... = 500
20 × .... = 80
20 × .... = 380

b. 32 × .... = 3 200
30 × .... = 9 000
400 × .... = 4 000

LEÇON 17

25 Quelles droites sont axes de symétrie de cette figure ?

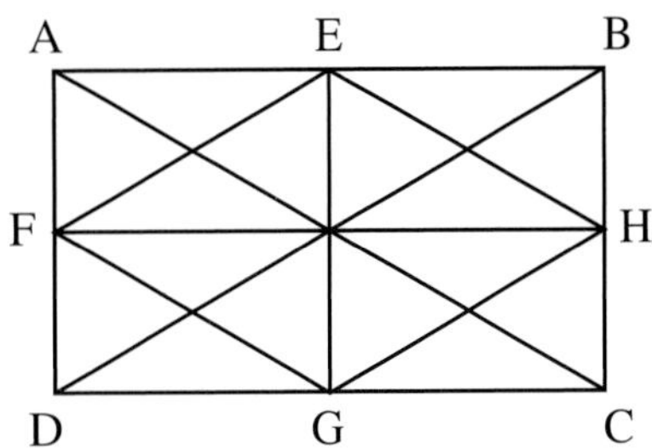

LEÇON 19

26 Pose et effectue.

- 124 × 6
- 212 × 5
- 97 × 8
- 657 × 4

27 Théo possède 4 boîtes contenant chacune 12 perles et une cinquième boîte de 7 perles.
Combien de perles possède-t-il ?

Atelier problèmes (1)

Travail en équipe

A Problèmes pour apprendre à chercher

Compétence : Élaborer des solutions originales pour résoudre des problèmes de recherche.

Problème 1

J'additionne trois nombres qui se suivent, je trouve 36.

Quels sont ces trois nombres ?

Problème 2

Dans la savane, derrière les buissons, se cachent des antilopes et des autruches. Le pisteur compte 20 têtes et 56 pattes.

Quel est le nombre d'antilopes et le nombre d'autruches ?

Problème 3

Charles et son fils Valentin marchent ensemble. Ils partent tous deux du pied droit. Le garçon fait deux pas quand le père en fait un.

Au bout de combien de pas Valentin repartira-t-il du pied droit en même temps que Charles ?

Problème 4

Fatou compte ses coquillages, elle en a moins de 100 mais plus de 70. Qu'elle fasse des paquets de 10 ou des paquets de 15, il lui reste toujours 5 coquillages.

Combien a-t-elle de coquillages ?

B Problèmes à étapes

Compétence : Articuler les différentes étapes d'une solution.

Pour ces problèmes, tu peux utiliser la calculatrice.

Problème 5

Une étape cycliste a une longueur de 204 km. Le ravitaillement a lieu exactement au milieu du parcours. Les coureurs ont roulé 41 km la première heure et 38 km la seconde heure.

Quelle distance leur reste-il à parcourir pour arriver au ravitaillement ?

Problème 6

La distance entre deux échelons de cette échelle est de 23 cm et la longueur de chacune des deux extrémités est de 25 cm.

Quelle est la longueur de cette échelle ?

25 cm

25 cm

23 cm

Problème 7

La Compagnie *Les Archers du Roy René* dispose de 600 €. Elle commande 7 arcs à 60 € l'unité et 30 flèches à 5 € l'unité.

Quelle somme restera-t-il à la compagnie lorsqu'elle aura réglé la commande ?

Problème 8

En arrivant à l'école, Edmond a 25 billes dans son sac. À la récréation du matin, il en gagne 12 et en perd 20 après la cantine. Il en gagne ensuite 18 à la récréation de l'après-midi.

Combien de billes a-t-il en rentrant chez lui ?

Période 2

Dans le dessin, retrouve Mathéo la mascotte. Cherche des détails illustrant les notions étudiées dans cette période.

	Leçons		Leçons
• Vérifier que des droites sont parallèles.	**22, 26**	• Résoudre des problèmes.	**31, 36, 38, 41**
• Calculer des durées.	**23, 33**	• Reconnaître et tracer des triangles.	**35**
• Reconnaître les multiples.	**24, 30**	• Lire, écrire les grands nombres.	**34, 40**
• Calculer un produit.	**25, 32**	• Reconnaître et résoudre des situations de division.	**36, 38**
• Utiliser des mesures de longueur.	**27**	• Lire et utiliser un calendrier.	**37**
• Interpréter un graphique.	**28**	• Utiliser la calculatrice.	**39**
• Utiliser une carte ou un plan.	**29**		

22 Droites parallèles *(1)*

COMPÉTENCES : **Reconnaître et tracer des droites parallèles.**

Calcul mental
Quel est le nombre de dizaines dans … ?
1 250

Lire, débattre

Ces rangées de vignes sont parallèles !

Peux-tu les mettre d'accord ?

Je dirais même plus, elles sont perpendiculaires !

Chercher

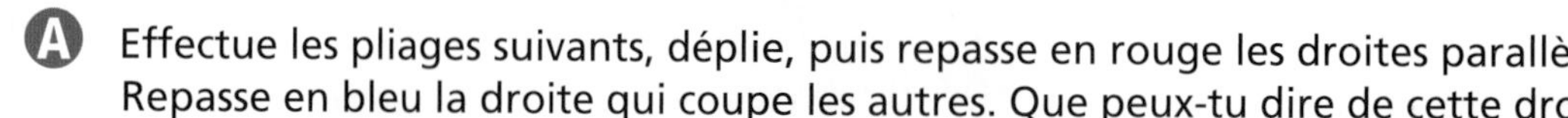

A Effectue les pliages suivants, déplie, puis repasse en rouge les droites parallèles. Repasse en bleu la droite qui coupe les autres. Que peux-tu dire de cette droite ?

1. Plie une feuille.

2. Plie une 2e fois bord sur bord.

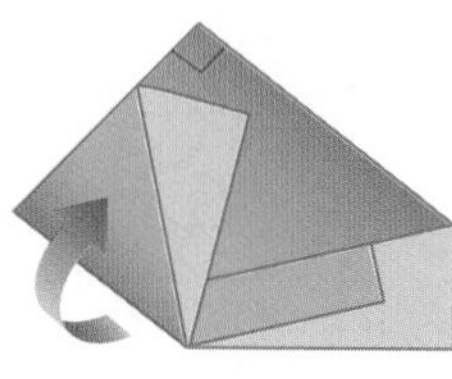

3. Plie une 3e fois bord sur bord.

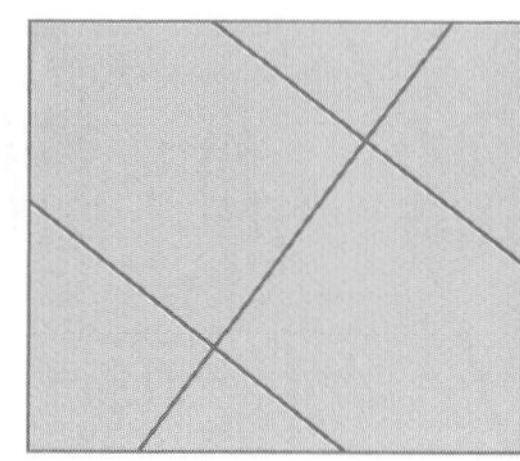

4. Déplie la feuille.

Maintenant, tu peux vérifier ta réponse au débat.

B Reproduis cette figure. ABCD est un carré de 5 cm de côté. Les droites de la même couleur sont parallèles. Commence par tracer le carré, puis **AC** et **BD**.

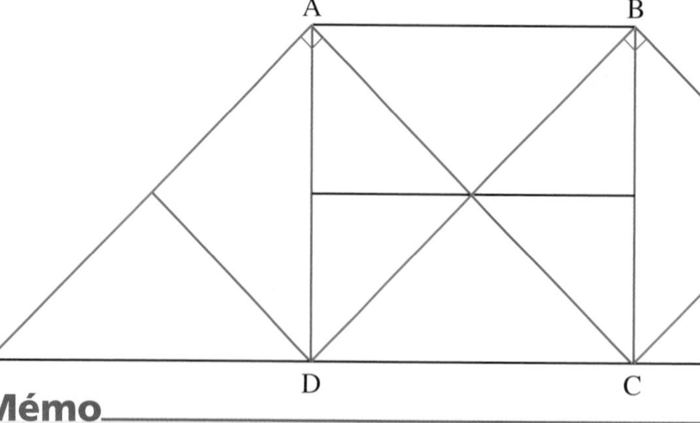

Moi, j'ai un truc : parallèles c'est comme les deux *ll* du mot.

Mémo

Si la droite d est perpendiculaire aux droites d_1 et d_2, alors les droites d_1 et d_2 sont parallèles.

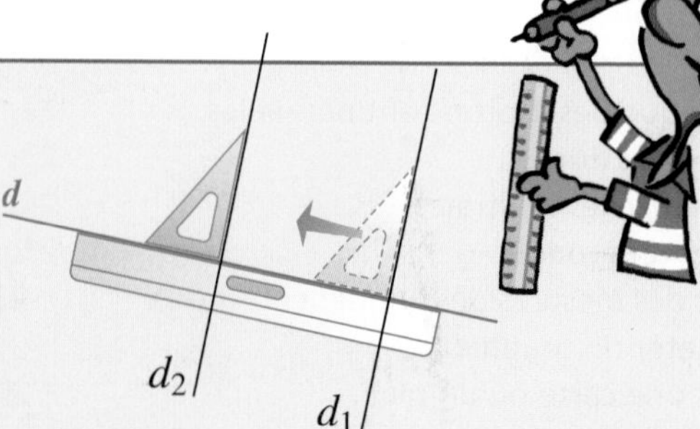

S'exercer, résoudre

Banque d'Exercices n° 1 p. 82

1 Les deux droites a et b sont-elles parallèles ?
Vérifie-le à l'aide de l'équerre.

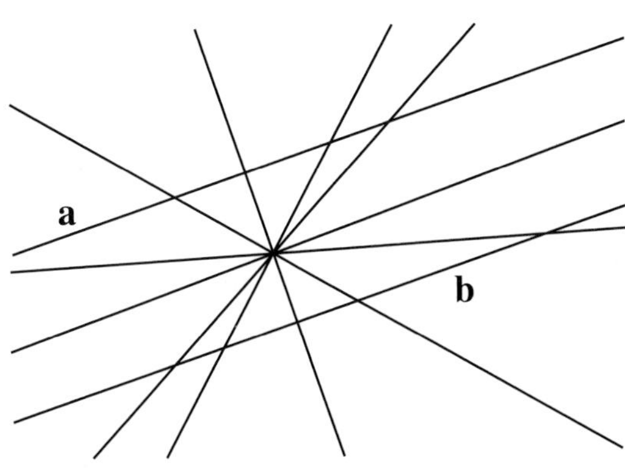

2 a. Quelles droites sont parallèles à la **droite rouge** ?
b. Quelles droites sont parallèles à la **droite verte** ?

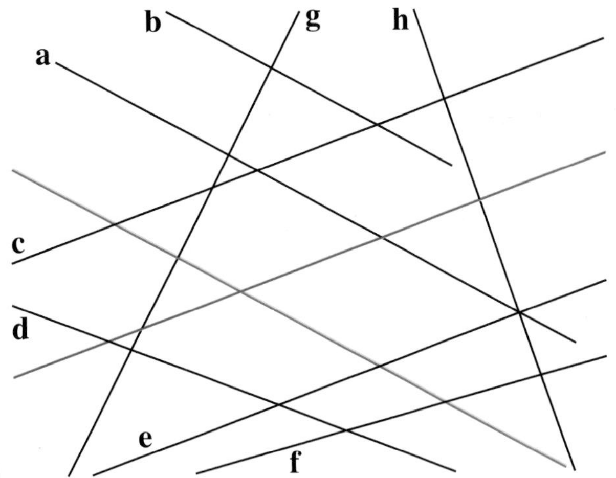

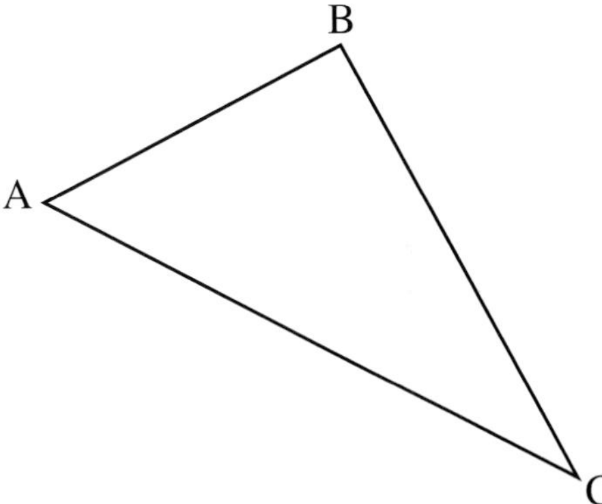

a. Trace un triangle ABC.
b. Place le point M, milieu de AB, puis le point N milieu de BC.
c. Trace la droite MN. Est-elle parallèle à AC ? Vérifie-le.

4 Trace un cercle et deux diamètres bleus perpendiculaires. Place deux points A et B à l'intérieur du cercle.
Trace et colorie les bandes orange et violette à bords parallèles.

5 a. Sur une feuille de papier uni, place trois points A, B et C non alignés. Trace la droite qui passe par les points A et B.
b. Trace la **droite rouge** qui passe par le point C et perpendiculaire à la droite AB.
c. Trace la **droite verte** qui passe par le point C et parallèle à la droite AB.

Calcul réfléchi

Retrancher 9, 19...

Observe :

- 9 = 10 – 1
- 19 = 20 – 1
- 29 = 30 – 1

85 – 9 = (85 – 10) + 1 = 75 + 1 = 76

Calcule.

- 47 – 9
- 186 – 9
- 54 – 19
- 62 – 19
- 83 – 29

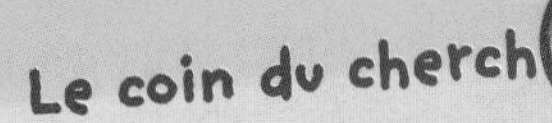

Quel est le nombre suivant ?
1, 2, 2, 4, 8, 32, …

23 Calcul de durées *(1)*

COMPÉTENCE : Calculer une durée en min et s.

Calcul mental

Quel est le nombre de centaines dans … ?

14 585

Lire, chercher

Deux équipes de relais junior, les jaunes et les bleus, s'affrontent en patinage sur 1 500 m.
Le tableau donne les résultats de l'équipe jaune.

Nom	Temps
Aurélien	2 min 43 s
Corentin	3 min 02 s
Grégory	2 min 49 s
Véronique	2 min 29 s

A Range ces coureurs du plus rapide au moins rapide.

B Calcule le temps total de l'équipe jaune.

C Le temps de l'équipe bleue est 10 min 48 s.
Quelle équipe a gagné le relais ? Pourquoi ?

D Calcule la différence de temps entre les deux équipes.

Tu te souviens :
1 heure = 60 minutes
1 minute = 60 secondes

Banque d'Exercices nos 2 et 3 p. 82.

S'exercer, résoudre

1 Pour effectuer le tour du stade, Alexis a mis 1 min 2 s et Thiméo 71 s.
Qui a couru le plus vite ? Pourquoi ?

2 Pour parcourir un mètre, l'escargot de Souraya a mis 2 min 42 s.
Celui d'Estelle est arrivé 1 min 30 s après !
Quelle est la durée de la course de l'escargot d'Estelle ?

3 En 2005, l'Éthiopien Kenenisa Bekele (photo A) a battu le record du monde de course à pied du 10 km sur piste en 26 min 17 s.
Le précédent record du monde du 10 km était détenu en 2004 par un autre Éthiopien, Haile Gebrselassie (photo B) en 27 min 02 s.

Calcule la différence de durée entre ces deux records.

A

B

Mémo

1 min = 60 s
1 h = 60 min

1 min 50 s

9 min — **9 min 40 s** — 10 min — 11 min — **11 min 30 s**

20 s — 1 min — 30 s

La durée entre **9 min 40 s** et **11 min 30 s** est **1 min 50 s.**

24 Multiples de 2, 5 et 10

Calcul mental

Retrancher un multiple de 10.

95 – 60

COMPÉTENCE : Reconnaître les multiples de 2, 5 et 10.

Lire, chercher

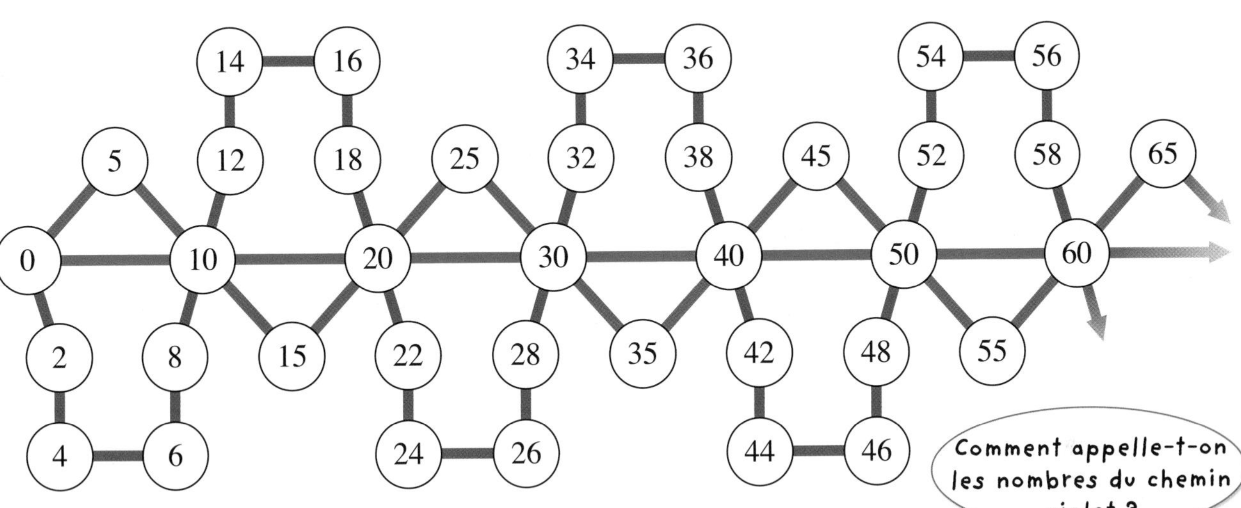

Comment appelle-t-on les nombres du chemin violet ?

A Pour chacun des chemins violet, bleu et vert, réponds aux questions suivantes :
- Dans quelle table de multiplication trouve-t-on ces nombres ?
- De quel nombre sont-ils multiples ?
- Par quels chiffres sont-ils terminés ?

B Observe les nombres où les chemins violet et bleu se croisent.
- Par quel chiffre sont-ils terminés ?
- Que peux-tu dire des nombres qui sont à la fois multiples de 2 et de 5 ?

Banque d'Exercices n° 4 p. 82

S'exercer, résoudre

1 a. Écris les multiples de 2 compris entre **77** et **93**.

b. Écris les multiples de 5 compris entre **276** et **302**.

c. Écris les multiples de 10 compris entre **9 936** et **10 029**.

2 Parmi les nombres suivants :
468, 317, 605, 1 359, 4 000, 842, 90, 2 100,
lesquels sont multiples de 2 ? de 5 ? de 10 ?

3 L'âge de grand-père est un multiple de 2 et de 5. Il a plus de 71 ans et moins de 82 ans. Quel est son âge ?

Mémo

- Les multiples de 2 sont des nombres pairs : ils se terminent par 0, 2, 4, 6 ou 8.
- Les multiples de **5** sont terminés par **0** ou **5**.
- Les multiples de **10** sont terminés par **0**.

Le coin du chercheur

Quels sont les cinq nombres suivants ?

5, 10, 15, 25...

25 La multiplication posée *(1)* : Multiplier par un nombre d'un chiffre

COMPÉTENCE : Multiplier un nombre de deux ou trois chiffres par un nombre d'un chiffre.

Calcul mental
Retrancher un multiple de 10.
185 – 40

Comprendre

A Morgan et Julie calculent **173 × 6**.
Observe le travail des enfants et termine leurs calculs.

Calcul de **Morgan**

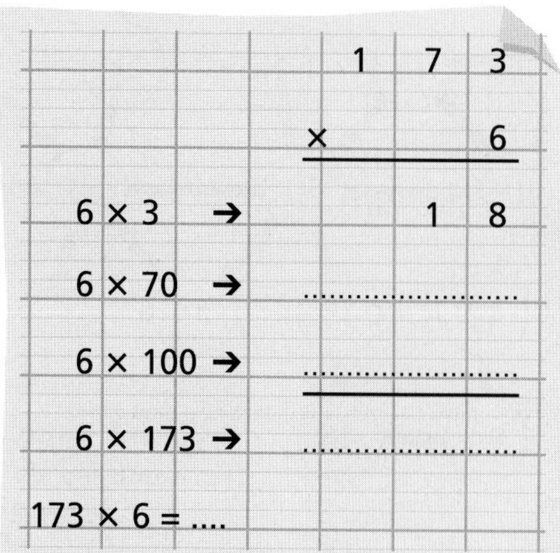

Calcul de **Julie**

1 7 3 ①
× 6
3 8

Je commence par les unités : 6 × 3 = 18.
J'écris 8 et je retiens ①.

Je continue avec les dizaines :
6 × 7 = 42   42 + ① = 43
J'écris 3 et je retiens....

Je termine par les....

173 × 6 = ...

B Calcule à ton tour **704 × 8** et **870 × 5**.

S'exercer, résoudre

Attention aux zéros !

Banque d'Exercices n°s 5 et 6 p. 82

1 Pose et calcule.

a. ◆ 57 × 7 ◆ 86 × 8 ◆ 375 × 5 ◆ 237 × 4
b. ◆ 258 × 4 ◆ 164 × 6 ◆ 370 × 9 ◆ 509 × 8

2 Un lot de ballons en mousse coûte 58 €.
Le directeur du centre de loisirs en commande 8 lots.
Quel sera le montant de la facture ?

3 Pour se rendre à son château, l'ogre a fait 245 pas avec ses bottes de 7 lieues*.
Combien de lieues a-t-il parcourues ?
* Une lieue correspond environ à 4 km.

4 Un escargot parcourt 120 m par jour.
Quelle distance aura-t-il parcourue au bout de la semaine ?

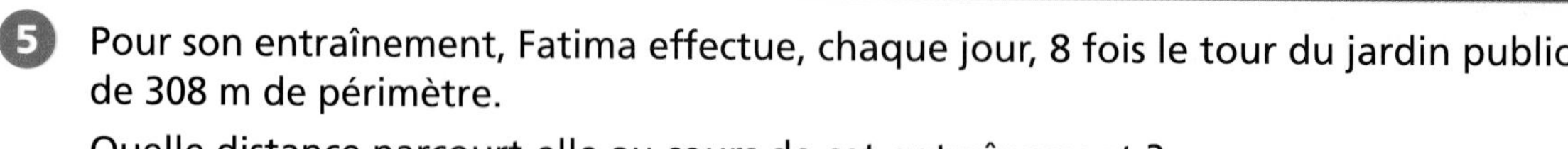

5 Pour son entraînement, Fatima effectue, chaque jour, 8 fois le tour du jardin public de 308 m de périmètre.
Quelle distance parcourt-elle au cours de cet entraînement ?

6 Erwan achète une console de jeux à 169 € et 4 jeux à 46 € pièce.
Quel sera le montant de sa dépense ?

Mémo

Pour éviter les erreurs :
– aligne les chiffres en colonnes ;
– n'oublie pas les retenues !

Et surtout, apprends bien tes tables !

26 Atelier informatique (2)

Tracer des droites parallèles

Calcul mental

Ajouter des centaines.
1 732 + 200

COMPÉTENCE : Utiliser un logiciel de géométrie dynamique pour tracer des droites perpendiculaires ou parallèles.

1. Ouvre le logiciel Déclic* et observe les boutons de base.

Ce bouton permet de tracer une droite passant par deux points.
Ce bouton permet de tracer une droite parallèle.
Ce bouton permet de tracer une droite perpendiculaire.

Clique sur le bouton « Supprimer », puis sur le point ou la droite que tu souhaites effacer.

2. Tracer une droite

N'oublie pas de « reposer » le pinceau en cliquant à nouveau dessus, ainsi que sur la couleur noire.

clic

– Clique sur le bouton .
– Place un premier point, puis un deuxième : la droite est tracée automatiquement.
– Colorie cette droite en rouge (voir Atelier informatique 1).

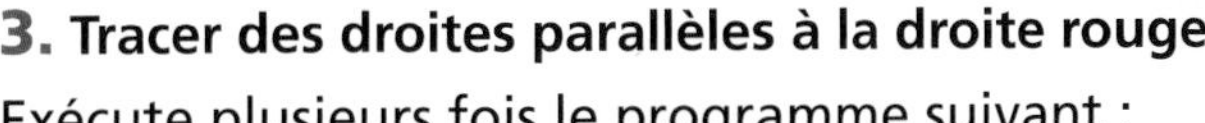

3. Tracer des droites parallèles à la droite rouge

Exécute plusieurs fois le programme suivant :

– Clique sur le bouton .
– Place un point sur la feuille, puis clique sur la droite rouge.
Une droite parallèle à cette droite passant par le point apparaît automatiquement.

• *Clic gauche maintenu sur un point de la droite rouge (la main se transforme en crayon), déplace la droite rouge dans tout l'espace de l'écran.*

• *Observe les autres droites : que remarques-tu ?*

4. Effacer

– Utilise le bouton et supprime quelques droites parallèles. Ne conserve que la droite rouge et une seule droite parallèle que tu colories en rouge.

5. Construire une figure

Exécute deux fois le programme suivant :

– Clique sur le bouton .
– Clique sur un point de la droite rouge, puis sur la droite rouge.
La droite perpendiculaire à cette droite est tracée automatiquement.

• *Que peux-tu dire des deux droites noires ?*
• *Les quatre droites délimitent une figure. Laquelle ?*

Cette activité a été conçue à partir du logiciel Déclic 32 (téléchargeable gratuitement sur *http://emmanuel.ostenne.free.fr/*), mais elle peut être facilement adaptée et réalisée avec tout **logiciel de géométrie dynamique**.

27 Du mètre au kilomètre

COMPÉTENCES : Connaître les multiples du mètre.
Effectuer des conversions et des opérations sur les longueurs.

Calcul mental

Ajouter des milliers.
5 840 + 2 000

Lire, débattre

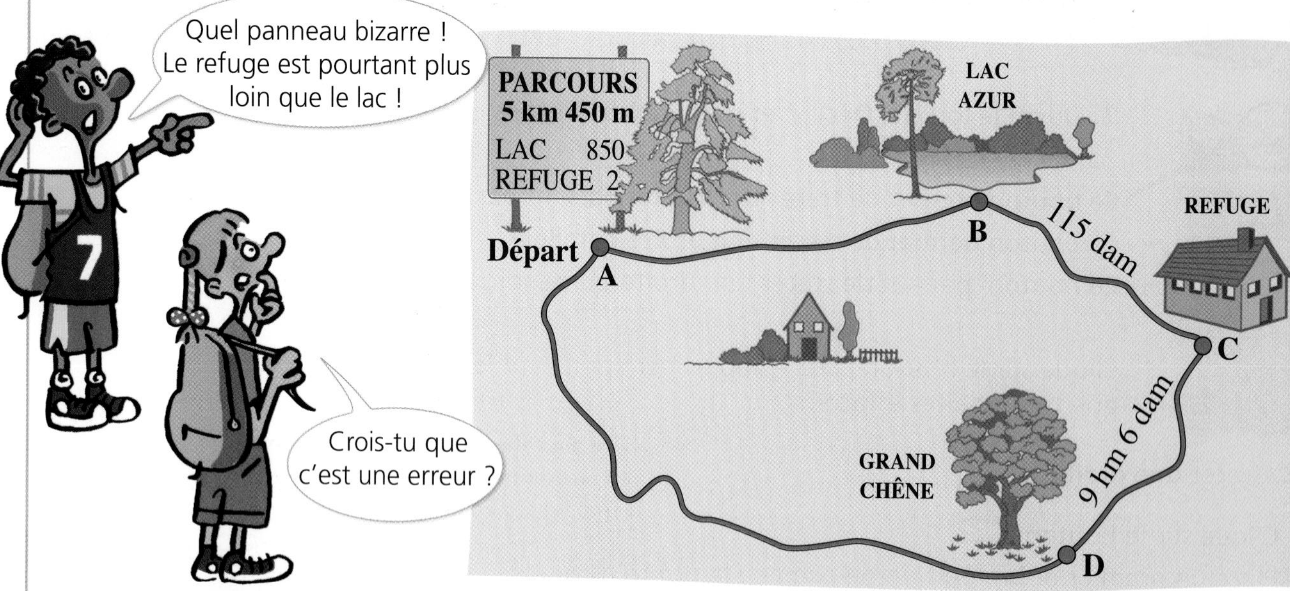

Chercher

A Les distances de ce parcours sportif sont exprimées avec des unités différentes. Lesquelles ?

B Exprime en mètres :
- la longueur totale du parcours ;
- les longueurs des trajets BC et CD.

C Léa arrive au GRAND CHÊNE.
- Quelle distance a-t-elle parcourue ?
- Quelle distance lui reste-t-il à parcourir ?

D Louise est au REFUGE.
Quelle distance lui reste-t-il à parcourir pour terminer le parcours ?

E Mathis s'arrête après avoir parcouru 3 km.
Est-il plus près du LAC AZUR ? du REFUGE ? ou du GRAND CHÊNE ?

N'oublie pas les indications du panneau. Exprime les distances avec les bonnes unités.

Pour t'aider, tu peux utiliser le tableau de conversion du mémo.

Mémo

1 km = 1 000 m 1 hm = 100 m 1 dam = 10 m

1 km = 10 hm = 100 dam = 1 000 m

Pour ajouter des longueurs, on doit les exprimer avec la **même unité**.

2 km 30 m + 650 m = 2 030 m + 650 m = 2 680 m

Les multiples du mètre			
mille	centaines	dizaines	unités
km kilomètre	**hm** hectomètre	**dam** décamètre	**m** mètre
1	0	0	0
2	0	3	0
	6	5	0

S'exercer, résoudre

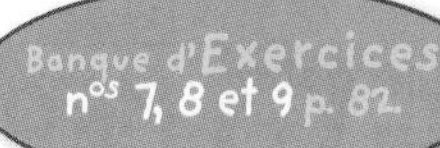

1 Choisis chaque fois la bonne réponse.

a. Quelle distance peux-tu parcourir, environ, en 1 h : ◆ 3 m ? ◆ 3 dam ? ◆ 3 hm ? ◆ 3 km ?

b. Quelle est, environ, la longueur d'un stade : ◆ 1 m ? ◆ 1 dam ? ◆ 1 hm ? ◆ 1 km ?

c. Manon a une piscine dans son jardin.
Sa longueur est-elle environ : ◆ 1 m ? ◆ 1 dam ? ◆ 1 hm ? ◆ 1 km ?

d. Quelle est, environ, la hauteur d'une porte : ◆ 2 m ? ◆ 2 cm ? ◆ 2 mm ? ◆ 2 dam ?

2 Pour mesurer les dimensions d'un champ, un géomètre utilise un double décamètre à ruban.

Combien mesure un double décamètre ?

3 a. Convertis ces longueurs en mètres, puis range-les par ordre croissant :
◆ 2 km 5 hm 50 m ◆ 50 dam ◆ 1 hm 5 dam ◆ 1 km 90 m ◆ 5 hm 5m

b. Exprime en mètres : ◆ un demi-kilomètre ◆ un kilomètre et demi

4 Calcule ces longueurs :
◆ 1 km 150 m + 5 hm ◆ 1 km 5 dam + 20 dam ◆ 1 km 50 m + 35 m

5 En athlétisme, le record de France du relais 4 × 400 m est détenu depuis 2003 par Leslie Djhone, Naman Keita, Stéphane Diagana et Marc Raquil en 2'58"96.

a. Quelle est la distance totale parcourue par les quatre relayeurs ?

b. Exprime cette distance en km et m.

6 Sur l'autoroute A7, on trouve les panneaux ci-dessous.

VALENCE 63 km
LYON 167 km

MARSEILLE 144 km

Lyon — Valence — Marseille

Calcule les distances : ◆ Lyon – Marseille ◆ Valence – Marseille ◆ Valence – Lyon

Calcul réfléchi

Les doubles

Observe :

Double de 137
= double de 100 + double de 30 + double de 7
= 200 + 60 + 14
Double de 137 = 274

Calcule les doubles des nombres.
◆ 124 ◆ 128 ◆ 135 ◆ 239 ◆ 456

Le coin du chercheur

Combien de rectangles comptes-tu ?

28 PROBLÈMES
Interpréter un graphique

COMPÉTENCES : Lire, interpréter et construire quelques représentations : diagrammes, graphiques.

Calcul mental

Tables de multiplication de 8 et 6.

8×5 6×7

Lire, chercher

A Ce graphique représente la population de quelques villes du Nord de la France.

a. Quelle ville a plus de 100 000 habitants ?

b. Quelles villes ont une population comprise entre 50 000 et 100 000 habitants ?

c. Voici les populations de quatre villes du graphique :

- 97 000 habitants
- 212 000 habitants
- 45 000 habitants
- 71 000 habitants

Associe chaque ville à sa population.

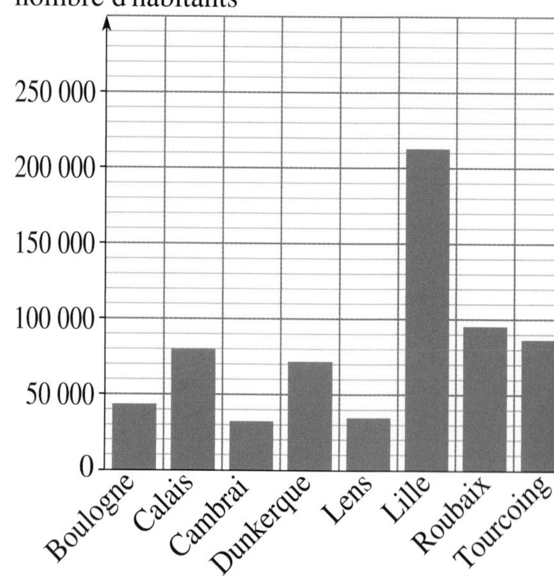

B Observe ce graphique qui montre l'évolution du nombre d'habitants des départements de la région Languedoc-Roussillon sur deux siècles.

Source : Insee.

a. Quelle était approximativement, en 1851, la population du département du Gard ? A-t-elle changé un siècle plus tard ?

b. À partir de 1951 :

– Quel département a connu la plus forte augmentation de population ?

– Lesquels n'ont connu qu'une légère variation de leur nombre d'habitants ?

– Quel département a connu une baisse de population ?

c. Vers quelle année le département de l'Hérault a-t-il franchi le million d'habitants ?

S'exercer, résoudre

1 Le monde est partagé en six continents. Observe le graphique qui donne la superficie des continents, en milliers de kilomètres carrés (km²).

a. Quel est le continent le plus étendu ?

b. Écris les noms des continents par ordre de grandeur décroissante.

c. Écris une valeur approchée de la superficie de chaque continent.

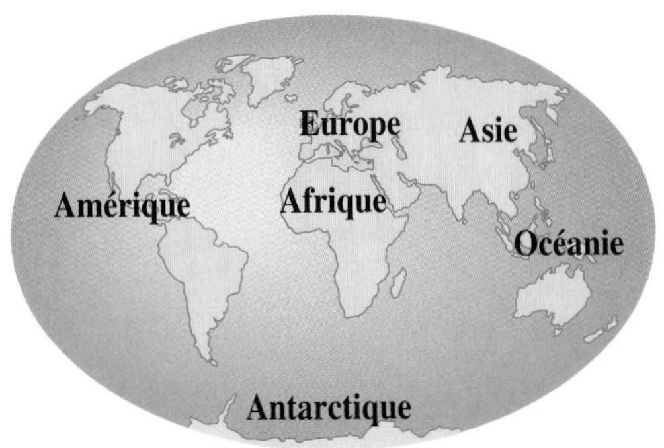

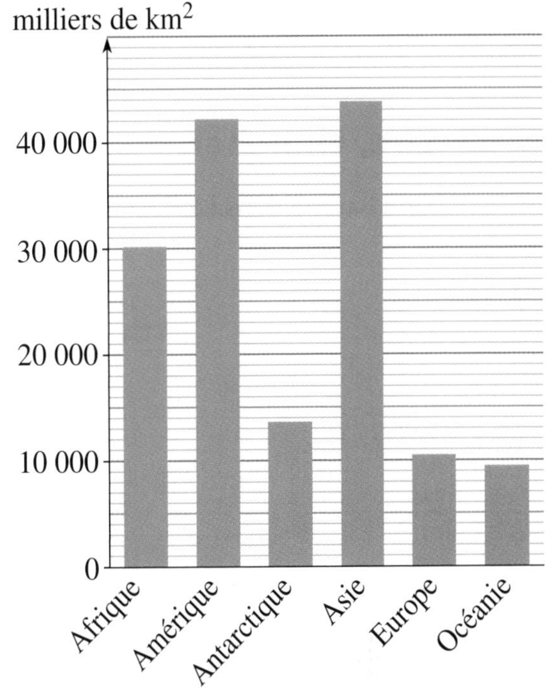

2 Ce graphique montre l'évolution de l'équipement des foyers en téléphones fixes (en **bleu**) ou mobiles (en **rouge**).

a. Que constates-tu ?

b. Pour 100 foyers, quel était le nombre :
- de téléphones mobiles en 2001 ? en 2005 ?
- de téléphones fixes en 2001 ? en 2005 ?

c. À partir de quelle année le nombre de téléphones mobiles par foyer a-t-il dépassé celui des téléphones fixes ?

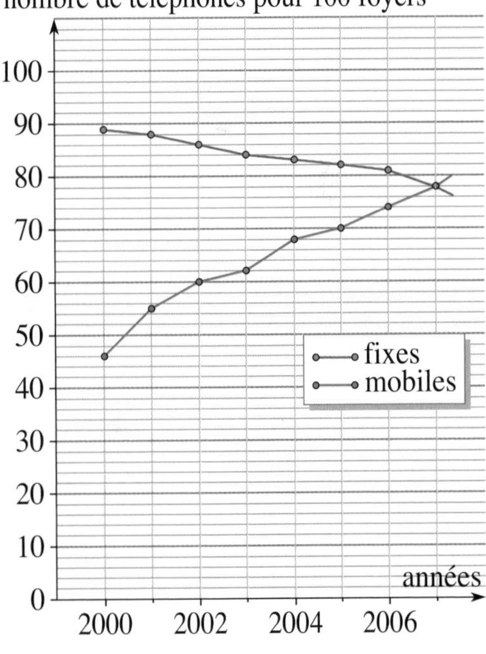

Réinvestissement

Trace un triangle ABC.
Trace la parallèle :
- au côté BC, passant par le sommet A ;
- au côté AC, passant par le sommet B ;
- au côté AB, passant par le sommet C.

Le coin du chercheur

Reproduis cette figure, puis trace un seul trait pour obtenir trois triangles.

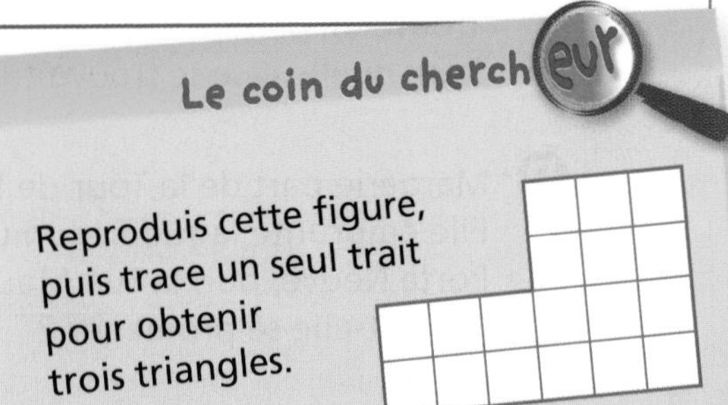

29 Repérage sur un plan

Calcul mental

Retrancher 9, 19...

27 – 9

COMPÉTENCE : **Utiliser une carte ou un plan pour situer un objet, anticiper ou réaliser un déplacement.**

Lire, chercher

Une balade dans La Rochelle

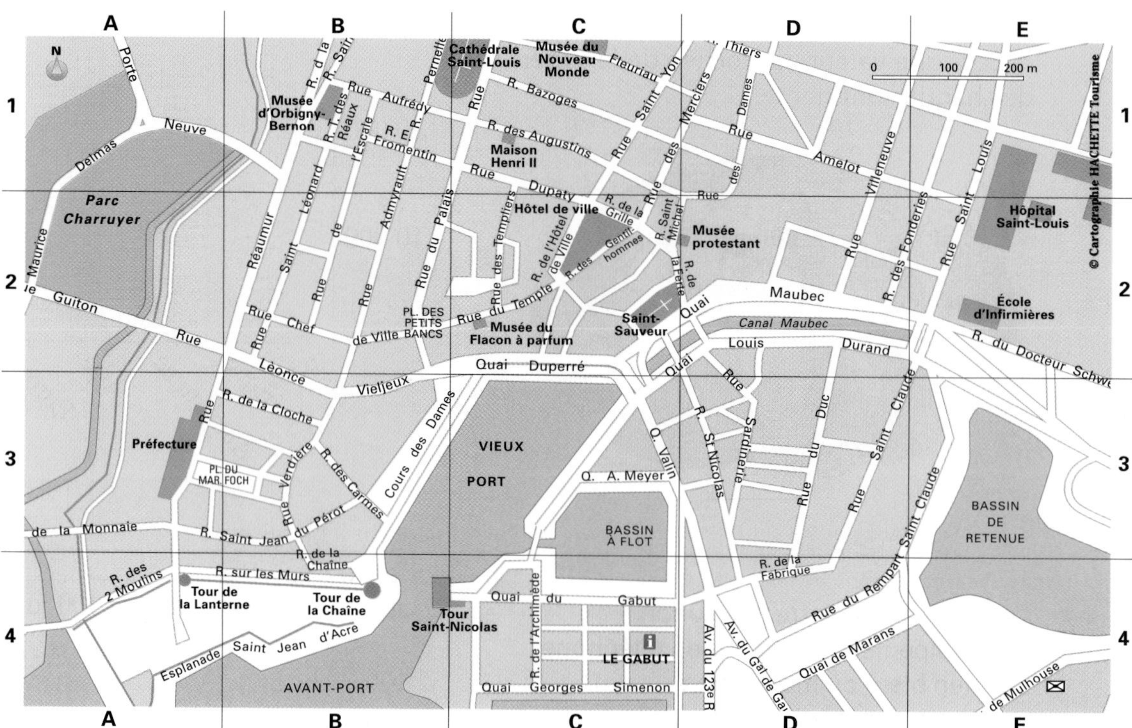

A Quelle est l'utilité des lettres **A, B, C, D** et **E** ainsi que des numéros **1, 2, 3** et **4** figurant sur les bords du plan ?
La Tour Saint-Nicolas est dans la case (B,4).
Dans quelle case se trouvent :

a. l'Hôtel de ville ?

b. la Préfecture ?

B a. Que représente la couleur bleue sur le plan ? Donne un exemple.

b. Que représente la couleur verte sur le plan ? Donne un exemple.

C La Rochelle fut l'une des places fortes des protestants durant les guerres de religion.
Trouve un bâtiment qui le rappelle.
Dans quelle case se trouve-t-il ?

D Margerie part de la Tour de la Lanterne.
Elle emprunte la rue Réaumur, la rue Porte Neuve, puis la rue Maurice Delmas.
Où va-t-elle se promener ?

Banque d'Exercices n° 10 p. 82

S'exercer, résoudre

Visite guidée de Rouen

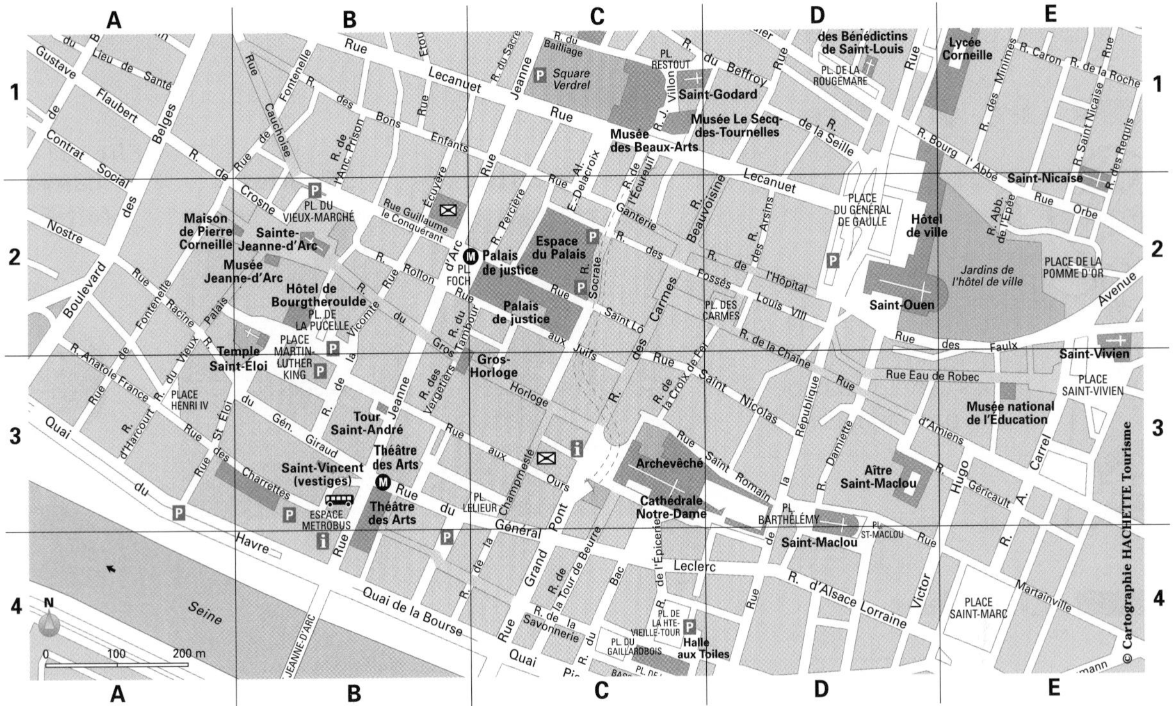

Les parents de Simon lui ont proposé de l'emmener visiter Rouen.
Avant de partir, ils consultent un plan sur le site Internet de l'Office du Tourisme (http://rouentourisme.com) et préparent leur sortie.

A Ils souhaitent visiter la place du Vieux-Marché où fut brûlée Jeanne d'Arc, située en (B,2), la Cathédrale, l'Hôtel de ville et l'Aître Saint-Maclou.
Aide-les à retrouver les cases de ces trois derniers monuments sur le plan.

B Lorsqu'ils arrivent à Rouen, ils se garent au parking de l'Hôtel de ville, puis se rendent à pied à la Place du Vieux-Marché.
Quelles rues empruntent-ils ?

C De là, ils souhaitent se rendre à pied au Théâtre des Arts.
Quel sera leur itinéraire ?

Calcul réfléchi

Les moitiés

Observe :

Moitié de 36
= moitié de 30 + moitié de 6
= 15 + 3
moitié de 36 = 18

Calcule les moitiés des nombres.
◆ 34 ◆ 56 ◆ 58 ◆ 72 ◆ 98

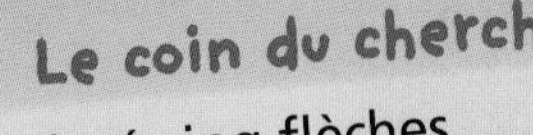

Diane a placé cinq flèches dans la cible.
Elle marque 150 points.
Où se trouvent les flèches ?

30 Les multiples d'un nombre

COMPÉTENCE : **Savoir construire une table de multiples.**

Calcul mental

Ajouter des multiples de 100.

512 + 400

Lire, débattre

21 cartes

35 cartes

Chercher

×	1	2	3	4	5	6	7	8	9	10	11	12	
1	1	2	3	4	5	6	7	8	9	10	11	12	
2	2	4	6	8	10	12	14	16	18	20	22	**24**	
3	3	6	9	12	15	18	21	**24**	27	30	33	36	
4	4	8	12	16	20	**24**	28	32	36	40	44	48	
5	5	10	15	20	25	30	35	40	45	50	55	60	
6	6	12	18	**24**	30	36	42	48	54	60	66	72	
7	7	14			35			56					

11													

25													

A Comment obtient-on les nombres de la ligne ou de la colonne du 3 ?
Ces nombres sont des multiples de 3.

a. Écris les douze premiers multiples de 7.
Peux-tu écrire d'autres multiples de 7 ?

b. Écris les douze premiers multiples de 11, puis ceux de 25.

c. De quels nombres **24** est-il multiple ?

B Encadre 100 entre deux multiples consécutifs de 11.

.... × 11 < 100 < .... × 11

C Encadre 55 entre deux multiples consécutifs de 8.

.... × 8 < 55 < .... × 8

Mémo

Pour trouver les multiples d'un nombre, on le multiplie par la suite des nombres.

8 × 1	8 × 2	8 × 3	8 × 4	8 × 5	8 × 6	8 × 7	....	....
8	16	24	32	40	48	56	....	....

S’exercer, résoudre

Banque d’Exercices n°s 11, 12 et 13 p. 82

1 Recopie ces nombres :
◆ 45 ◆ 160 ◆ 15 ◆ 37 ◆ 144 ◆ 90 ◆ 2 000

a. Entoure les multiples de 5.

b. Souligne les multiples de 2.

c. Que peux-tu dire des nombres *à la fois* entourés et soulignés ?

2 De quels nombres 12 est-il multiple ?

3 Écris trois multiples de 6.
De quels autres nombres sont-ils multiples ?

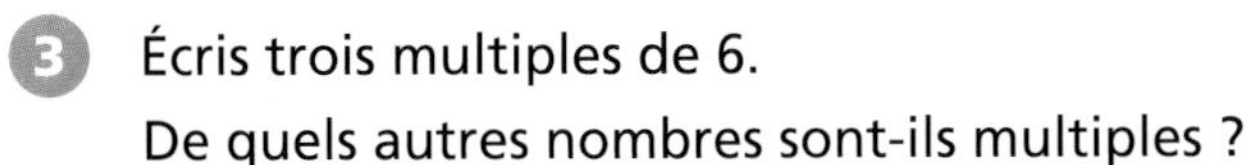

4 Trouve les multiples de 25 compris entre 299 et 401.

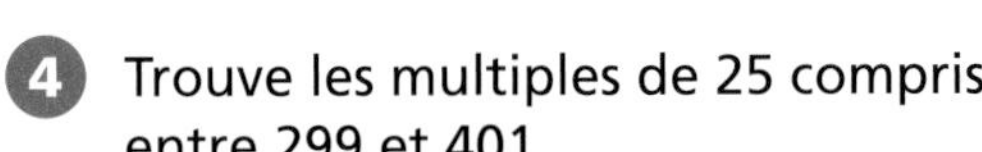

5 Encadre 54 entre deux multiples consécutifs :

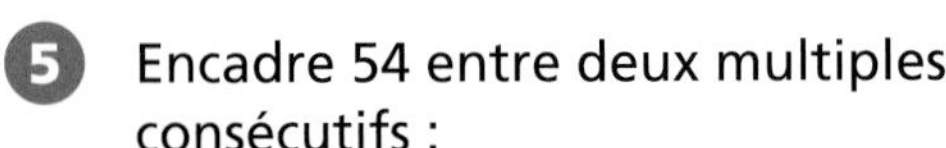

a. de 7 :

.... × 7 < 54 < .... × 7

b. de 11 :

.... × 11 < 54 < .... × 11

6 Les années des Jeux olympiques d’été sont des multiples de 4.
En 1992, ils se sont déroulés à Barcelone, en 1996 à Atlanta…

En quelle année auront lieu les prochains Jeux ?

7 Le nombre de pages d’un livre est toujours un multiple de 16.
Un livre peut-il comporter : ◆ 160 pages ? ◆ 180 pages ? ◆ 192 pages ?

8 Les poules de la *Ferme Bio-œufs* ont pondu 150 œufs.

a. Encadre 150 entre deux multiples consécutifs de 12.

b. Combien de boîtes de 12 œufs peut-on remplir ?

Réinvestissement

Cette figure est dessinée à main levée.

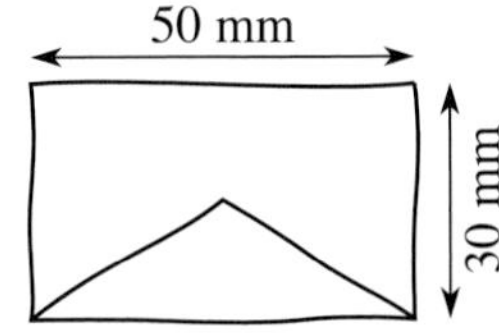

Reproduis-la à la règle et à l’équerre en respectant les dimensions indiquées.

Le coin du chercheur

Combien de paires de doigts différentes puis-je faire avec les cinq doigts d’une main ?

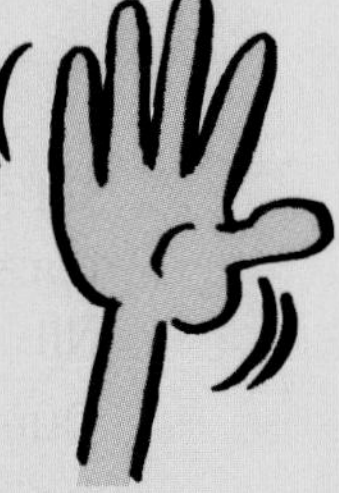

31 PROBLÈMES
Procédures personnelles (2)

COMPÉTENCE : Élaborer une démarche personnelle pour résoudre des problèmes de logique.

Calcul mental

Dictée de grands nombres.
cent trois mille cinq cents

Chercher, argumenter

A Cherche seul, puis avec ton équipe.

Trois chiots, Brazil, Bayou et Balina,
pèsent ensemble 17 kg.
Brazil et Balina pèsent ensemble 11 kg.
Bayou et Balina pèsent ensemble 10 kg.
Combien pèse chaque chiot ?

B Observe maintenant le travail de l'équipe de Miloud, puis celui de l'équipe de Coralie.

Équipe de Miloud

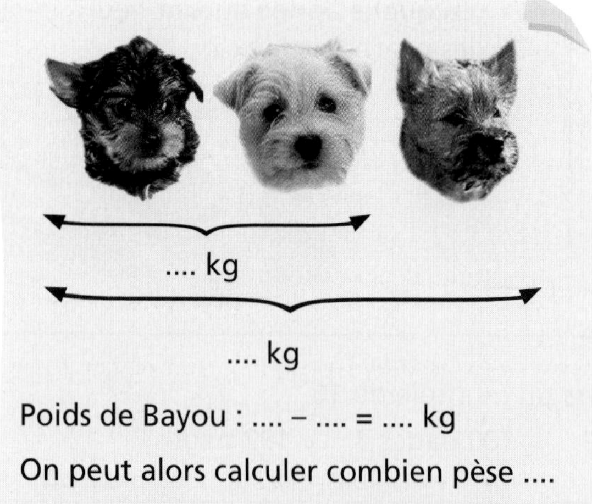
.... kg

.... kg

Poids de Bayou : .... – .... = ... kg

On peut alors calculer combien pèse ....

Équipe de Coralie

Pour calculer, nous avons choisi d'ajouter :

le poids de :
Brazil et Balina

\+

au poids de :
Bayou et Balina.

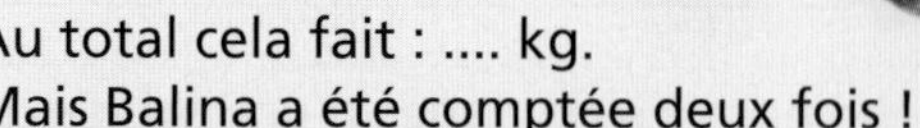

Au total cela fait : .... kg.
Mais Balina a été comptée deux fois !

Comme les trois chiots pèsent ensemble 17 kg, Balina pèse donc ....

a. Explique le raisonnement de l'équipe de Miloud.
Reproduis et complète la fiche de recherche.
b. Fais de même pour le travail de l'équipe de Coralie.

S'exercer, résoudre

Banque d'Exercices n° 14 p. 82

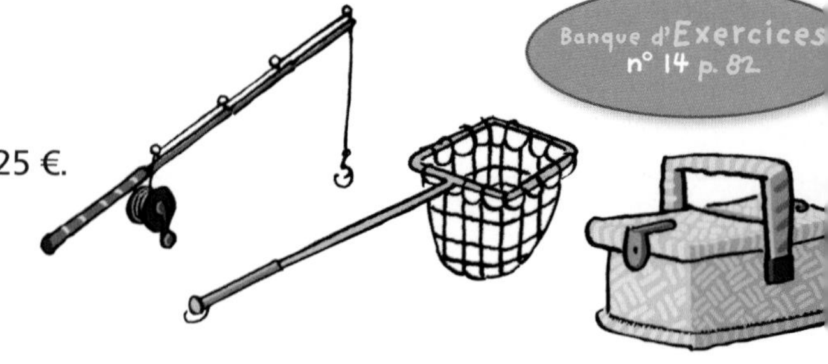

1 La canne à pêche et l'épuisette valent 25 €.
L'épuisette et le panier valent 18 €.
Les trois articles valent en tout 33 €.
Quel est le prix de chaque article ?

---

2 Si l'on met bout à bout les tailles de Lucas, de Kahina et de Nils, on trouve 335 cm.
Lucas et Nils mesurent ensemble 235 cm.
Nils et Kahina mesurent 215 cm.
Quelle est la taille de chacun ?

32 La multiplication posée *(2)* : Multiplier par un nombre de deux chiffres

COMPÉTENCE : **Multiplier un nombre de deux ou trois chiffres par un nombre de deux chiffres.**

Calcul mental

Multiplier par 10, 100, 1 000.

58 × 100

Comprendre

Sophie et Julie calculent **254 × 23**.
Observe et termine leurs calculs.

A Calcul de **Sophie**

23 = 20 + 3
254 × 23 = (254 × 20) + (254 × 3)
= (254 × 2) × 10 + (254 × 3)
= ....

B Calcul de **Julie**

Pour multiplier 254 par 23, je pose l'opération.
Je commence par multiplier 254 par **3**. 254 × 3 →

Je multiplie ensuite par **2** dizaines :
je place le **0**. 254 × 20 →
J'additionne ensuite. 254 × 23 →

	2	5	4	
×		2	3	①
	....	....	2	
....	....	8	0	
....	....	....	....	

S'exercer, résoudre

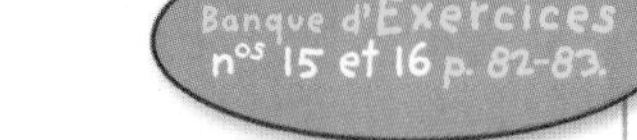
Banque d'Exercices n°s 15 et 16 p. 82-83.

1 Calcule en posant les opérations.
- 75 × 32
- 84 × 42
- 68 × 76

2 Calcule en posant les opérations.
- 245 × 24
- 389 × 67
- 406 × 38

3 Le parking de la gare comporte 17 rangées de 105 places.
Combien de voitures peuvent s'y garer ?

4 Une vache laitière fournit en moyenne 26 litres de lait par jour.
Quelle quantité journalière de lait fournira un troupeau de 58 vaches ?

5 Recopie et complète.

	2	3	....
×		....	4
	....	....	8
....	7	4	....
....	....	....	....

6 Le bibliothécaire commande 125 romans à 23 €, 56 DVD à 18 € et 115 livres documentaires à 14 € l'un.
Rédige la facture pour trouver le montant de sa commande.

Mémo

N'oublie pas de placer le **zéro** à la ligne des dizaines.

			2	5	1
		×		4	5
251 × 5 →		1	2	5	5
251 × 40 →	1	0	0	4	0
	1	1	2	9	5

Le coin du chercheur

Dans un sac, j'ai mis 10 chaussettes rouges et 10 chaussettes bleues.
Combien de chaussettes dois-tu tirer pour être sûr d'avoir deux chaussettes de la même couleur ?

33 Calcul de durées (2)

COMPÉTENCES : Lire l'heure et calculer des durées en h et min.

Calcul mental

Multiplier par 20, 200...

32 × 20

Lire, débattre

Chercher

EUROSTAR	
Départs Samedi 15 juillet	
7 h 43	15 h 19
8 h 13	16 h 07
9 h 10	17 h 10
11 h 43	18 h 16
13 h 04	19 h 19
13 h 43	20 h 43

A Jonathan arrive à la gare pour prendre l'Eurostar. Il est parti de chez lui à midi et demi.

a. Combien de temps a-t-il mis pour se rendre à la gare ?

b. À quelle heure part le prochain train ?

Pour calculer une durée, aide-toi du mémo.

B Pour se rendre à Londres, son voyage en Eurostar dure 2 h 42 min.

a. À quelle heure arrivera-t-il ?

b. Lorsqu'il descend du train, Jonathan constate que les pendules de la gare indiquent 15 h 25 min. Cherche une explication.

Mémo

1 h = 60 min

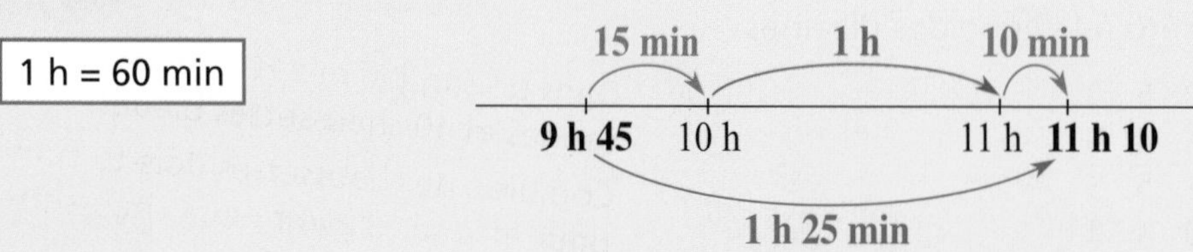

La durée entre **9 h 45 min** et **11 h 10 min** est **1 h 25 min**.

S'exercer, résoudre

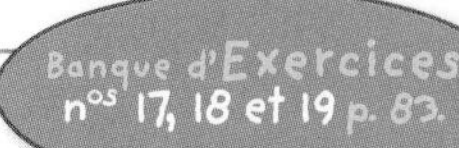

1 Observe l'exemple et écris autrement les durées ci-dessous.

70 min = 60 min + 10 min = 1 h 10 min

- 90 min
- 120 min
- 240 min
- 2 h 60 min
- 4 h 70 min

2 La récréation dure 15 minutes et commence à 10 heures moins 10.
À quelle heure les élèves retournent-ils en classe ?

3 Sophie met 25 minutes pour se rendre à son travail. Aujourd'hui, elle est arrivée à 8 h 20.
À quelle heure est-elle partie de chez elle ?

4 Le match de football France-Italie a commencé à 21 heures. La première période de jeu a duré 45 minutes, la seconde 48 minutes et la mi-temps, 15 minutes.
À quelle heure s'est terminé le match ?

5 a. Quelles sont les heures indiquées par ces horloges ?

heure du matin

heure du soir

b. Quelle est la durée entre les indications de ces deux horloges ?

6 Emmanuelle arrive en avance à la gare. Elle va à Nice.
Dans combien de temps partira-t-elle ?

DIRECTION	DÉPART	QUAI
LYON	17 h 55	1
MARSEILLE	18 h 05	2
NICE	18 h 20	1

7 Une éclipse totale de Lune a débuté à 1 h 14 min et s'est terminée 52 minutes plus tard.
Quelle heure était-il alors ?

8 a. Au solstice d'été, le 21 juin 2009, le Soleil se lève à 3 h 49 min et se couche à 19 h 56 min à Paris.
Quelle est la durée de cette journée, la plus longue de l'année ?

b. Au solstice d'hiver, le 21 décembre 2009, le Soleil se lève à 7 h 44 min et se couche à 15 h 55 min à Paris.
Quelle est la durée de cette journée, la plus courte de l'année ?

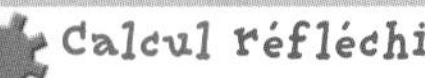

Les moitiés

Observe :

moitié de 148
= moitié de 100 + moitié de 40 + moitié de 8
= 50 + 20 + 4
moitié de 148 = 74

Calcule les moitiés des nombres.

- 144
- 262
- 168
- 484
- 186

Quel est le plus grand nombre pair de quatre chiffres ?

34 La classe des millions

COMPÉTENCES : Lire, écrire (en chiffres et en lettres), comparer, ordonner les nombres de la classe des millions.

Calcul mental

Somme de multiples de 25.

125 + 25

Lire, chercher

Voici la production d'oranges en tonnes, de quelques pays, pour l'année 2006.

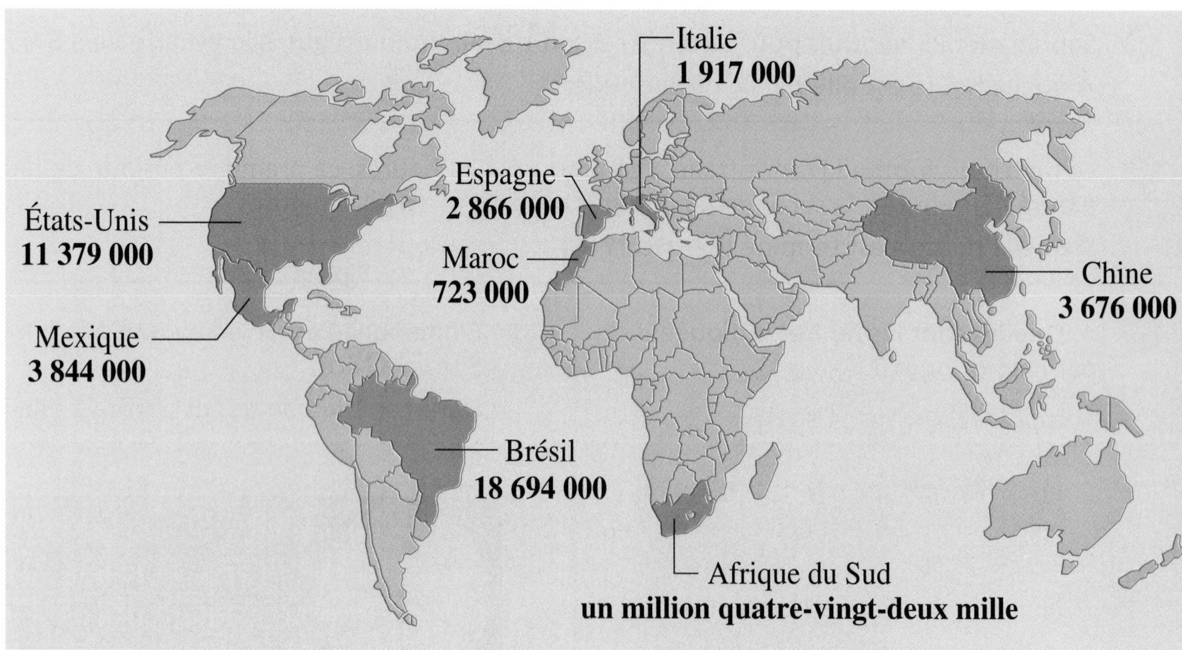

A Écris en chiffres la production d'oranges de l'Afrique du Sud.

B Range tous ces nombres par ordre croissant.

C Quels pays produisent entre 1 et 3 millions de tonnes d'oranges ?

D Quel est le pays dont la production est la plus proche de quatre millions de tonnes ?

E Écris en lettres la production d'oranges de l'Espagne.
Écris ce nombre en milliers de tonnes.

F Dans le nombre indiquant la production du Brésil quel est :

a. le chiffre des millions ?
b. le nombre de millions ?
c. le chiffre des milliers ?
d. le nombre de milliers ?

Mémo

Le nombre 15 084 300 se lit : « 15 millions 84 mille 300 ».

5 est le chiffre des unités de millions.
15 est le nombre de millions.

Millions			Mille			Unités		
c	d	u	c	d	u	c	d	u
	1	5	0	8	4	3	0	0

S'exercer, résoudre

Banque d'Exercices n°s 20 à 25 p. 83.

1 Écris les nombres correctement.

8900300	65156412	13009500	4200000

2 Écris en chiffres les nombres suivants.
- Douze millions cent trente-cinq mille trois cent dix-huit
- Neuf millions neuf cent cinq mille
- Trois millions cinq cents
- Quatre millions quatre-vingt mille
- Cent cinquante millions neuf cent mille huit

3 Recopie et complète pour que le résultat de chaque opération soit égal à 1 000 000.

- 1 000 × ....
- 999 000 + ...
- 10 000 × ....
- 999 999 + ...

4 Écris en lettres les nombres suivants.
- 10 975 000
- 2 000 500
- 54 500 000
- 490 600
- 156 308 090

5 Jérôme vient d'obtenir 999 999 points à son jeu vidéo de skateboard. Il réalise une figure spectaculaire supplémentaire qui lui rapporte 1 001 points.

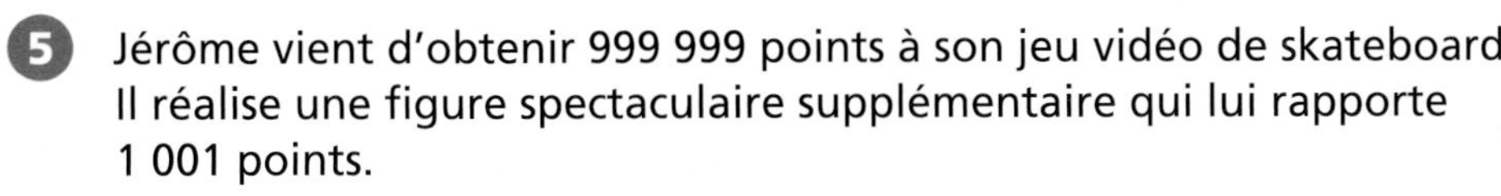

a. Écris son nouveau score.

b. Écris ce nombre en lettres.

6 Compte de 10 000 en 10 000 de 2 980 000 à 3 050 000.

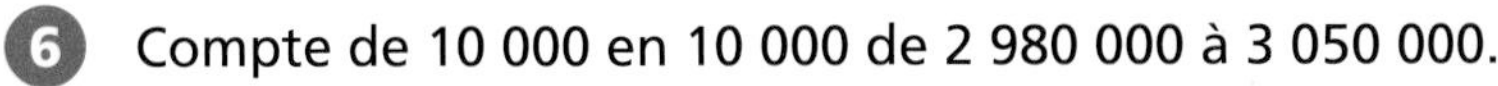

7 Quelle est la valeur du chiffre **4** dans chacun des nombres suivants ?
- 4 250 000
- 1 143 600
- 25 600 400
- 49 008 000

8 a. Range par ordre croissant les superficies indiquées dans le tableau.

b. Quels arbres occupent une superficie supérieure à un million d'hectares ?

Arbres des forêts françaises	Superficie en hectares
Chênes-lièges	65 000
Chênes rouvres	5 143 000
Chênes verts	297 000
Pins maritimes, sylvestres	2 494 000
Châtaigniers	483 000
Hêtres	1 303 000

Réinvestissement

Trace à main levée un cercle de centre O et deux diamètres perpendiculaires.

35 Triangles

Calcul mental

Tables de multiplication.
7×7

COMPÉTENCES : **Reconnaître et tracer les triangles à partir de leurs propriétés.**

Lire, débattre

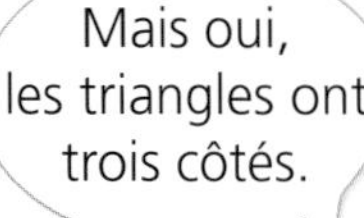

Chercher

A Observe cette figure constituée de triangles.

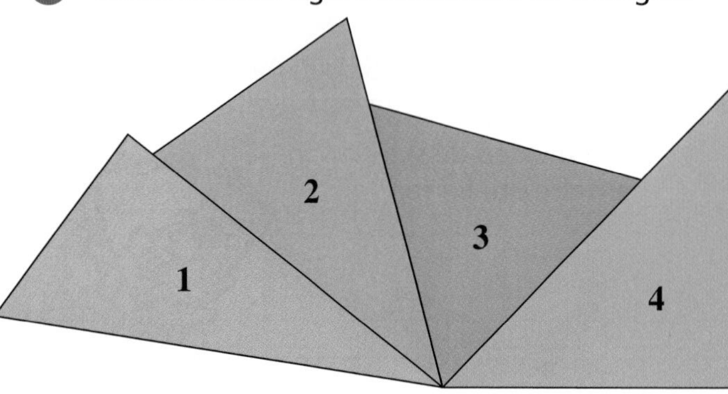

Reproduis et complète le tableau selon l'exemple.
Tu peux décalquer les triangles, les découper, les plier…

n° du triangle	2 côtés égaux	3 côtés égaux	un angle droit	1 axe de symétrie	3 axes de symétrie	nom du triangle
1			oui			triangle rectangle
…						

B Peux-tu construire un triangle dont les côtés sont les segments suivants ?
Utilise des pailles de boisson pour construire les triangles.

construction 1

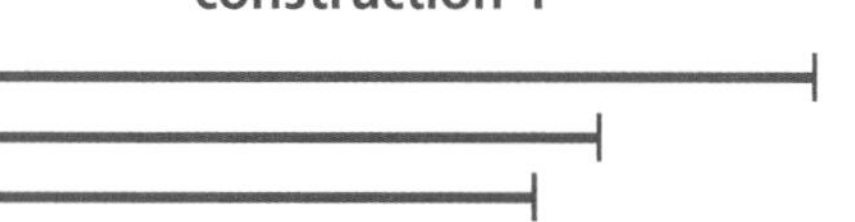

construction 2

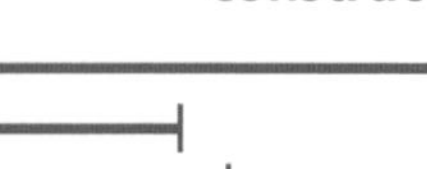

Mémo

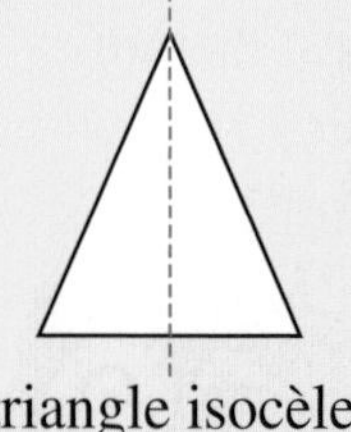

triangle isocèle

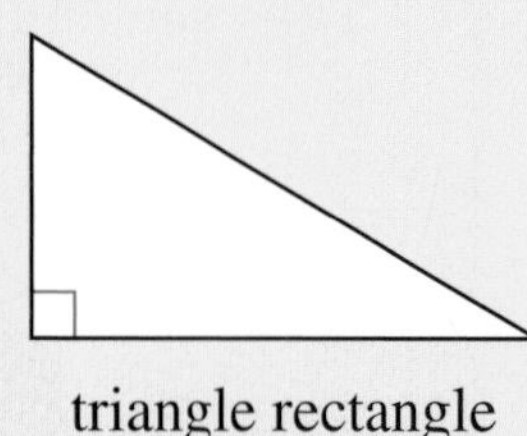

triangle rectangle

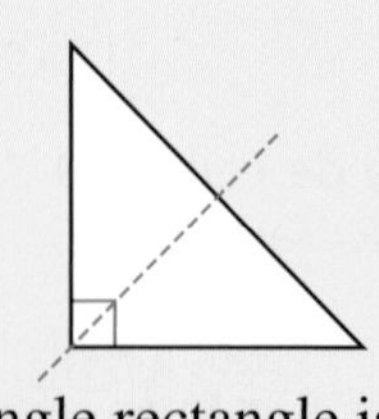

triangle rectangle isocèle

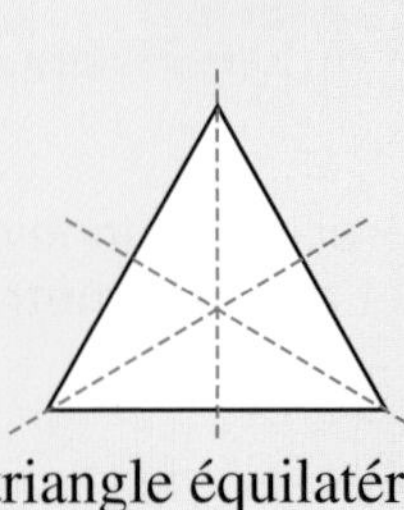

triangle équilatéral

S'exercer, résoudre

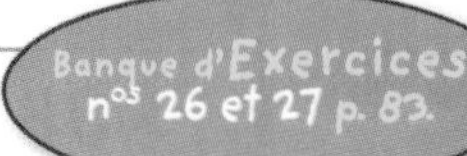

1 Observe la figure et écris le nom de chaque triangle.

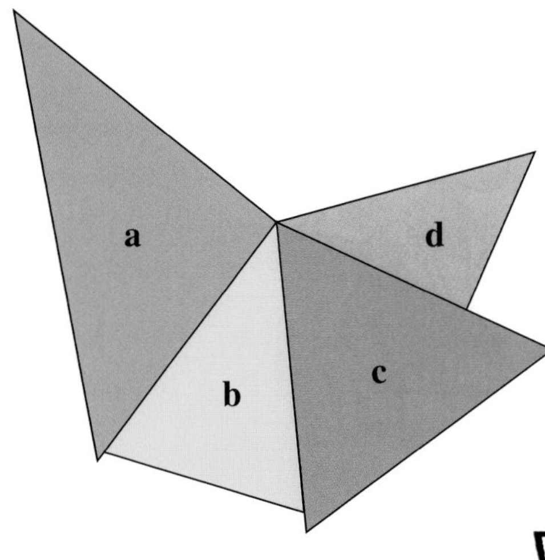

2 Utilise le quadrillage de ton cahier pour tracer :

a. un triangle isocèle ;

b. un triangle rectangle isocèle.

3 a. Trace un segment AB de 6 cm.

b. Trace un triangle isocèle de côtés égaux AB et AC.

4 a. Trace un segment FG de 6 cm.
– Trace l'axe de symétrie perpendiculaire à ce segment.
– Place un point H sur l'axe de symétrie.
– Trace le triangle FHG.
Quel est son nom ?

b. Compare ton tracé à celui de tes camarades.
Que peux-tu en déduire ?

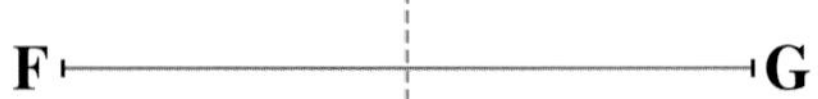

5 a. Trace un demi-cercle de centre O et de diamètre AB.
– Marque un point C sur le demi-cercle.
– Trace le triangle ABC.
Quel est son nom ?

b. Compare ton tracé à celui de tes camarades.
Que peux-tu en déduire ?

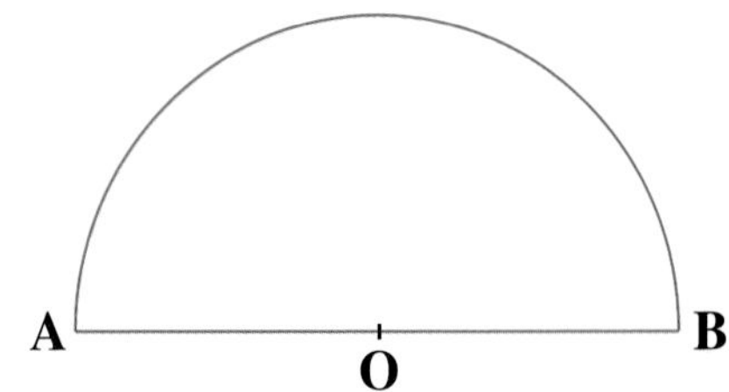

Calcul réfléchi

Multiplier par 9

Observe :

9 = 10 – 1
14 × 9 = (14 × 10) – (14 × 1)
= 140 – 14 = 126

Calcule.

- 24 × 9
- 35 × 9
- 48 × 9
- 56 × 9
- 75 × 9

Le coin du chercheur

Plie une feuille de papier en quatre.
Découpe le coin comme sur le dessin.

36 PROBLÈMES Situations de division *(1)* : Calculer le nombre de parts

COMPÉTENCE : Trouver le nombre de parts en recherchant de façon empirique le quotient et le reste.

Calcul mental

Somme de deux nombres de deux chiffres.

25 + 28

Lire, débattre

Le bibliothécaire a reçu 119 livres. Il veut les ranger dans des casiers de 25 livres. Aidons-le. D'accord ?

Quel sera le nombre de casiers complets ?

Chercher

A Observe les calculs des enfants.

Alexandre

25 + 25 + 25 + 25 = 100

119 – 100 = 19

4 casiers seront complets, et il restera .... livres non rangés.

Léa

119 – 25 = 94
94 – 25 = 69
69 – 25 = 44
44 – 25 = 19

Je trouve comme Alexandre.

Elimane

1 casier : 25 × 1 = 25
2 casiers : 25 × 2 = 50
3 casiers : 25 × 3 = 75
119 – 75 = 44

3 casiers seront complets, et il restera 44 livres non rangés.

a. Explique la méthode de calcul de chaque enfant.

b. Que penses-tu de la solution d'Elimane ? Complète son calcul.

c. Recopie et complète la phrase.

Avec 119 livres, on peut remplir .... casiers de .... livres, et il reste .... livres non rangés.

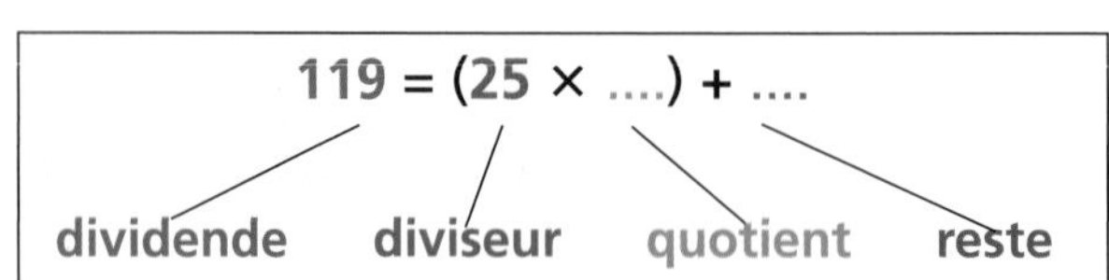

B Maintenant, le bibliothécaire reçoit 98 BD qu'il range dans des casiers de 15 BD.
Combien de casiers seront complets ?
Combien de BD contient le casier incomplet ?
Fais les calculs en utilisant la méthode de ton choix.

Mémo

119 divisé par 25

119 = (25 × 4) + 19

119 → dividende ; 25 → diviseur ; 4 → quotient ; 19 → reste

Pour trouver le nombre de parts, on effectue une division.
Le **quotient** indique le nombre de parts.
Le **reste** est toujours plus petit que le **diviseur**. **19 < 25**

S'exercer, résoudre

Banque d'Exercices
n°s 28, 29 et 30 p. 83.

1 Un paquet contient 24 biscuits.
Chaque enfant mange 4 biscuits, et il n'en reste plus.
Combien d'enfants se sont partagé le paquet ?

2 Une fleuriste veut préparer des bouquets de 12 fleurs. Elle dispose de 100 fleurs.
a. Combien de bouquets peut-elle préparer ?
b. Combien de fleurs restera-t-il ?

3 Lors d'un concert, les organisateurs veulent offrir un tee-shirt à chacun des 600 spectateurs.
Combien de paquets de 50 tee-shirts doivent-ils commander ?

4 Recopie et complète cette grille de nombres croisés.

Horizontalement
a. .... = (16 × 10) + 2
b. 64 = (9 × ....) + 1
.... = (6 × 8) + 3
c. 62 = (.... × 2)
60 = (12 × 5) + ...
d. .... = (25 × 100) + 7

	A	B	C	D
a				■
b		■		
c			■	
d				

Verticalement
A. .... = (173 × 10) + 2
B. 48 = (.... × 8)
76 = (5 × ....) + 1
C. 203 = (8 × ....) + 3
100 = (25 × 4) + ...
D. .... = (5 × 21) + 2

5 Trouve les deux lignes qui contiennent des erreurs. Corrige-les.

	dividende	diviseur	quotient	reste
A	124	10	10	24
B	54	6	9	0
C	66	6	10	6
D	101	5	20	1

6 J'ai 75 œufs à placer dans des boîtes de ce modèle.
a. Combien de boîtes seront pleines ?
b. Combien d'œufs contiendra la boîte incomplète ?

7 Lors du passage de la flamme olympique à Camaret, chaque enfant relayeur a parcouru 250 m.
Le parcours attribué au village mesurait 1 500 m.
Combien d'enfants ont pu porter la flamme ?

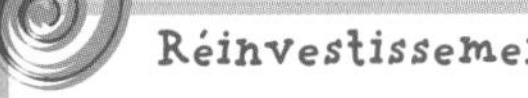

Réinvestissement

Trace une droite oblique (d) et un point A à côté de la droite.
Trace en rouge la perpendiculaire à la droite (d) qui passe par A.
Trace en bleu la parallèle à la droite (d) qui passe par A.

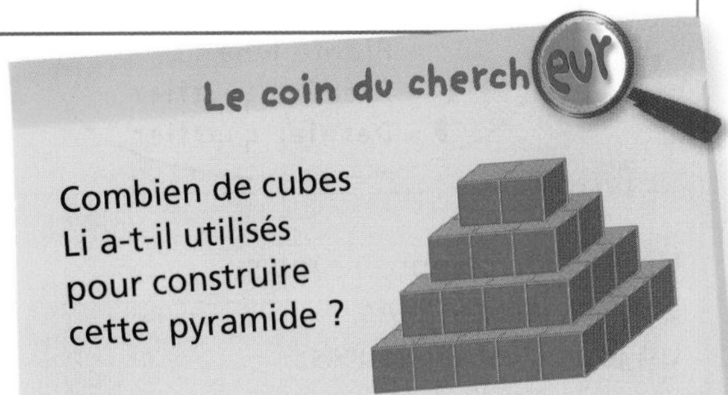

Le coin du chercheur

Combien de cubes Li a-t-il utilisés pour construire cette pyramide ?

37 Le calendrier

COMPÉTENCES : Se repérer dans le temps et utiliser un calendrier.

Calcul mental
Dictée de grands nombres.
Deux millions cent trente-trois mille

Lire, débattre

Chercher

A Voici quelques jours fériés en France :

Fête nationale | Lundi de Pâques | Noël | Toussaint | Ascension
Jour de l'An | Armistice 1918 | Victoire de 1945 | Fête du travail

a. Parmi ces jours fériés, certains ont toujours lieu à dates fixes. Lesquels ?
Écris leurs dates en chiffres, puis en lettres selon l'exemple :

Noël : 25/12 ou 25 décembre

b. Relève deux jours fériés qui ont lieu chaque année toujours le même jour de la semaine.

B Résous cette énigme.

Le chaton de Gaston
À partir de la pleine Lune (○)
du troisième mois de l'année,
ajoute une semaine, puis 48 heures.
Effectue la somme des chiffres
de ce jour.
Cela te donnera le jour
du quatrième mois de l'année
où Gaston a retrouvé son chaton.

Quel jour Gaston a-t-il retrouvé son chaton ?

● = Nouvelle lune
○ = Pleine lune
◐ = Premier quartier
◑ = Dernier quartier

MARS				AVRIL			
1	S	Aubin		1	M	Hugues	
2	D	F. des Grands-Mères		2	M	Sandrine	
3	L	Guénolé		3	J	Richard	
4	M	Casimir		4	V	Isidore	
5	M	Olivia		5	S	Irène	
6	J	Colette		6	D	Marcellin	●
7	V	Félicité	●	7	L	J.-B. de la Salle	
8	S	Jean de Dieu		8	M	Julie	
9	D	Françoise		9	M	Gautier	
10	L	Vivien		10	J	Fulbert	
11	M	Rosine		11	V	Stanislas	
12	M	Justine		12	S	Jules	◐
13	J	Rodrigue		13	D	Ida	
14	V	Mathilde	◐	14	L	Maxime	
15	S	Louise		15	M	Paterne	
16	D	Rameaux		16	M	Benoît-Joseph	
17	L	Patrice		17	J	Aniet	
18	M	Cyrille		18	V	Parfait	
19	M	Joseph		19	S	Emma	
20	J	Printemps		20	D	Odette	○
21	V	Vendredi Saint	○	21	L	Anselme	
22	S	Léa		22	M	Alexandre	
23	D	Pâques		23	M	Georges	
24	L	Lundi de Pâques		24	J	Fidèle	
25	M	Humbert		25	V	Marc	
26	M	Larissa		26	S	Alida	
27	J	Habib		27	D	Souvenir Déportés	
28	V	Gontran		28	L	Valérie	◑
29	S	Gwladys		29	M	Cath. De Sienne	
30	D	Amédée	◑	30	M	Robert	
31	L	Annonciation					

Mémo

Une année compte 12 mois.
Une semaine 7 jours.
Un jour, c'est 24 heures.

Le **9 mars 2008** peut aussi s'écrire **09/03/08**.

S'exercer, résoudre

1 Sonia a 9 ans aujourd'hui, et son petit frère Nicolas 18 mois de moins. Quel est l'âge de Nicolas ?

2 Observe le calendrier ci-contre.

a. Que représentent les dates écrites en rouge ?

b. Quel jour les vacances de la Toussaint se terminent-elles ?

c. Aujourd'hui nous sommes le dimanche 28 décembre.

– Quel jour de la semaine sera le 1er janvier ?

– Quel jour serons-nous dans une semaine ?

OCTOBRE	NOVEMBRE	DÉCEMBRE
1 M Thérèse de l'E.-J.	1 S Toussaint	1 L Florence
2 J Léger	2 D Trépassés	2 M Viviane
3 V Gérard	3 L Hubert	3 M Xavier
4 S François d'Assise	4 M Charles	4 J Barbara
5 D Fleur	5 M Sylvie	5 V Gérald
6 L Bruno	6 J Léonard	6 S Nicolas
7 M Serge	7 V Carine	7 D Ambroise
8 M Pélagie	8 S Geoffroy	8 L Imm. Conception
9 J Denis	9 D Théodore	9 M Pierre Fourier 50
10 V Ghislain	10 L Léon	10 M Romaric
11 S Firmin	11 M Armistice 1918	11 J Daniel
12 D Wilfried	12 M Christian	12 V J.-F. de Chantal
13 L Géraud	13 J Brice	13 S Lucie
14 M Juste	14 V Sidoine	14 D Odile
15 M Thérèse d'Avila	15 S Albert	15 L Ninon
16 J Edwige	16 D Marguerite	16 M Alice
17 V Baudoin	17 L Élisabeth	17 M Judicaël, Gaël
18 S Luc	18 M Aude	18 J Gatien
19 D René	19 M Tanguy	19 V Urbain
20 L Adeline	20 J Edmond	20 S Théophile
21 M Céline	21 V Prés. De Marie	21 D Hiver
22 M Élodie	22 S Cécile	22 L Françoise-Xavière
23 J Jean de Capistran	23 D Christ Roi	23 M Armand
24 V Florentin	24 L Flora	24 M Adèle
25 S Enguerran	25 M Catherine	25 J Noël
26 D Dimitri	26 M Delphine	26 V Étienne
27 L Emeline	27 J Séverin	27 S Jean
28 M Simon, Jude	28 V Jacques de la M.	28 D Sainte Famille
29 M Narcisse	29 S Saturnin	29 L David
30 J Bienvenue	30 D André	30 M Roger
31 V Quentin		31 M Sylvestre

3 Nous sommes le 21 octobre, et Lucie aura 9 ans dans 30 jours.

a. Écris de deux façons la date d'anniversaire de Lucie.

b. Sera-t-elle en vacances à ce moment-là ?

c. Combien de semaines séparent l'anniversaire de Lucie du jour de Noël ?

4 Maria est furieuse ! Aujourd'hui 10 juin, elle vient seulement de recevoir une carte postale datée du 25/04 !

Combien de jours cette carte postale a-t-elle voyagé ?

5 Cécilia voudrait réserver une semaine de vacances au Club « Mer et Montagne ». Elle a le choix entre plusieurs dates :

– Noël,

– Pâques, qui est le 23 mars cette année-là,

– la Toussaint.

Haute saison	Moyenne saison	Basse saison
Du 10/07 au 20/08 Du 20/12 au 2/01	Du 21/08 au 10/10 Du 16/03 au 9/07	Du 11/10 au 19/12 Du 3/01 au 15/03
Plein tarif	**50 € de réduction**	**100 € de réduction**

Parmi ces trois dates, laquelle offre le tarif le plus avantageux ?

6 Si je compte en disant un nombre par seconde et sans m'arrêter, à quel nombre arriverai-je au bout d'une heure ? d'un jour ? d'un an ? de 10 ans ?

Utilise ta calculatrice et ne tiens pas compte des années bissextiles.

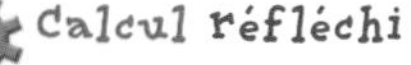

Calcul réfléchi

Multiplier par 11

Observe :

$$11 = 10 + 1$$
$$24 \times 11 = (24 \times 10) + (24 \times 1)$$
$$= 240 + 24$$
$$24 \times 11 = 264$$

Calcule.

- 23 × 11
- 27 × 11
- 35 × 11
- 42 × 11
- 54 × 11

Le coin du chercheur

Mon double est égal à ma moitié.

Qui suis-je ?

38 PROBLÈMES Situations de division (2) : Calculer la valeur d'une part

COMPÉTENCE : Trouver la valeur d'une part en recherchant de façon empirique le quotient et le reste.

Calcul mental

Retrancher des milliers.
17 300 – 4 000

Lire, débattre

Six amis rentrent de la pêche aux crabes.

Chercher

A Gwenaël, Loïc et Alan proposent d'effectuer les calculs afin d'obtenir un partage équitable. Observe leurs méthodes.

Gwenaël

On prend 1 crabe chacun, il en reste :
97 – 6 = 91

Si on prend encore 1 crabe, on a 2 crabes chacun, et il en reste :
91 – 6 = 85

Si on prend ....

Loïc

	Part de chacun ↓
10 × 6 = 60	10 crabes
11 × 6 = 66	11 crabes
12 × 6 = 72	12 crabes
....	....

Il faut que je m'arrête avant 97 !

Alan

Je décompose 97 en multiples de 6 faciles à diviser par 6.

97 = 60 + 30 + 7

97 = (6 × 10) + (6 × 5) + 7

Chacun de nous aura .... crabes, et il restera .... .

a. Complète sur ton cahier d'essais les calculs de Gwenaël et de Loïc.
Trouvent-ils le même résultat ?

b. Pourquoi Alan s'est-il trompé ? Corrige son erreur.
Recopie et complète l'égalité : 97 = (6 × ....) + ...

c. Combien de crabes recevra chaque enfant ? Combien de crabes restera-t-il ?

B Quelle aurait été la part de chacun s'ils avaient pêché 50 crabes ?
Fais les calculs en utilisant la méthode de ton choix.

Mémo

43 divisé par 6

43	=	(6	×	7)	+	1
↓		↓		↓		↓
dividende		**diviseur**		**quotient**		**reste**

Pour trouver la valeur d'une part, on effectue une division.
Le **quotient** indique la valeur d'une part.
Le **reste** est toujours plus petit que le **diviseur**. **1 < 6**

Banque d'Exercices
nos 31 et 32 p. 83.

S'exercer, résoudre

1 a. Recopie et complète avec deux multiples de 5.
64 = ... + ... + 4
b. Écris ton résultat sous la forme : 64 = (5 × ....) + (5 × ....) + 4
c. Calcule le quotient et le reste de la division de 64 par 5.

2 Trouve le quotient et le reste des divisions suivantes.
- 74 divisé par 7
- 90 divisé par 8
- 146 divisé par 11

Écris les résultats selon l'exemple :
63 divisé par 5
63 = (5 × 12) + 3 ; 3 < 5
quotient 12, reste 3

3 Le diviseur est en vert.
Trouve les égalités qui ne correspondent pas à une division, puis corrige-les.

a. 47 divisé par 8 → 47 = (8 × 5) + 7
47 divisé par 5 → 47 = (5 × 8) + 7

b. 88 divisé par 8 → 88 = (8 × 10) + 8
88 divisé par 10 → 88 = (10 × 8) + 8

4 Deux amis partent en Corse pour une randonnée de 90 km sur le GR 20*. Ils comptent parcourir ce chemin en 5 étapes d'égale longueur.
Quelle distance parcourront-ils à chaque étape ?

5

a. Ce partage est-il équitable ? Pourquoi ?
b. Combien de pièces d'or chaque pirate devrait-il recevoir ?

6 Nicole partage 50 images entre ses triplés.
a. Combien d'images chaque enfant reçoit-il ?
b. Combien d'images devrait avoir Nicole pour que chaque enfant en reçoive une de plus ?

Réinvestissement

Pour chacun de ces nombres, indique la valeur du chiffre 5.
- 5 314 203
- 1 415 298
- 2 523 617
- 4 602 205
- 4 753 196

Le coin du chercheur

Sur certaines routes se trouvent des bornes hectométriques : elles sont placées tous les 100 m.
Combien de bornes hectométriques trouve-t-on entre deux bornes kilométriques ?

39 CALCUL RÉFLÉCHI
Nombres et calculatrice

COMPÉTENCES : Passer d'un nombre à un autre. Expérimenter à l'aide de la calculatrice.

Calcul mental

Dictée de grands nombres.

Onze millions cinq cent dix mille

Comprendre

A Ludovic allume sa calculatrice. Il tape :
- quatre fois sur la touche [9],
- une fois sur la touche [+],
- trois fois sur la touche [1]
- et une fois sur la touche [=].

Quel nombre s'affiche sur l'écran ? Vérifie.

B Chloé affiche [210000] sur l'écran de sa calculatrice. À partir de ce nombre, comment afficher 220 000 ?
Indique dans l'ordre les touches sur lesquelles elle doit appuyer. Vérifie avec la calculatrice.

C Sans utiliser les touches [5] [+] affiche, les nombres suivants :
- 15
- 55
- 250
- 5 005

Pour chacun d'eux, écris dans l'ordre les touches sur lesquelles tu as appuyé.

S'exercer, résoudre

1 Nadia affiche [5500] sur l'écran de sa calculatrice.
Elle tape sur la touche [–], puis sur la touche [6],
et deux fois sur la touche [0] et enfin sur la touche [=].
Quel nombre s'affiche sur l'écran ?
Vérifie avec la calculatrice.

2 Nicolas affiche [50 100] sur l'écran de sa calculatrice.
À partir de ce nombre, Nicolas affiche [500 100].
Dessine dans l'ordre les touches sur lesquelles Nicolas a appuyé.
Vérifie avec la calculatrice.

3 Affiche [100] sur l'écran de ta calculatrice.
À partir de ce nombre, affiche [1000] sans utiliser les touches [0] et [1] ?
Indique dans l'ordre les touches sur lesquelles tu as appuyé.
Vérifie avec la calculatrice.

4 Affiche [250000]. Comment afficher [1000000] en tapant sur le moins de touches possible ?

40 Les grands nombres en géographie

COMPÉTENCE : Réinvestir les grands nombres en géographie.

Calcul mental

Complément à 1 000.

970 + … = 1 000

Lire, chercher

La France est organisée en vingt-deux régions métropolitaines auxquelles s'ajoutent les quatre régions d'outre-mer : Guadeloupe, Guyane, Martinique et Réunion.

A Écris le nom de ta région.

B Écris en lettres son nombre d'habitants.

C Combien de régions sont plus peuplées que la tienne ?

D Quelle est la région :
- la plus peuplée ?
- la moins peuplée ?

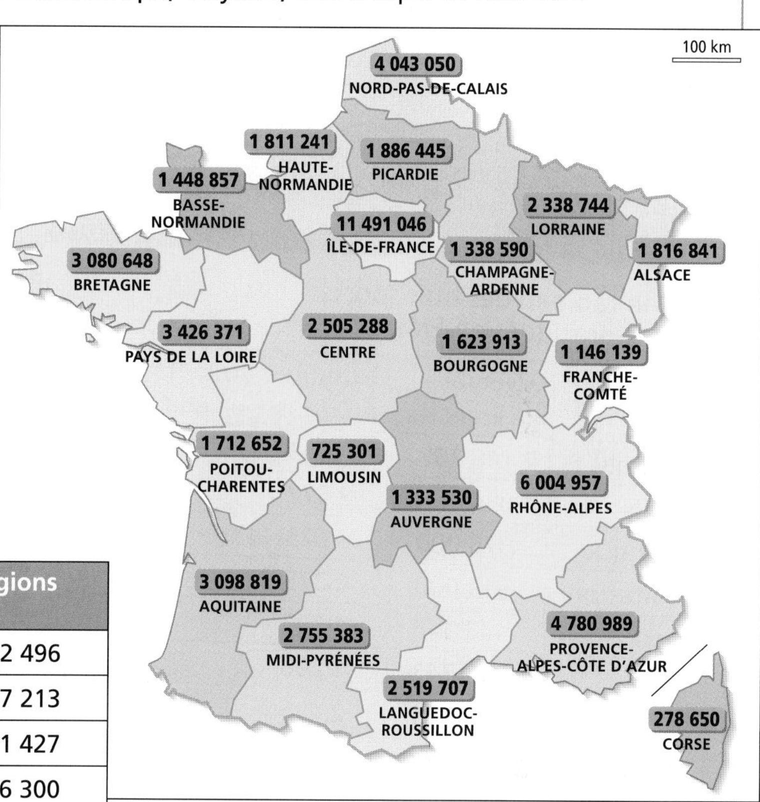

Population des régions d'outre-mer	
Guadeloupe	422 496
Guyane	157 213
Martinique	381 427
Réunion	706 300

S'exercer, résoudre

1 Au recensement de 1999, la Haute-Normandie comptait 1 780 192 habitants.
a. Écris ce nombre en lettres.
b. Quelle est la région dont le nombre d'habitants est immédiatement supérieur ?
c. Quelle est la région dont le nombre d'habitants est immédiatement inférieur ?

2 a. Quel est le nombre de milliers d'habitants de la région Nord-Pas-de-Calais ?
b. Quel est le nombre de millions d'habitants de la région Pays de Loire ?

3 Au recensement de 1999, la France métropolitaine comptait 58 518 395 habitants. Calcule la population totale de la France à cette époque.

Le coin du chercheur

Trouve deux nombres qui se suivent et dont la somme est 173.

41

Mobilise es onnaissances !

Objectif

Mobiliser ses connaissances et ses savoir-faire pour interpréter des documents et résoudre des problèmes complexes.

Les sports les plus appréciés des Français

Voici le tableau des huit sports les plus pratiqués en France.

Discipline	Nombre de licenciés	Nombre de clubs	Prix en € pour un équipement
Football	2 146 752	19 103	90
Tennis	1 054 513	8 572	160
Pétanque	376 000	6 625	70
Équitation	515 000	6 375	120
Basket-ball	447 942	4 609	90
Golf	368 741	1 200	500
Handball	337 971	2 415	90
Judo	539 733	5 547	80

Sources : Ministère de la Jeunesse, des sports et de la vie associative ; Fédérations sportives / 2005.

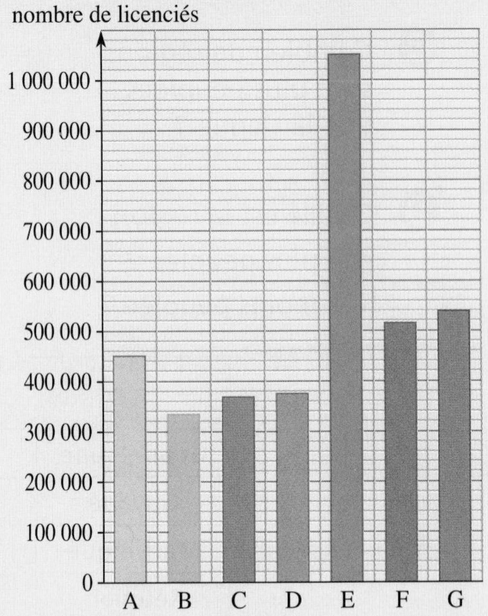

nombre de licenciés

1 000 000
900 000
800 000
700 000
600 000
500 000
400 000
300 000
200 000
100 000
0
A B C D E F G

Ce graphique représente le nombre de licenciés pour sept des sports cités dans le tableau.

Le football

Le football est un sport collectif opposant deux équipes de onze joueurs. C'est actuellement le sport le plus pratiqué au niveau mondial. Il se joue avec un ballon de forme sphérique. Sa circonférence doit être de 68 cm au moins et de 70 cm au plus. Il doit peser entre 410 et 450 g.

Le match comprend deux périodes de 45 minutes chacune, séparées par une pause de 15 minutes.

La longueur du terrain doit être comprise entre 90 et 120 m et sa largeur comprise entre 45 et 90 m.

1. Range les sports du tableau par ordre décroissant de leur nombre de **licenciés***.

2. Quel sport n'est pas représenté sur le graphique ?

3. Quelle couleur correspond au handball ? au basket-ball ? au tennis ? à l'équitation ?

4. Combien d'équipements de handball peut-on acheter pour le prix d'un équipement de golf ?

* **licencié :** personne possédant une licence pour pratiquer un sport.
* **règlementaire :** qui correspond au règlement.
* **judoka :** sportif pratiquant le judo.

5. Écris en lettres le nombre de licenciés de football en France.

6. Quelle est la durée totale d'un match de football ?

7. a. Ce terrain de football mesure 68 m de large, 106 m de long. Est-il **réglementaire*** ?

b. On doit retracer la ligne blanche qui entoure le terrain. Quelle est sa longueur ?

8. Parmi ces ballons, lesquels sont réglementaires ?

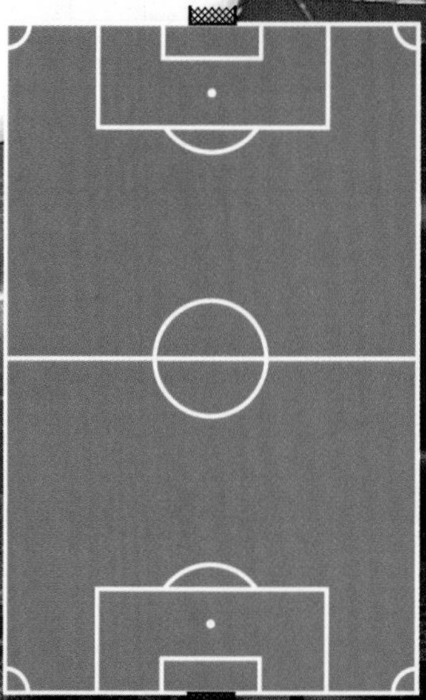

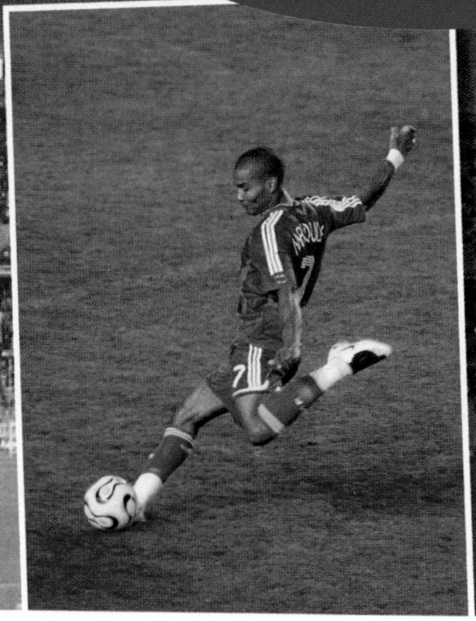

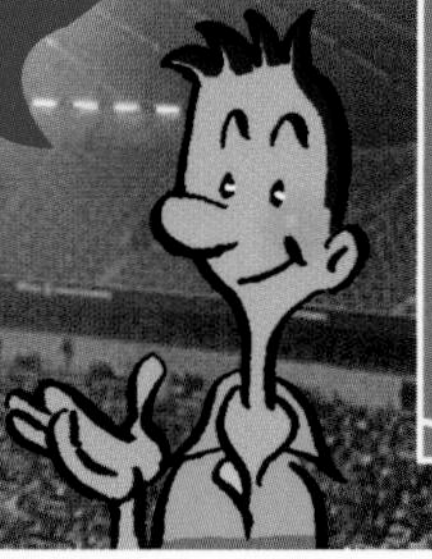

A	B	C	D
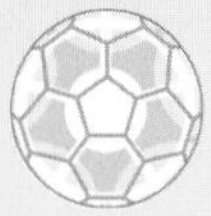	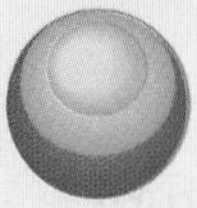	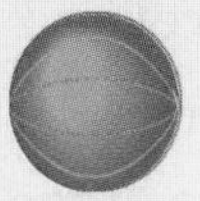	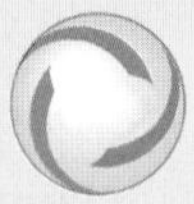
Circonférence 70 cm ; 454 g	Circonférence 69 cm ; 435 g	Circonférence 71 cm ; 448 g	Circonférence 68 cm ; 427 g

Le judo

Le judo est un sport de combat d'origine japonaise. La plupart des techniques utilisées en judo visent à déséquilibrer l'adversaire pour le faire tomber au sol. Les combats se déroulent sur un tapis carré dont les côtés varient entre 4 m et 7 m. Une bande extérieure rouge de 1 m de large, appelée « zone de danger », entoure l'aire de combats. Elle protège les **judokas*** en leur évitant d'être projetés sur le parquet ou sur le sol du gymnase.

La durée des combats

Masculins et féminines					
Benjamins 9 et 10 ans	**Minimes** 11 et 12 ans	**Cadets** 13 et 14 ans	**Espoirs** 15 et 16 ans	**Juniors** 17 à 19 ans	**Seniors** 20 ans et +
1 min 30 s	2 minutes	3 minutes	4 minutes	4 minutes	5 minutes

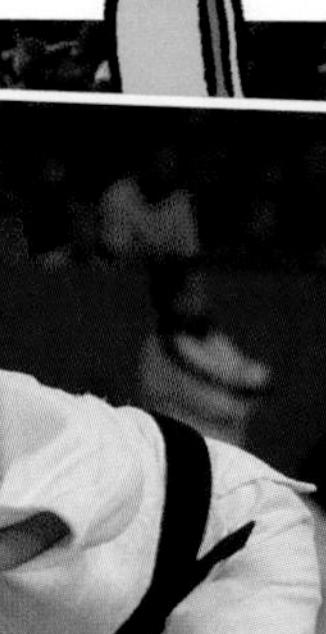

9. Combien de temps dure un tournoi de judo qui compte 10 combats de benjamins, 10 combats de minimes et 10 combats de cadets ?

Il faut ajouter pour chaque catégorie une demi-heure pour les mises en place et les arrêts.

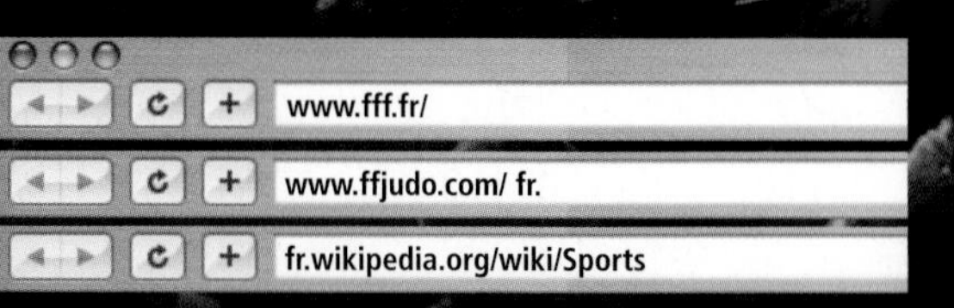

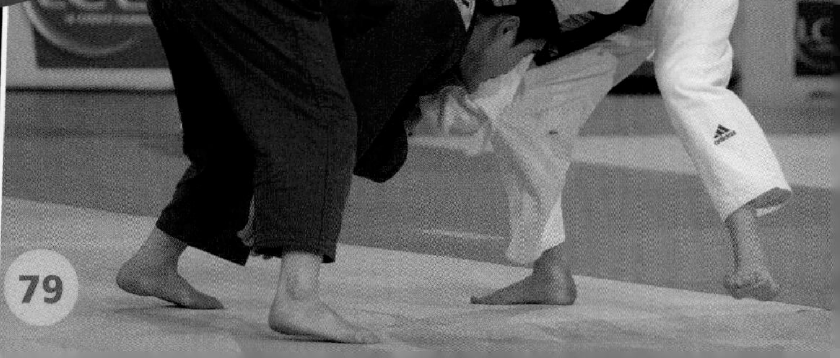

www.fff.fr/

www.ffjudo.com/ fr.

fr.wikipedia.org/wiki/Sports

Fais le point (2)

Pour chaque exercice, recopie la bonne réponse **A**, **B** ou **C**.

Problèmes

- Reconnaître et résoudre des situations de division.
- Lire et interpréter un tableau pour calculer une durée.

		A	B	C	Aide
1	Les enfants ont cueilli 108 cerises. Chacun reçoit 25 cerises. Toutes les parts sont égales. Combien d'enfants ont participé à cette cueillette ? Combien de cerises reste-t-il ?	83 enfants, il reste 0 cerise.	4 enfants, il reste 8 cerises.	3 enfants, il reste 33 cerises.	**Leçon 36** Mémo *(p. 70)* Exercices 1, 2, 3 *(p. 71)*
2	Elsa dispose de 92 coquillages. Elle prépare 8 colliers identiques. Quel est le nombre de coquillages de chaque collier ?	11	84	736	
3	Observe le tableau. Quelle est la durée d'ouverture de la piscine le lundi ?	9 h 45	9 h 15	10 h 55	**Leçon 33** Mémo *(p. 64)* Exercice 4 *(p. 65)*

Heures d'ouverture de la piscine		
	Ouverture	Fermeture
Du lundi au vendredi	8 h 45	18 h 30
Samedi et dimanche	8 h 20	19 h 15

Connaissance des nombres

- Lire, écrire les grands nombres.
- Connaître la valeur de chaque chiffre.
- Placer un nombre sur une droite graduée.
- Reconnaître les multiples de 2, 5 ou 10.

		A	B	C	Aide
4	Que représente le chiffre 5 dans 7 560 049 ?	les centaines de mille	les unités de million	les dizaines de mille	**Leçon 34** Mémo *(p. 66)* Exercices 2 et 7 *(p. 67)*
5	Comment s'écrit en chiffres : un million cinq cent mille quarante ?	1 000 540	1 500 040	1 540 000	
6	Quel est le nombre **M** ? 9 400 000 — 9 700 000 — M	9 800 000	9 900 000	10 000 000	
7	Retrouve les multiples de 2. ◆ 305 ◆ 447 ◆ 356 ◆ 704 ◆ 2 981 ◆ 1 410	447 305 2 981	356 447 1 410	356 704 1 410	**Leçon 24** Mémo *(p. 51)* Exercices 1a et 2 *(p. 51)*

Calcul

- Calculer un produit.
- Calculer un quotient et un reste.

		A	B	C	Aide
8	Pose et effectue : 173 × 7	1 111	721	1 211	**Leçon 25** Comprendre Activité A *(p. 52)*
9	Pose et effectue : 215 × 43	8 145	9 245	7 145	**Leçon 32** Mémo *(p. 63)* Comprendre *(p. 63)*
10	Quelle réponse correspond à cette opération ? 160 divisé par 6	(6 × 25) + 10	(6 × 26) + 4	(6 × 24) + 16	**Leçon 38** Mémo *(p. 74)* Exercice 3 *(p. 75)*

Géométrie

- Vérifier que des droites sont parallèles.

		A	B	C	Aide
11	À l'aide de l'équerre et de la règle, trouve les droites parallèles. 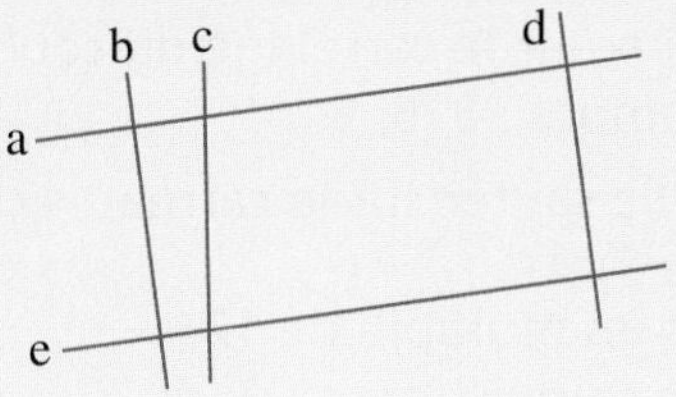	a et d a et b	a et c e et b	a et e b et d	**Leçon 22** Mémo *(p. 48)* Exercice 2 *(p. 49)*

Mesures

- Connaître les unités légales de longueur et leurs relations.
- Utiliser un calendrier.
- Calculer des durées.

		A	B	C	Aide
12	Convertis en **m** : 5 km 50 m	550	5 005	5 050	**Leçon 27** Mémo *(p. 54)* Exercice 3 *(p. 55)*
13	Convertis en **km** : 3 500 m	3 km 500 m	35 km	3 km 5 m	
14	Aujourd'hui, nous sommes jeudi 27 mars. Quelle sera la date une semaine plus tard ?	Jeudi 34 mars	Jeudi 3 avril	Jeudi 1er avril	**Leçon 37** Chercher B *(p. 72)* Exercice 2 *(p. 73)*
15	Un avion décolle de Paris à 12 h 35 et se pose à Tunis à 15 h 05. Quelle est la durée du vol ?	2 h 30	1 h 30	2 h 40	**Leçon 33** Mémo *(p. 64)* Exercice 5 *(p. 65)*

LEÇON 22

1 Dans quelles figures reconnais-tu des droites parallèles ?

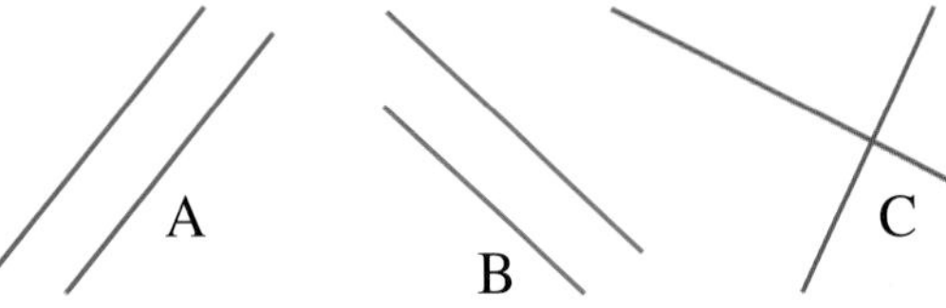

LEÇON 23

2 Écris en minutes et secondes :
70 s ; 120 s ; 150 s ; 190 s.

3 Jean télécharge un morceau de musique qui dure 3 min 50 s et un autre de 220 s.

Calcule la différence de durée entre ces deux morceaux.

LEÇON 24

4 a. Écris les multiples de 5.
- 14 ◆ 25 ◆ 0 ◆ 70 ◆ 190 ◆ 127

b. Écris les multiples de 2.
- 65 ◆ 48 ◆ 120 ◆ 81 ◆ 239 ◆ 0

c. Écris les multiples de 10.
- 95 ◆ 30 ◆ 87 ◆ 0 ◆ 450 ◆ 135

d. Parmi les multiples de 2 et de 5 ci-dessus, lesquels sont aussi multiples de 10 ?

LEÇON 25

5 Pose et effectue.
- 96 × 5 ◆ 243 × 6 ◆ 409 × 7

6 Lors d'une course cycliste, les participants parcourent une boucle de 13 km. Ils doivent effectuer 9 tours.

a. Calcule la distance à parcourir.

b. Au début du 7e tour, un coureur s'échappe. À quelle distance se trouve-t-il alors de l'arrivée ?

LEÇON 27

7 Convertis en **m**.
- 2 km 9 hm ◆ 1 km 80 m
- 3 km 500 m ◆ 3 km 50 m

8 Convertis en **km**.
- 5 000 m ◆ 12 000 m
- 2 500 m ◆ 40 000 m

9 Des randonneurs parcourent une étape de 4 km 250 m le matin. Au retour, ils allongent cette étape par un détour de 1 km 750 m.

Quelle distance ces randonneurs ont-ils parcourue dans la journée ?

LEÇON 29

10 Reporte-toi au plan de Rouen, page 59, puis résous ce problème.

Ludo habite Place du Vieux-Marché. Il donne rendez-vous à ses camarades au Musée des Beaux-Arts.

Quel est son itinéraire ?

LEÇON 30

11 Écris les six premiers multiples de 8.

12 Marine saute de trois carreaux en trois carreaux sur le carrelage du couloir.
Elle compte : 3, 6, 9...

Va-t-elle sauter sur le carreau 47 ?

13 Je suis un multiple de 12.
Je suis compris entre 50 et 70.

Qui suis-je ?

LEÇON 31

14 Une grappe de raisin, un melon et trois bananes pèsent ensemble 1 kg 150 g.

La grappe de raisin et le melon pèsent 850 g.
Le melon et les bananes, 900 g.

Combien pèse chaque espèce de fruit ?

LEÇON 32

15 Pose et effectue.
- 39 × 15 ◆ 153 × 34
- 246 × 25 ◆ 54 × 348

16 Sans effectuer les opérations, trouve le nombre égal au produit.

a. 389 × 49 ◆ 1 906 ◆ 19 061 ◆ 190 061

b. 1 475 × 52 ◆ 7 670 ◆ 767 000 ◆ 76 700

LEÇON 33

17 a. Écris l'heure indiquée par chaque cadran le matin, puis le soir.

b. Quelle heure chaque cadran indiquera-t-il le matin un quart d'heure plus tard ? une demi-heure plus tard ?

18 Le TGV Paris-Bordeaux doit arriver à Bordeaux à 17 h 56 min. Il est annoncé avec un retard de 25 minutes.

À quelle heure entrera-t-il en gare ?

19 Recopie, puis complète.

	Autocar n° 1	Autocar n° 2	Autocar n° 3
Heure de départ	17 h	8 h 20	....
Heure d'arrivée	21 h	....	14 h
Durée du voyage	....	35 min	2 h 45

LEÇON 34

20 Écris en chiffres.

- Soixante-dix millions quatre cent mille
- Cent vingt mille six cent deux
- Huit cent millions
- Six cent quatre-vingt-cinq mille

21 Écris en lettres.

◆ 4 606 000 ◆ 4 600 000

◆ 4 060 000 ◆ 4 606 006

22 Quelle est la valeur du chiffre 9 dans chacun des nombres suivants.

◆ 1 900 000 ◆ 9 500 000 ◆ 6 530 900

◆ 2 009 000 ◆ 90 000

23 Range les nombres par ordre croissant.

◆ 9 009 000 ◆ 99 999 ◆ 9 999

◆ 999 999 ◆ 900 999

24 Reporte-toi au planisphère de l'activité « Chercher », page 66, puis calcule la production d'oranges pour les pays d'Amérique.

25 Le vol Paris-Ajaccio est de 1 000 km. Combien de fois un avion doit-il parcourir cette distance pour effectuer un million de kilomètres ?

LEÇON 35

26 Observe la figure, puis écris le nom de chacun des triangles.

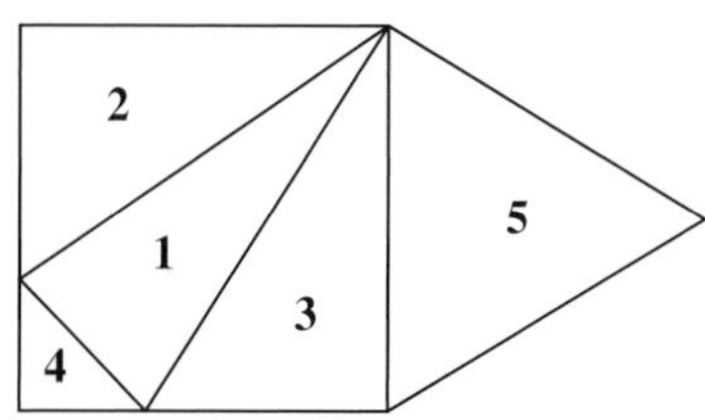

27 Trace un triangle rectangle qui possède un axe de symétrie.

Comment le nommes-tu ?

LEÇON 36

28 Le diviseur est en orange.

Trouve l'égalité qui ne correspond pas à une division.

◆ 58 = (8 × 7) + 2 ◆ 33 = (5 × 6) + 3

◆ 62 = (9 × 6) + 8 ◆ 86 = (8 × 10) + 6

29 Dans une bande de papier de 165 cm de long, Marine découpe des étiquettes de 8 cm pour les cahiers de ses camarades.

Combien d'enfants recevront une étiquette ?

30 Au rayon jardinerie d'un supermarché, les pieds de pensées sont vendus par barquettes de 15. Les vendeurs ont reçu 200 pieds.

Combien de barquettes complètes pourront-ils préparer ?

LEÇON 38

31 Pour une course de kart, les pilotes doivent parcourir 72 km en effectuant 24 tours.

Quelle est la longueur d'un tour de circuit ?

32 Avec un carton contenant 120 yaourts, le fromager prépare 15 lots.

a. Combien de yaourts chaque lot contient-il ?

b. Une famille consomme en moyenne 24 yaourts dans la semaine.

Combien de lots doit-elle acheter ?

Atelier problèmes (2)

Travail en équipe

A Problèmes pour apprendre à chercher

COMPÉTENCE : Élaborer des solutions originales pour résoudre des problèmes de recherche.

Problème 1

Avec 2 €, j'achète un carnet et un stylo. Le carnet coûte 1 € de plus que le stylo.

Combien coûte chaque article ?

Problème 2

Trouve le poids de chaque boule parmi les valeurs proposées.

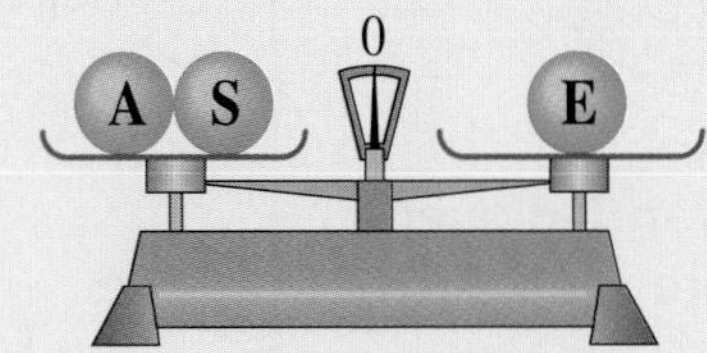

Problème 3

Trouve deux nombres dont la somme est 41 et la différence 11.

Problème 4

L'expédition du navigateur portugais Magellan (né en 1480, mort en 1521) réalisa en trois ans le premier tour du monde. Sur les 5 voiliers et 234 hommes d'équipage qui embarquèrent, un seul bateau et 18 survivants rentrèrent en Espagne en 1522. C'est depuis cette expédition que l'on est sûr que la Terre est ronde.

1. En quelle année l'expédition est-elle partie ?
2. Magellan est-il mort au cours de cette expédition ? Si oui, à quel âge ?

B Problèmes à étapes

COMPÉTENCE : Articuler les différentes étapes d'une solution.

Problème 5

Le responsable du club de sport a dépensé 213 € pour acheter 5 ballons, un filet de volley à 62 € et 4 boîtes de balles de tennis à 9 € la boîte.

Établis la facture.

Problème 6

Le jardinier de la municipalité doit planter 5 massifs de rosiers sur la place de la mairie. Il possède 15 barquettes de 12 pieds de rosiers chacune.

Quel est le nombre de rosiers par massif ? Lui en restera-t-il ?

Problème 7

Le *Concorde* a établi un record du tour du monde. Parti de New York le mardi 15 août à 12 heures, il est arrivé à nouveau à New York le lendemain à 20 h 44.

1. Quelle a été la durée de ce tour du monde ?

Le précédent record était détenu par un *Grumman Gulstream* en 36 heures.

2. De combien *Concorde* a-t-il battu ce record ?

Problème 8

Léandre achète 4 brioches à 80 c l'une, 3 pains à 90 c l'un et un gâteau pour six personnes. Il a payé le tout 20 €.

Quel est le prix du gâteau ?

Dans le dessin, retrouve Mathéo la mascotte.
Cherche des détails illustrant les notions étudiées dans cette période.

	Leçons		Leçons
• Compléter une figure par symétrie.	**42**	• Résoudre un problème.	**46, 49, 57**
• Effectuer des divisions.	**43, 45, 50**	• Identifier les quadrilatères.	**51, 53**
• Percevoir un solide, le décrire.	**44**	• Comparer, ranger, mesurer des aires.	**52, 56**
• Utiliser les mesures de masse.	**47**	• Calculer la moitié, le tiers, le quart…	**54**
• Comparer des angles.	**48**	• Construire des droites parallèles.	**55**

42 Compléter une figure par symétrie

COMPÉTENCE : Compléter une figure par symétrie axiale.

Calcul mental

Dictée de grands nombres.
512 807

Lire, débattre

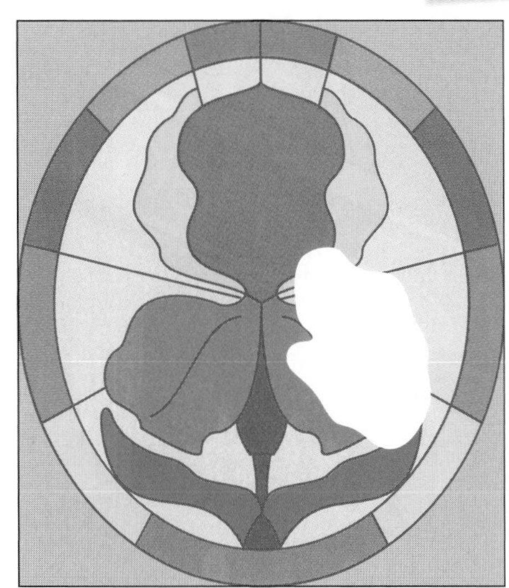

Chercher

A Reproduis ce dessin sur ton cahier. La droite rouge est l'axe de symétrie de la tour du château.

Complète le dessin en te servant du quadrillage.

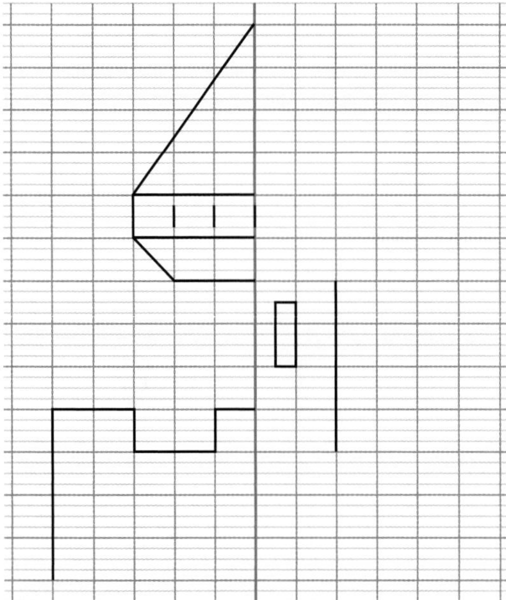

B Reproduis cette moitié de guitare sur papier uni.

Complète-la par symétrie.

Tu peux utiliser un calque ou un gabarit.

Mémo

Pour compléter une figure par symétrie, tu peux utiliser :

un calque

un gabarit

un quadrillage

S'exercer, résoudre

Banque d'Exercices nos 1 et 2 p. 116.

1 Reproduis le dessin sur une feuille de papier quadrillé, puis complète le papillon par symétrie.

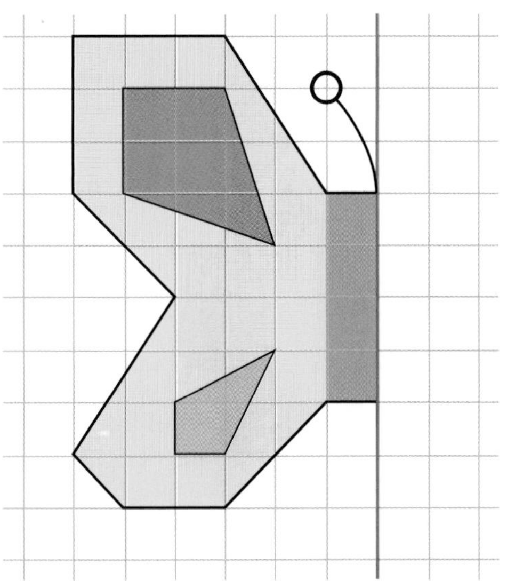

2 Reproduis le dessin et complète l'amphore par symétrie.

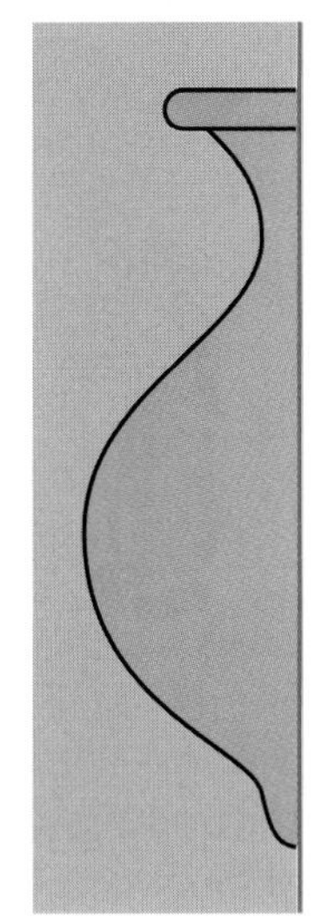

3 Reproduis le dessin et complète la fleur de gentiane par symétrie.

Calcul réfléchi

Multiplier par 5

Observe :

5 est la moitié de 10
26 × 5 est la moitié de 26 × 10
26 × 10 = 260 26 × 5 = 130

Calcule.

- 28 × 5
- 36 × 5
- 43 × 5
- 54 × 5
- 66 × 5

Le coin du chercheur

Reproduis ce schéma.
Place les nombres de 1 à 6 dans les cercles.

Les trois alignements doivent donner la même somme : **9**.

43 La division : Recherche du quotient et du reste par encadrement

COMPÉTENCE : Rechercher le quotient et le reste par encadrement entre deux multiples du diviseur.

Calcul mental

Nombre de centaines de milliers, de milliers…

Nombre de milliers dans 101 203

Lire, débattre

Ce vélo coûte 210 €.
Je n'ai que des billets de 20 €.
Combien vais-je en donner ?

Deux fois moins
que si tu avais
des billets de 10 €.

Est-ce vrai ?

Chercher

A Hanane veut acheter un baladeur à 48 €, et Corentin un téléphone portable à 72 €. Chacun souhaite payer avec des billets de 5 € et le moins de pièces possible.

a. Combien de billets chacun donne-t-il ?

b. Combien reste-t-il à chacun à payer avec des pièces ?

Hanane

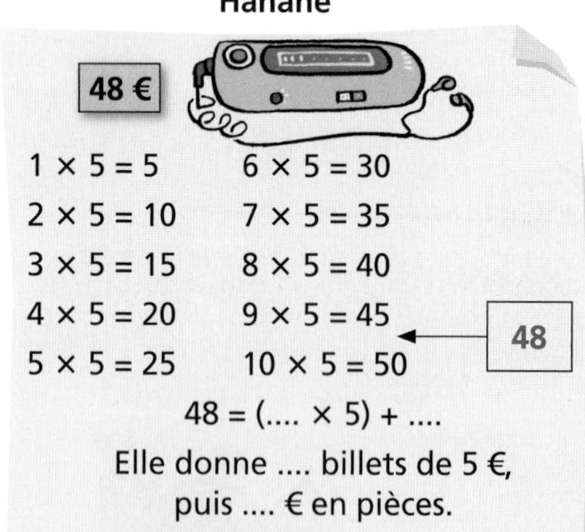

48 €

1 × 5 = 5	6 × 5 = 30
2 × 5 = 10	7 × 5 = 35
3 × 5 = 15	8 × 5 = 40
4 × 5 = 20	9 × 5 = 45 ← 48
5 × 5 = 25	10 × 5 = 50

48 = (.... × 5) + ...

Elle donne .... billets de 5 €,
puis .... € en pièces.

Corentin

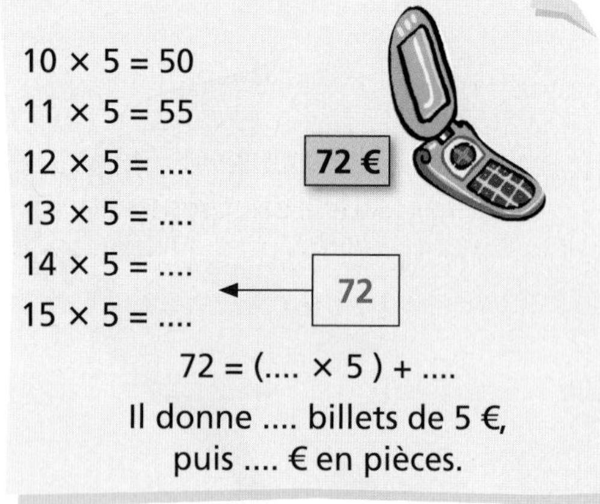

72 €

10 × 5 = 50
11 × 5 = 55
12 × 5 = ...
13 × 5 = ...
14 × 5 = ... ← 72
15 × 5 = ...

72 = (.... × 5) + ...

Il donne .... billets de 5 €,
puis .... € en pièces.

B Élisa a trouvé une autre méthode en décomposant 72 en multiples de 5. Observe, reproduis, puis complète ses calculs.

72 = 50 + 20 + 2

72 = (.... × 5) + (.... × 5) + ...

72 = (.... × 5) + ...

72 divisé par 5 : quotient .... reste .... .

Mémo

Pour trouver le quotient, j'encadre le dividende entre deux multiples consécutifs du diviseur.

73 divisé par 8

8 × 9 = 72 ← 73 8 × 10 = 80	72 < 73 < 80 73 = 72 + 1	73 = (8 × 9) + 1 **quotient : 9 reste 1 < 8**

S'exercer, résoudre

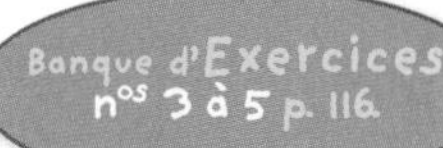

1 a. Encadre 51 entre deux multiples consécutifs de 6.
Écris le quotient et le reste de la division de 51 par 6.

b. Encadre 63 entre deux multiples consécutifs de 12.
Écris le quotient et le reste de la division de 63 par 12.

Présente tes résultats sous la forme : 51 = (6 × ....) + ... quotient : .... reste : ....

2 Observe l'exemple :

75 divisé par 10

75 = (10 × 7) + 5

le quotient est 7 et le reste est 5.

Calcule le quotient et le reste de chacune de ces divisions :

a. ◆ 76 divisé par 10 ◆ 117 divisé par 10 ◆ 275 divisé par 10

b. ◆ 345 divisé par 100 ◆ 826 divisé par 100 ◆ 1 048 divisé par 100

3 Abel range sa collection de 158 timbres dans un album. Il en place 20 par page.

a. Combien de pages sont complètes ?

b. Combien de timbres contient la page incomplète ?

4 Renée range 50 balles de tennis dans des boîtes de 4.

a. Combien de boîtes seront pleines ?

b. Combien lui faudra-t-il de boîtes pour ranger toutes les balles ?

5 Un taxi fait payer 5 € pour la prise en charge du client plus 4 € par km parcouru.

a. À combien revient une course de 16 km ?

b. Un client a payé 45 €. Quelle est la longueur de la course ?

6 Ludovic achète un téléviseur pour le prix de 404 €. Il le paie en 4 fois sans frais.

a. Quel sera l'ordre de grandeur du montant de chaque versement ?

b. Calcule exactement ce montant.

Réinvestissement

Écris en chiffres le nombre qui précède et celui qui suit immédiatement chacun de ces trois nombres.
- deux millions
- neuf cent mille
- trois millions neuf cent quatre-vingt-dix-neuf mille neuf cent quatre-vingt-dix-neuf

Le coin du chercheur

Combien de triangles vois-tu dans cette figure ?

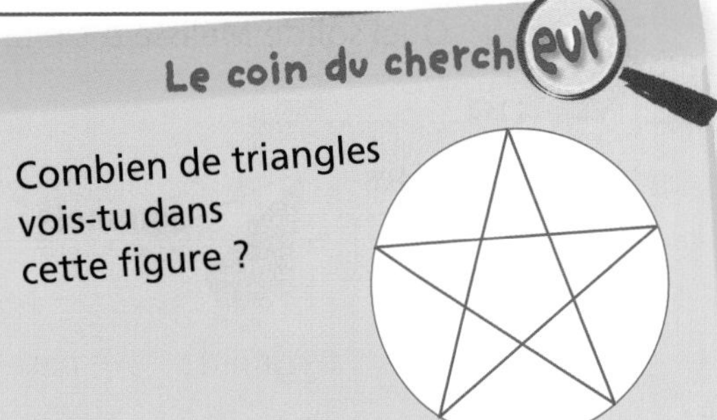

44 Solides (*1*) : Jeu du portrait

COMPÉTENCES : **Percevoir un solide, le décrire en vue de l'identifier, en donner le nom. Utiliser à bon escient le vocabulaire : sommet, arête, face, cube, pavé ou parallélépipède rectangle.**

Calcul mental

Double d'un nombre de deux chiffres.

Double de 56

Lire, débattre

A Mots croisés

Recopie et complète cette grille de mots croisés sur les solides.

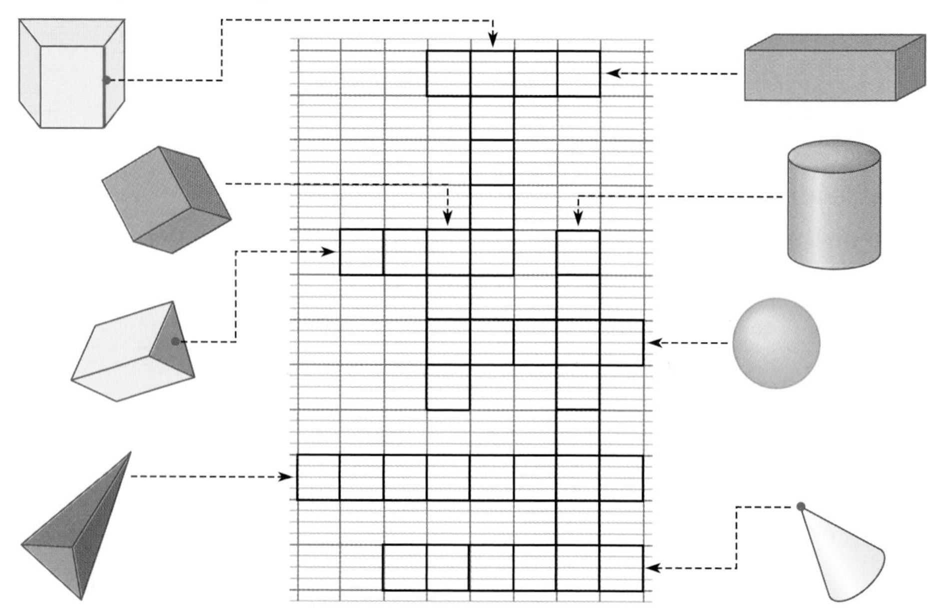

B Jeu du portrait

Pour découvrir l'un des solides ci-dessous, Mélissa et Julien ont posé des questions à leurs camarades.

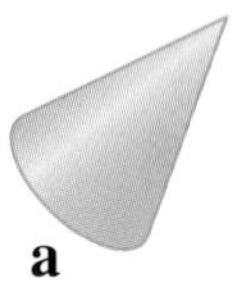
a

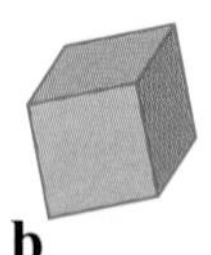
b

c

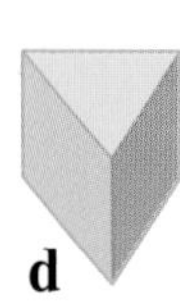
d

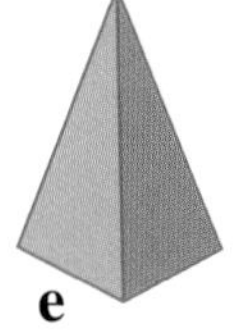
e

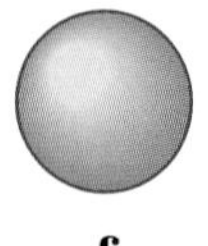
f

g

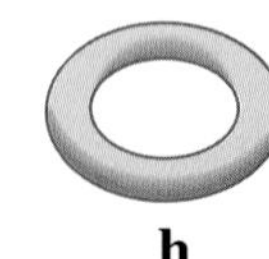
h

Voici les réponses qu'ils ont obtenues.

Questions de Mélissa	Réponses
A-t-il des faces carrées ?	Non
A-t-il des arêtes perpendiculaires ?	Non
Peut-il rouler ?	Oui
A-t-il un sommet ?	Oui

a. Quel solide Mélissa a-t-elle découvert ?

Questions de Julien	Réponses
A-t-il une face arrondie ?	Oui
A-t-il des faces planes ?	Oui
Ses faces sont-elles toutes des carrés ou des rectangles ?	Non
A-t-il un sommet ?	Non

b. Quel solide Julien a-t-il découvert ?

Mémo

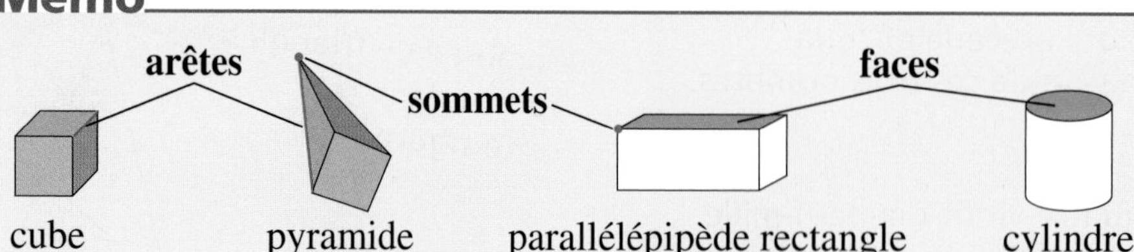

cône

boule

S'exercer, résoudre

Banque d'Exercices n° 6 p. 116.

1 Donne le nom de chacun des solides décrits par les enfants.
Dessine-les ensuite à main levée.

2 Vrai ou faux ?

a. Un solide peut avoir seulement 4 faces triangulaires.

b. Un parallélépipède rectangle a 8 faces.

c. Une pyramide peut avoir seulement 3 arêtes.

d. Un cylindre peut avoir une base plus petite que l'autre.

e. Dans un parallélépipède rectangle, toutes les arêtes sont parallèles ou perpendiculaires.

3 a. Observe ces deux pyramides.
Pour chacune d'elles, indique le nombre de faces et le nombre d'arêtes.

b. Quel est le nombre de faces d'une pyramide dont la base est un hexagone ?

4 Pour découvrir l'un des solides de la page précédente, Albert a posé des questions à ses camarades. Voici leurs réponses :

« A-t-il plus de 5 faces ? » → OUI

« Peut-il rouler ? » → NON

« A-t-il des faces triangulaires ? » → NON

« Toutes ses faces sont-elles égales ? » → OUI

a. Quel est ce solide ?

b. Quelle question est inutile ?

5 Tu possèdes une boîte en forme de parallélépipède rectangle.

a. Combien de mesures dois-tu communiquer à un camarade d'une autre classe pour savoir s'il possède une boîte de mêmes dimensions ?

b. Reproduis le dessin de la boîte sur du papier quadrillé.

Colorie de la même couleur les arêtes de même longueur.

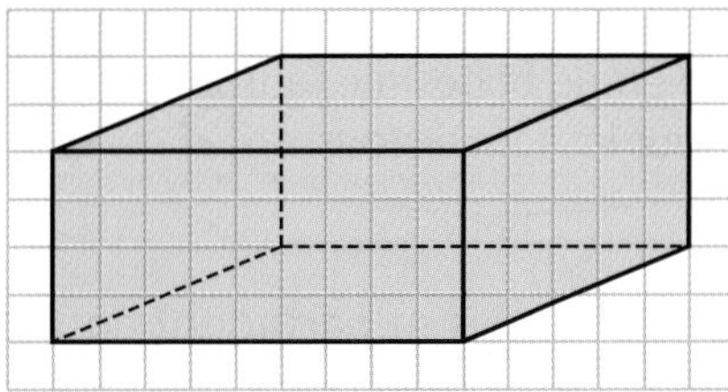

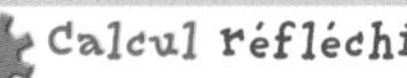

Calcul réfléchi

Multiplier par 50

Observe :

50 est la moitié de 100

42 × 50 est la moitié de 42 × 100

42 × 100 = 4 200 **42 × 50 = 2 100**

Calcule.

- 24 × 50 • 38 × 50 • 42 × 50 • 13 × 50 • 77 × 50

Le coin du chercheur

Reproduis cette figure.
Combien de segments joignant deux points peux-tu tracer ?

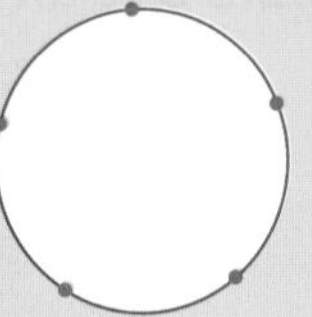

45 CALCUL RÉFLÉCHI **Diviser un nombre par un nombre d'un chiffre**

COMPÉTENCE : Diviser par un nombre d'un chiffre (calcul en ligne).

Calcul mental

Moitié d'un nombre de trois chiffres.

– Moitié de 102

Comprendre

Léa et Thibault divisent **104 par 6**.
Recopie et complète leurs calculs.

Léa

Je décompose 104 en multiples de 6.

104 = 60 + 30 + 12 + 2

= (6 × ....) + (6 × ....) + (6 × ....) + ...

= (6 × ....) + ...

Thibault

Je décompose d'une autre façon 104 en multiples de 6.

104 = 60 + 44

104 = 60 + 42 + 2

= (6 × ....) + (6 × ....) + ...

= (6 × ....) + ...

Lorsqu'on divise 104 par 6, le quotient est .... et le reste .... .

Je connais bien mes tables ! Et toi ?

S'exercer, résoudre

1 **a.** Décompose ces nombres en multiples de 6 comme le font Thibault ou Léa.

- 47
- 72
- 98
- 106

b. Utilise ces décompositions pour calculer le quotient et le reste des divisions suivantes.

- 47 divisé par 6
- 72 divisé par 6
- 98 divisé par 6
- 106 divisé par 6

Tu ne dois pas poser les divisions, bien sûr !

2 Calcule le quotient et le reste des divisions suivantes.

- 61 divisé par 7
- 84 divisé par 3
- 63 divisé par 5
- 108 divisé par 8

3 J'ai une collection de 84 dinosaures. Je peux en ranger 9 par boîte. Combien de boîtes me faut-il pour les ranger tous ?

Attention, la dernière boîte ne sera peut-être pas complète !

4 Sept amis se partagent équitablement la note du restaurant qui s'élève à 196 €. Combien chacun paie-t-il ?

5 Avec 200 €, combien de mangas à 8 € la bibliothécaire peut-elle acheter ?

Mémo

Dans une division, pour faciliter les calculs, on décompose le nombre à diviser, en multiples du diviseur.

80 divisé par 6

80 = 60 + 18 + 2

80 = (6 × 10) + (6 × 3) + 2 = (6 × 13) + 2

Quotient 13, reste 2

46 PROBLÈMES
Procédures personnelles *(3)*

COMPÉTENCES : **Chercher et produire une solution originale pour traiter un problème.**

Calcul mental
Chiffre des milliers…
Chiffre des milliers
dans 142 502

Chercher, argumenter

Dans ma tirelire, j'ai 16 pièces
qui font en tout 26 €.
Il n'y a que des pièces de 2 € et de 1 €.
Combien ai-je de pièces de chaque sorte ?

A Cherche d'abord seul, puis avec ton équipe, et rédige la réponse.

B Observe maintenant comment procède l'équipe de Béatrice.

a. Termine les calculs.

b. Recopie et complète :
La tirelire contient .... pièces de 2 € et .... pièces de 1 €.

Pièces de 2 €	Pièces de 1 €	Total en €
15	1	30 + 1
14	2	28 + 2

S'exercer, résoudre

1 Yvan et Chloé font le compte des pièces de 5 et de 10 centimes qu'ils ont récoltées.
Yvan compte les pièces : il en trouve 14.
Chloé fait les comptes : elle obtient 120 centimes.
Combien de pièces de 5 centimes et combien de pièces de 10 centimes les enfants ont-ils récoltées ?

2 À Microland, la sauterelle bottier équipe toutes les fourmis qui ont 6 pattes et toutes les araignées qui en ont 8.
Aujourd'hui, elle a fourni 106 chaussures en tout pour équiper 15 clientes.
Quel est le nombre de fourmis et celui des araignées ?

47 Les masses

COMPÉTENCES : Estimer une masse. Connaître et utiliser les multiples et sous multiples usités du gramme. Effectuer des calculs simples sur les masses.

Calcul mental

Multiplier par 5.

24 × 5

Lire, débattre

Chercher

A Concours

Avec plusieurs camarades, évaluez la masse :
- d'une bouteille en plastique d'un litre pleine d'eau ;
- d'un dictionnaire ;
- d'une gomme.

Notez les valeurs proposées pour chaque objet.
Réalisez les pesées. Quel groupe a trouvé les valeurs les plus proches ?

B Le cartable de Guillaume

Guillaume pèse les objets contenus dans son cartable.

a. Quelle est la masse totale de ces objets ?

b. Le cartable plein pèse 5 kg 150 g. Quelle est sa masse lorsqu'il est vide ?

C La potion magique de Panastérix

Pour fabriquer sa potion magique, le druide Panastérix a utilisé 3 dg de corne de tricélaphos, 25 cg d'extrosium et 320 mg de poudre d'ilarium.

Quelle est, en cg, la masse totale de ces ingrédients ?

Mémo

1 kg = 1 000 g

1 g = 10 dg = 100 cg = 1 000 mg

1 kg 50 g + 310 g = 1 360 g

kg	hg	dag	g	dg	cg	mg
1	0	5	0			
	3	1	0			

Avant d'effectuer des calculs sur les masses, il faut les exprimer avec la **même unité**.

S'exercer, résoudre

Banque d'Exercices nᵒˢ 7 à 9 p. 116.

1 Convertis :

a. en g : ◆ 3 kg ◆ 1 kg 520 g ◆ 2 kg 50 g
b. en cg : ◆ 1 g ◆ 500 mg ◆ 12 dg
c. en mg : ◆ 2 g ◆ 45 cg ◆ 4 dg

2 La chauve-souris de Kitti, qui vit en Thaïlande, pèse 17 dg. C'est sans doute le plus petit mammifère du monde.

Est-elle plus lourde qu'une feuille de papier format A4 qui pèse 5 g ? Justifie ta réponse.

3 Marcel boxe dans la catégorie « Super-plume ». Dans cette catégorie, le poids des boxeurs est limité à 58 kg 970 g.
Deux jours avant son combat, Marcel pèse 60 kg 90 g.

Quel poids doit-il perdre ?

4 Un carreau d'une feuille de cahier seyès a une masse de 5 mg.

a. Quelle est la masse d'un carré de 10 carreaux de côté ?

b. Combien faut-il de carrés de 10 carreaux de côté pour faire un gramme ?

5 Dans son sac de pique-nique, Élias a placé : une bouteille d'eau minérale qui pèse 1 kg 90 g, un sandwich de 205 g, un biscuit de 32 g et deux pommes de 95 g chacune.

Combien pèse le pique-nique d'Élias.

6 Natacha veut peser sa chienne Sandy et son chat Filou. Combien pèse chaque animal ?

52 kg 500 g

49 kg 200 g

47 kg 800 g

7 Calcule le prix d'un kilogramme de chacun de ces produits.

1 € 65 les 250 g

2 € 05 les 500 g

1 € 15 les 100 g

Réinvestissement

Observe : **70 divisé par 6**

6 × 11 < 70 < 6 × 12 **70 = (6 × 11) + 4**

Écris l'encadrement et l'égalité qui correspondent à chaque division.

◆ 75 divisé par 6 ◆ 100 divisé par 6

Le coin du chercheur

Quel est le nombre de dalles de cette terrasse ?

48 Les angles

COMPÉTENCES : **Comparer des angles. Reproduire un angle donné en utilisant un gabarit.**

Calcul mental

Combien de fois 5 dans :
75

Lire, débattre

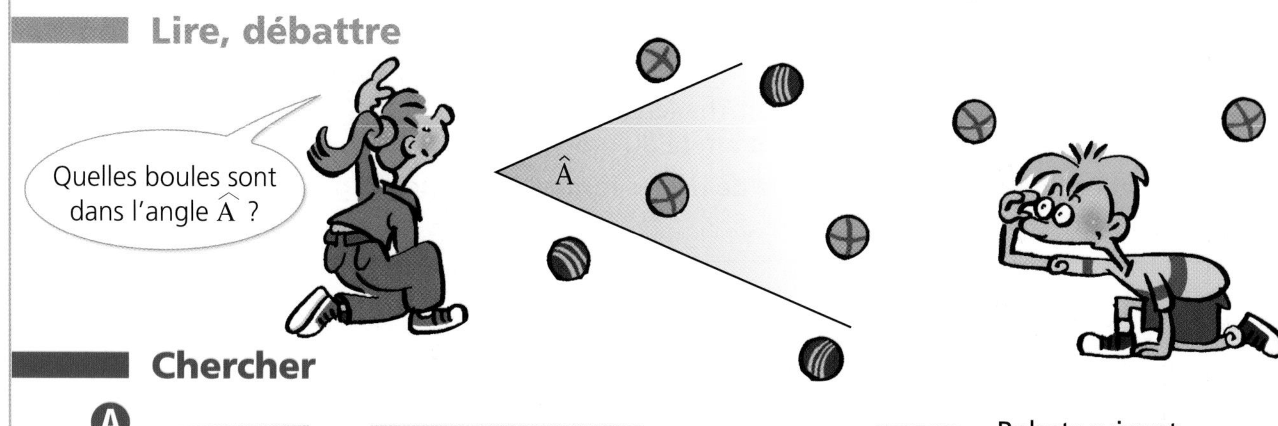

Chercher

A

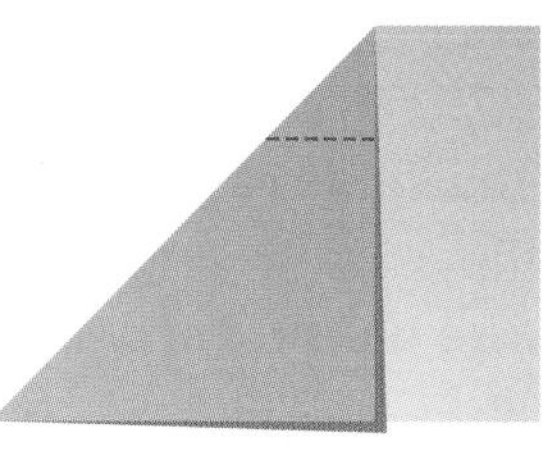

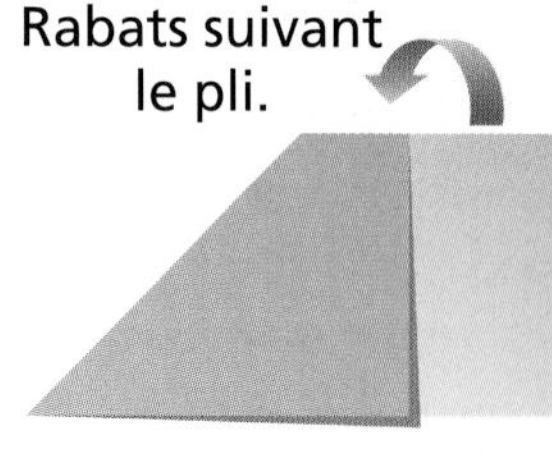

① Plie une feuille en deux, bord à bord.

② Déplie-la.

③ ④ Puis effectue les pliages ③ et ④.

Déplie et repasse les plis au crayon.
Colorie les angles et nomme-les selon le modèle ⑤.

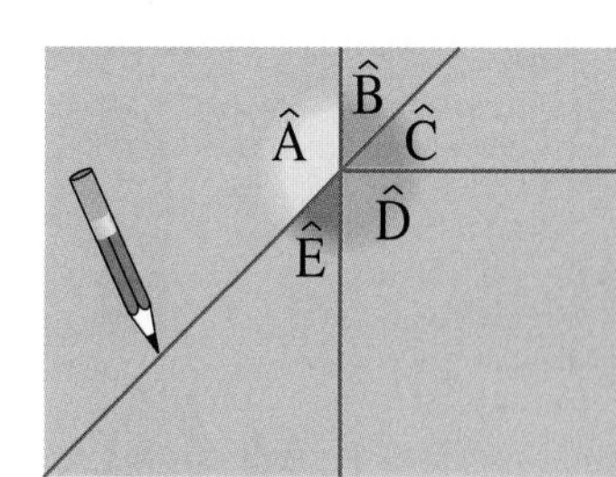

⑤

B Quel angle est droit ?
- L'angle $\widehat{A}$ est obtus. Compare-le à l'angle droit.
- L'angle $\widehat{B}$ est aigu. Compare-le à l'angle droit.
- Quels sont les autres angles aigus ?

C Compare les angles $\widehat{B}$ et $\widehat{E}$ en les superposant.
Range tous ces angles du plus petit au plus grand.

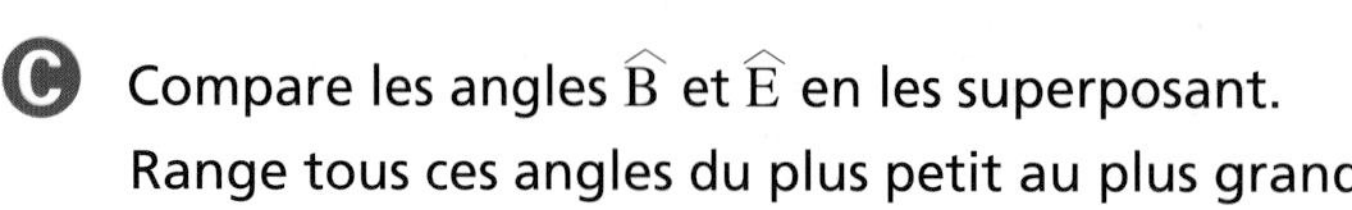

D Reproduis sur ton cahier un angle égal à l'angle $\widehat{A}$, et un autre égal à l'angle $\widehat{C}$.
Tu peux utiliser les angles que tu as découpés comme gabarits.

Mémo

L'angle aigu est plus petit que l'angle droit.

L'angle obtus est plus grand que l'angle droit.

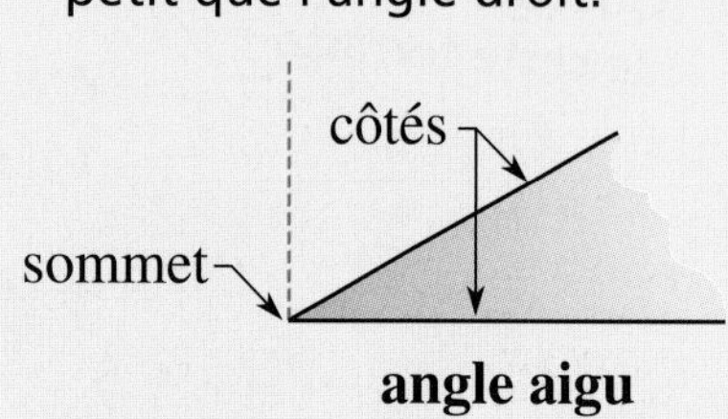

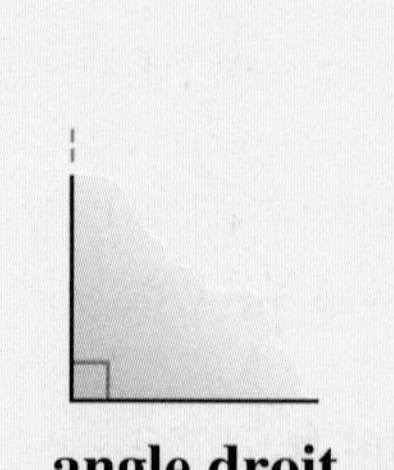

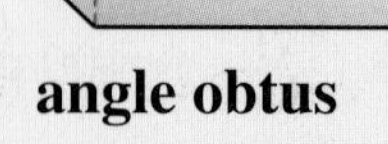

Banque d'Exercices n°s 10 et 11 p. 117.

S'exercer, résoudre

1 Range ces angles du plus grand au plus petit.

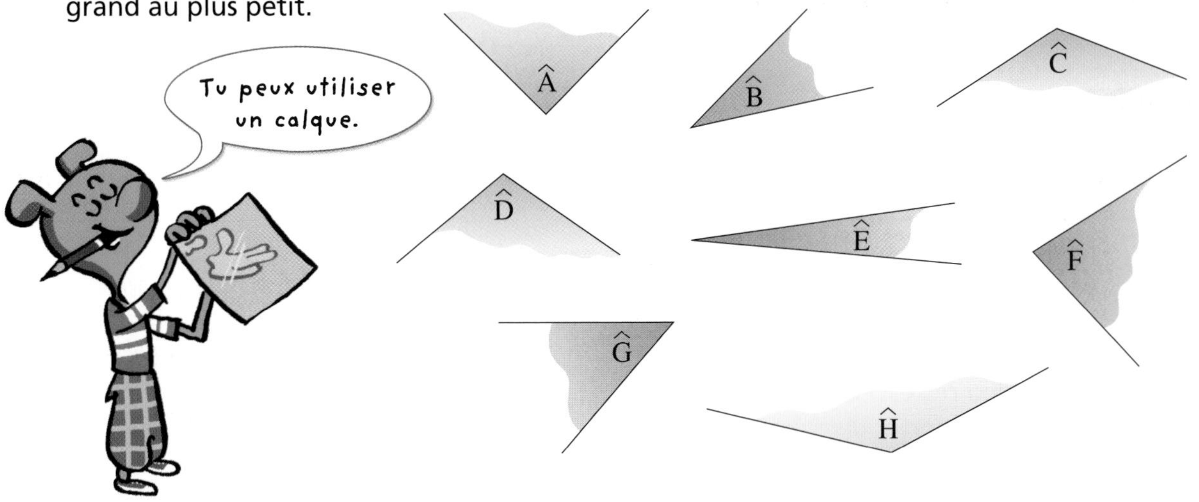

2 a. Dans ce quadrilatère, quels sont :
– les angles aigus ?
– l'angle obtus ?
– l'angle droit ?

b. Range ces angles par ordre décroissant.

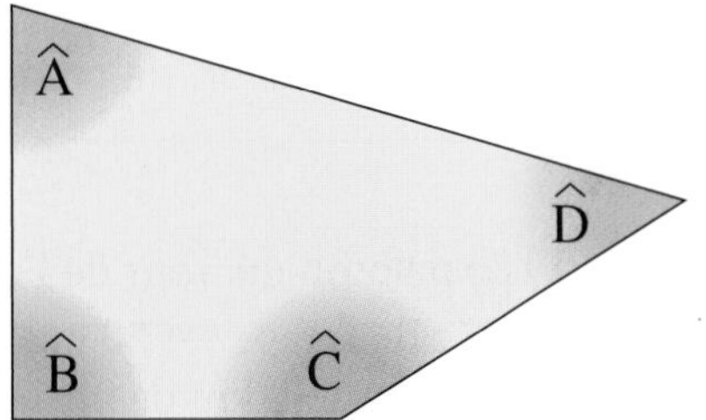

3 Observe ce triangle et compare ses côtés.

a. Écris son nom.

b. Compare ses angles.

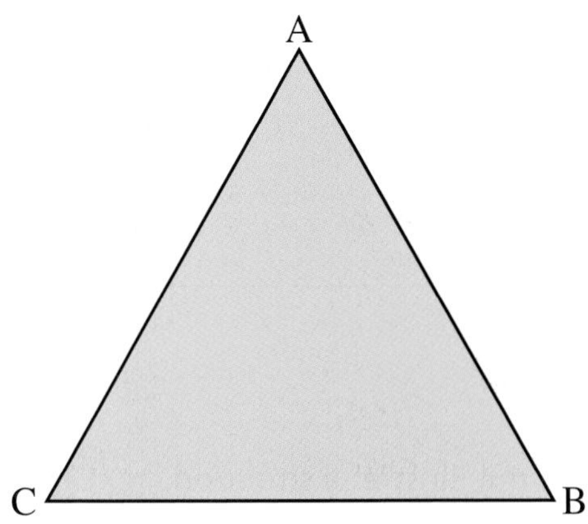

4 Trace un segment AB.
Trouve le milieu M du segment.
Trace une droite *d* perpendiculaire au segment AB et qui passe par le point M.
Place un point C sur la droite *d* et trace un triangle ABC.

a. Compare les angles Â et B̂.

b. Quel est le nom de ce triangle ?

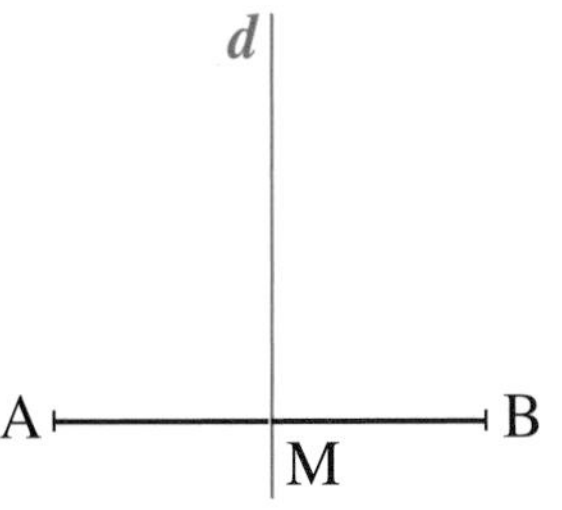

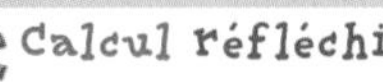

Calcul réfléchi

Différences égales

Observe :

46 – 28 = (46 + 2) – (28 + 2)
= 48 – 30
= 18

Calcule.

- 54 – 28
- 65 – 27
- 63 – 38
- 72 – 45
- 83 – 19

Le coin du chercheur

Reproduis ce schéma.
Place les nombres de 1 à 8 dans les bulles pour que la somme des bulles de chaque côté soit égale à 12.

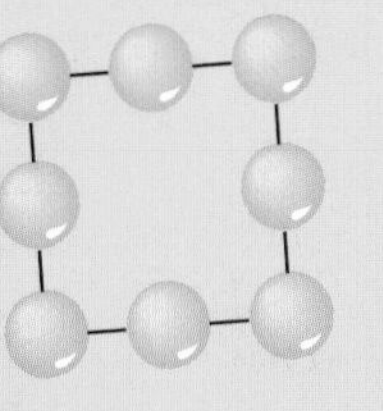

49 PROBLÈMES
Aide à la résolution

COMPÉTENCE : **Schématiser un énoncé de problème pour en faciliter la résolution.**

Calcul mental

Sommes de multiples de 100.
2 400 + 500

Lire, chercher

A Aide-toi du schéma pour résoudre ce problème, puis rédige la réponse.

Un train qui traverse le Canada est composé de 128 wagons. 50 wagons transportent du charbon, 32 sont des wagons citernes.
Combien reste-t-il de wagons pour transporter des céréales ?

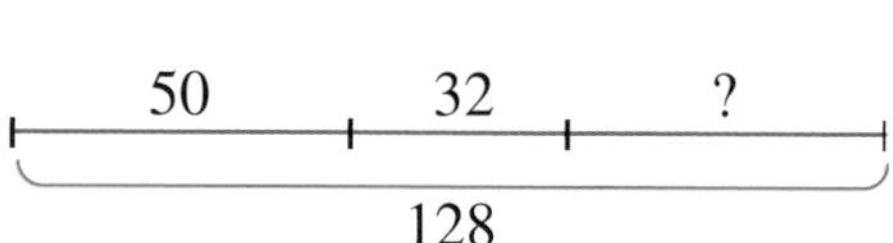

B Trouve pour chacun de ces deux problèmes le schéma qui lui correspond.

① Le peloton du Tour de France passe au kilomètre 128 ; l'arrivée de l'étape est 50 km plus loin.
Cette étape a 32 km de plus que la suivante.

Quelle est la longueur de l'étape suivante ?

② Dans une rame du TGV Paris-Strasbourg, 128 voyageurs prennent place à Paris.
À l'arrivée à Nancy, 50 personnes descendent et 32 montent.
Combien de voyageurs cette rame transporte-elle à Strasbourg ?

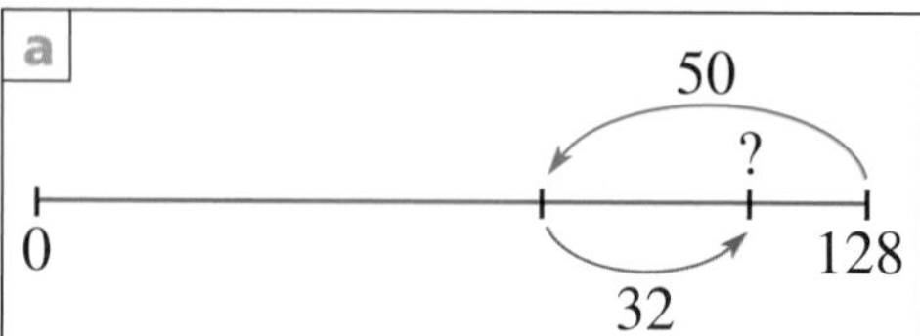

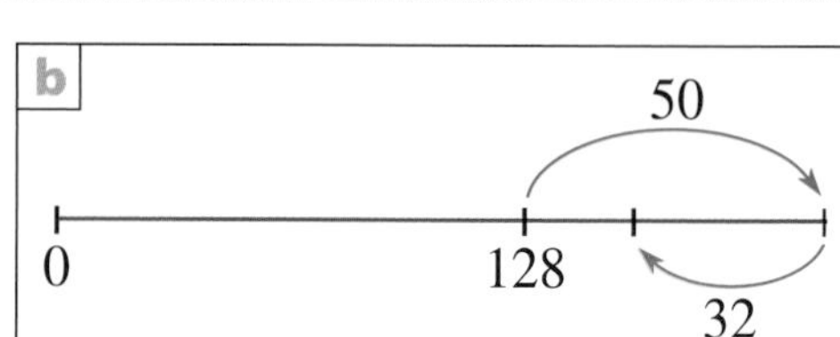

Résous ces problèmes, puis rédige les réponses.

C Lis ce problème. Recopie et complète le schéma qui illustre la situation.

Chaque année, Mehdi participe à la *SaintéLyon* : c'est un raid nocturne de 68 km qui relie Saint-Étienne à Lyon.
Au dernier point de contrôle, à Soucieu, il a déjà parcouru 46 km.

Combien de kilomètres lui reste-t-il à parcourir ?

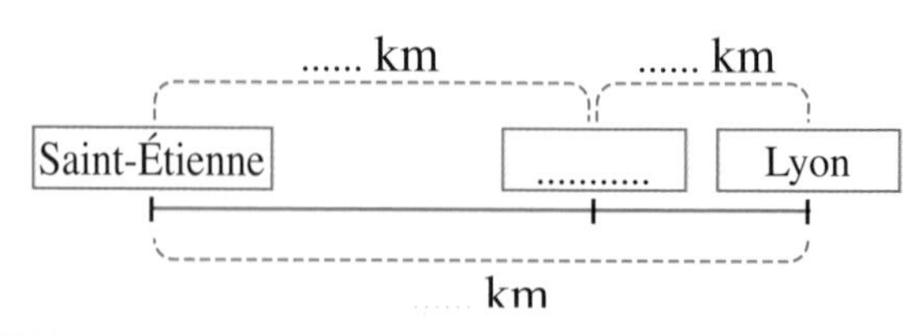

Rédige la réponse et écris le calcul en ligne.

S'exercer, résoudre

1 Aide-toi du schéma pour résoudre ce problème, puis rédige la réponse.

Marine a acheté une BD à 12 €, un DVD à 33 € et un CD.
Elle a payé 59 €.
Quel est le prix du CD ?

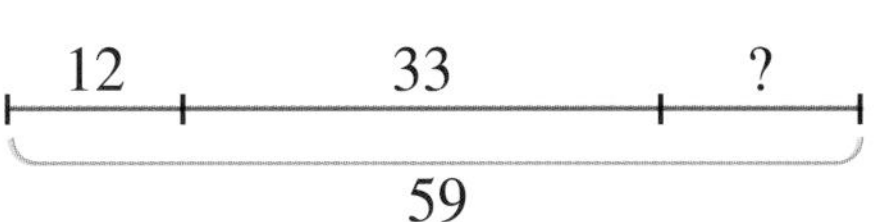

2 Lis ce problème.

Thomas va à l'école avec 43 billes. Le matin, il en perd 26 et l'après-midi, il en gagne 14.
Combien de billes a-t-il le soir ?

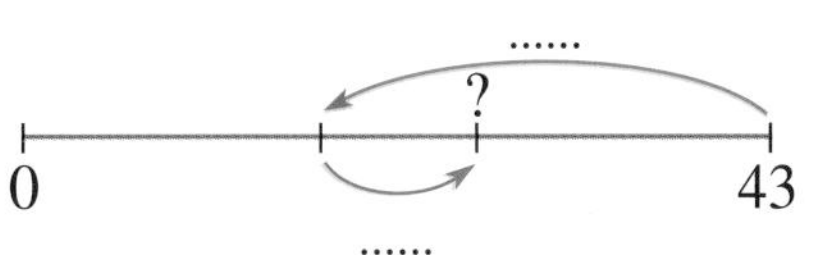

Pour t'aider, reproduis puis complète le schéma.

3 François Ier est né en 1494, il est mort en 1547.
Il a régné sur la France de 1515 jusqu'à sa mort.

a. À quel âge fut-il roi de France ?
b. Combien d'années dura son règne ?
c. À quel âge est-il mort ?

4 Le premier métro a été inauguré à Londres (Royaume-Uni) en 1863 et trente-sept ans plus tard à Paris.

En quelle année le métro a-t-il roulé pour la première fois à Paris ?

5 Fin 2006, le réseau autoroutier de la France avait une longueur de 10 843 km.
Au cours de cette année-là, 39 km d'autoroutes ont été mis en service.

Quelle était la longueur du réseau autoroutier français fin 2005 ?

Réinvestissement

Quel est le prix d'un kilogramme d'abricots secs ? d'un kilogramme de papayes sèches ?

3 € 50
les 250 g

Le coin du chercheur

Quel était le nombre de dalles du sol de cette villa romaine ?

50 La division posée

COMPÉTENCE : Calculer le quotient et le reste de la division euclidienne d'un nombre entier par un nombre d'un chiffre.

Calcul mental

Tables de 6, 7, 8.

7×8

Chercher

A

a. Observe.

Je vais diviser 974 par 6.
6 × 100 < 974 < 6 × 1 000, car 600 < 974 < 6 000.
Nous aurons donc chacun plus de 100 timbres et moins de 1 000.

Quel est le nombre de chiffres du quotient ?

b. Continue les calculs de Lise sur ton cahier.

Je pose l'opération.

Je commence par les centaines : 1 × 6 = 6
9 – 6 = 3

J'abaisse le 7.

Je continue avec les dizaines : 6 × 6 = 36
37 – 36 = 1

J'abaisse le 4.

Je continue avec les unités : .... × 6 = ...
14 – .... = ...

```
  9 7 4 | 6
– 6     | 1 6 ....
  3 7
– 3 6
    1 4
  – ........
      ....
```

974 = (6 × ....) + ...
Le quotient .... a bien .... chiffres.
Nous aurons chacun .... timbres. Il restera .... timbres que l'on ne peut pas partager.

B À ton tour, recopie et calcule.

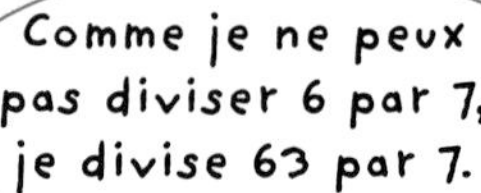

a. 582 | 3

582 = (3 × ....) + ...
quotient : ....
reste : ....

b. 809 | 4

809 = (4 × ....) + ...
quotient : ....
reste : ....

c. 630 | 7

630 = (7 × ....) + ...
quotient : ....
reste : ....

Mémo

```
dividende ———→ 9 7 3 | 6 ←——— diviseur
              – 6    | 1 6 2
                3 7       ↖——— quotient
              – 3 6
                  1 3
                – 1 2
reste ——————————→   1
```

Le reste est toujours inférieur au diviseur.

S'exercer, résoudre

Banque d'Exercices n°s 12 à 14 p. 117.

1 Quel est le nombre de chiffres du quotient de chacune de ces divisions ?

- 647 divisé par 4
- 450 divisé par 6
- 901 divisé par 5

2 Pose et effectue les divisions, puis complète les égalités.

a. 659 divisé par 4
659 = (4 × ....) + ...

b. 261 divisé par 9
261 = (9 × ....) + ...

c. 736 divisé par 7
736 = (7 × ....) + ...

3 Swan possède 120 €.
Combien de livres à 9 € peut-elle acheter ?
Quelle somme lui reste-t-il ?

4 L'entraîneur de football range les 100 ballons du club par filets de 8.
Combien de filets va-t-il utiliser pour ranger tous ces ballons ?

5 a. Jean-Paul a récolté 438 tomates bio qu'il place dans des barquettes de 8 tomates.
De combien de barquettes a-t-il besoin ?
b. Une des barquettes n'est pas pleine.
Combien de tomates contient-elle ?

6 Judith a parcouru 7 tours de piste du vélodrome.
Le compteur de son vélo indique 2 380 m.
Quelle est la longueur d'un tour de piste ?

7 Un tournoi de sixte regroupe 12 équipes et 5 remplaçants.
Combien d'enfants participent au tournoi ?

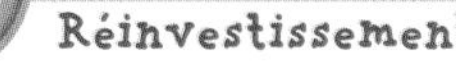

Réinvestissement

Quels sont les angles égaux ?

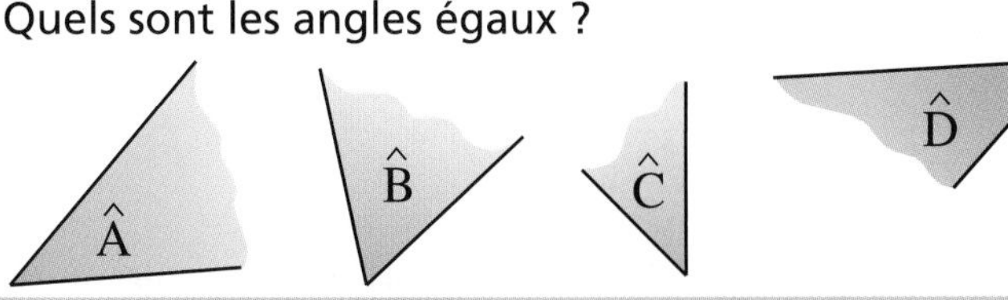

Le coin du chercheur

La droite d_1 est perpendiculaire à d_2, d_2 est perpendiculaire à d_3, d_3 est perpendiculaire à d_4, etc.
Que peux-tu dire des droites d_{10} et d_{12} ?

51 Propriétés des quadrilatères

COMPÉTENCES : Reconnaître les quadrilatères à partir de leurs propriétés et les tracer.

Calcul mental

Différence de nombres proches.

135 – 128

Lire, débattre

Chercher

A Observe les quadrilatères ci-dessous, puis recopie et complète le tableau.

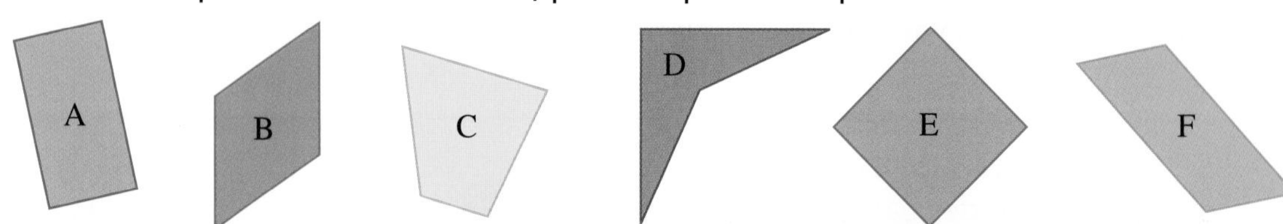

Propriétés	A	B	C	D	E	F
Nombre de côtés égaux	2 paires	4				
Nombre de côtés parallèles	2 paires	2 paires				
Nombre d'angles droits						
Nombre d'axes de symétrie						
Nom du quadrilatère			Trapèze	Fer de lance		

Quels instruments utilises-tu pour vérifier les propriétés ?

B Trace un carré de 5 cm de côté.

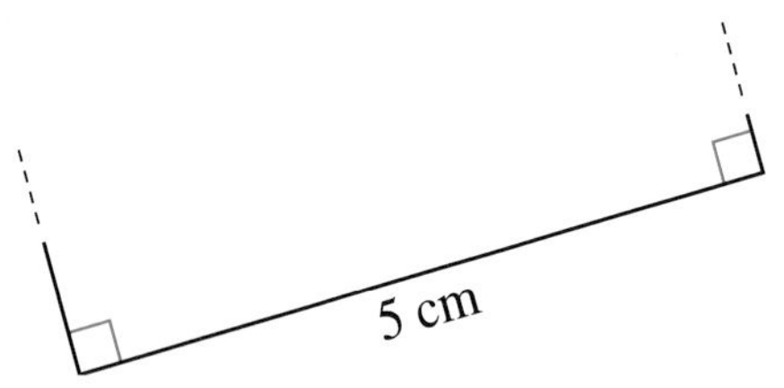

C Trace deux droites rouges perpendiculaires. Ce sont les axes de symétrie d'un losange ABCD. Construis ce losange.

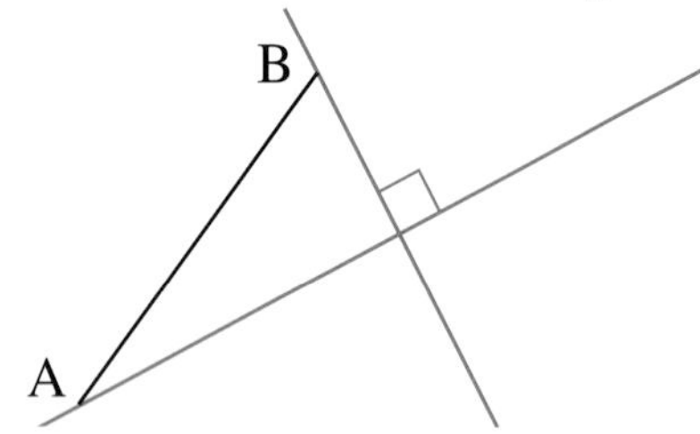

Mémo

Les quadrilatères sont des polygones à 4 côtés. Voici quelques quadrilatères particuliers :

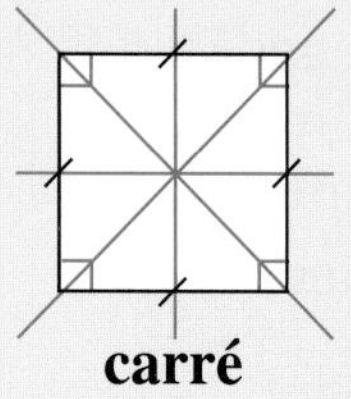
carré

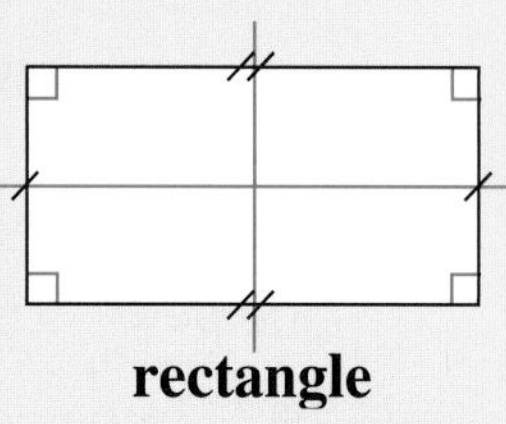
rectangle

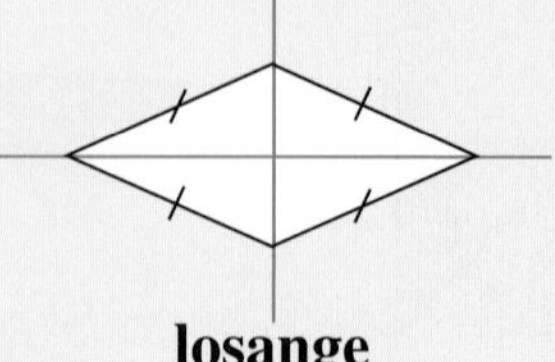
losange

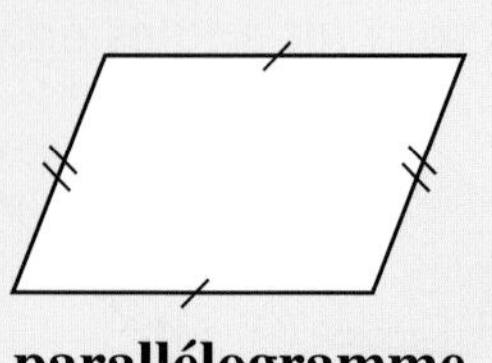
parallélogramme

S'exercer, résoudre

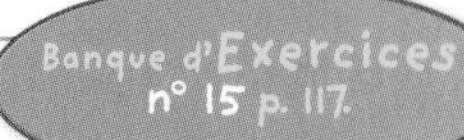

1 a. Écris les noms des trois quadrilatères correspondant aux descriptions suivantes.
① J'ai quatre axes de symétrie.
② J'ai seulement deux axes de symétrie et au moins un angle droit.
③ J'ai deux axes de symétrie mais aucun angle droit.

b. Dessine-les à main levée.

2 Ces quadrilatères ont une propriété commune.
a. Laquelle ?
b. Quel outil as-tu utilisé pour le vérifier ?

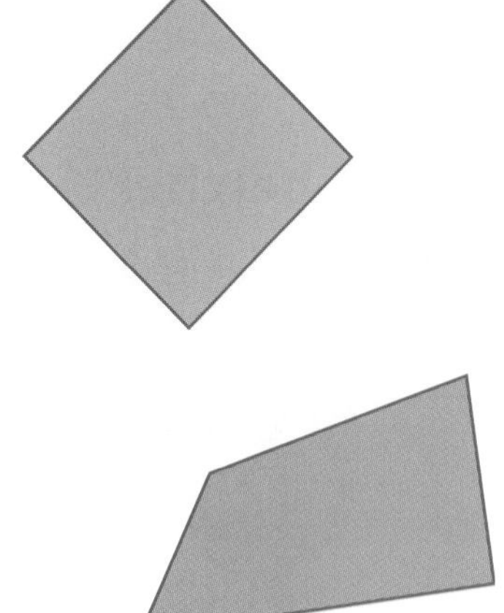

3 Vrai ou faux ?
a. Les angles opposés d'un losange sont égaux.
b. Tous les quadrilatères qui ont au moins deux angles droits sont des rectangles ou des carrés.
c. Tous les losanges n'ont pas leurs côtés de la même longueur.

4 J'ai deux côtés opposés égaux et mes deux autres sont parallèles.
Je ne suis pas un parallélogramme.
Dessine-moi à main levée.

5 Sur une feuille de papier uni, trace un rectangle de 5 cm de longueur et 3 cm de largeur.
Quels instruments de géométrie as-tu utilisés ?

Calcul réfléchi

Multiplier par 12

Observe :

$$12 = 10 + 2$$
$$23 \times 12 = (23 \times 10) + (23 \times 2)$$
$$= 230 + 46$$
$$= 276$$

Calcule.
- 24 × 12 - 28 × 12 - 32 × 12 - 45 × 12 - 64 × 12

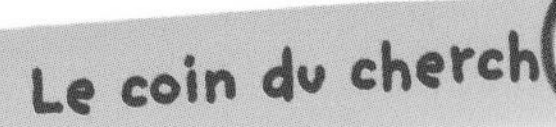

Trace un cercle de centre A.

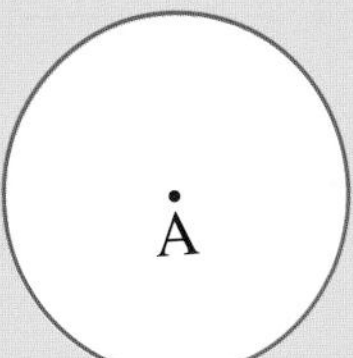

Place deux points B et C sur ce cercle pour que le triangle ABC soit équilatéral.

52 Les aires : comparaison

COMPÉTENCES : Classer et ranger des figures selon leur aire par superposition, découpage et recollement.
Construire une surface qui a même aire qu'une surface donnée.

Calcul mental

Tables de 7, 8, 9.
8×8

Lire, débattre

À ton avis, dans quel cas le personnage s'enfonce-t-il le moins dans la neige ?

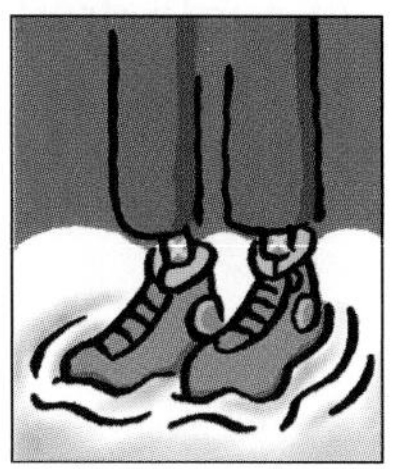

Chercher

A Reproduis les figures ① et ②.
Laquelle a l'aire la plus grande ?

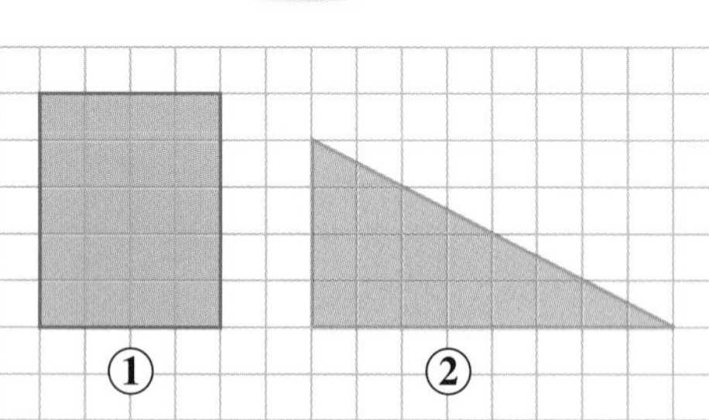

B Les diamètres des cercles et les côtés des carrés de ces figures sont tous égaux.

a. Quelles figures ont la même aire ?

b. Range ces figures par aire décroissante.

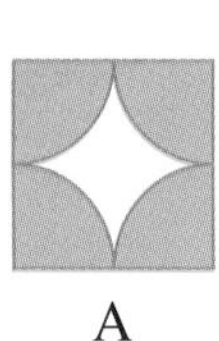

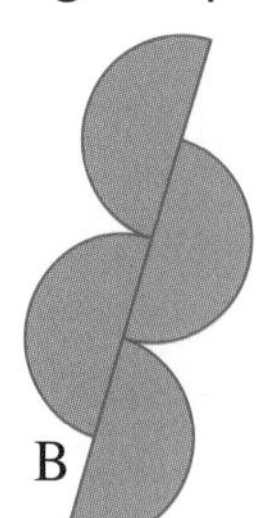

C

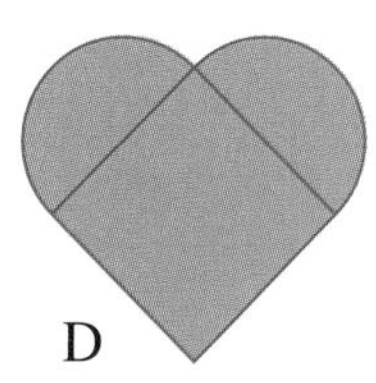

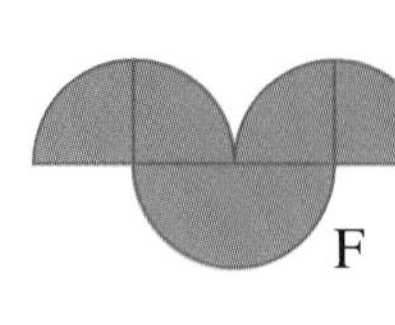

C Reproduis la figure ci-contre.
Découpe-la, puis assemble les morceaux pour obtenir un rectangle de même aire.

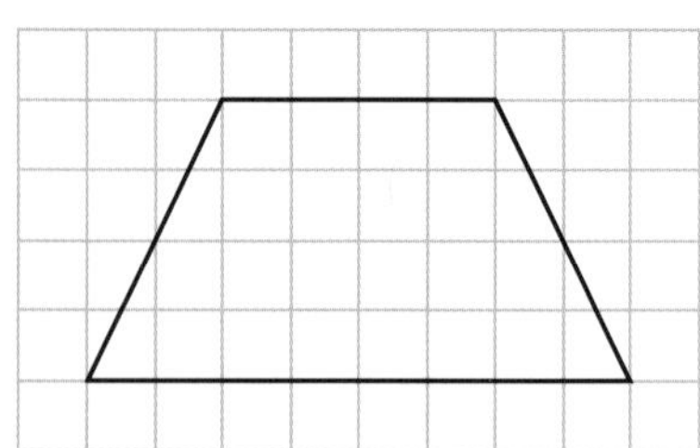

Mémo

Toutes ces figures ont la même aire.

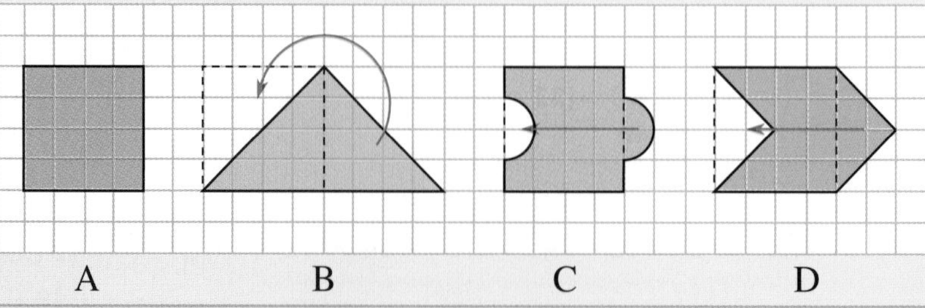

Banque d'Exercices nos 16 et 17 p. 117.

S'exercer, résoudre

1 Reproduis cette figure, puis compare les aires des parties jaune et rouge.

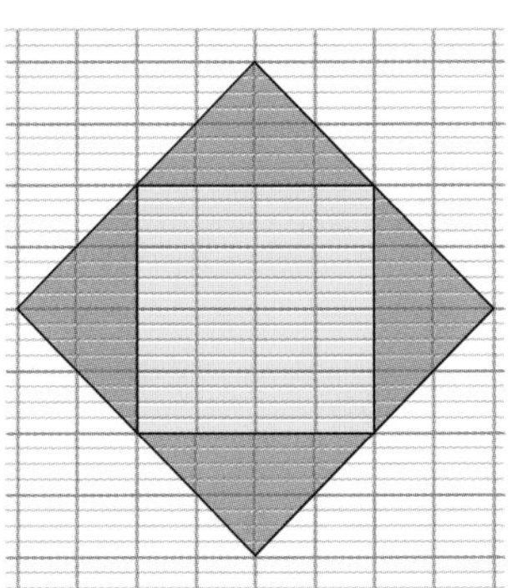

2 Compare les aires des figures ① et ② et note tes remarques.

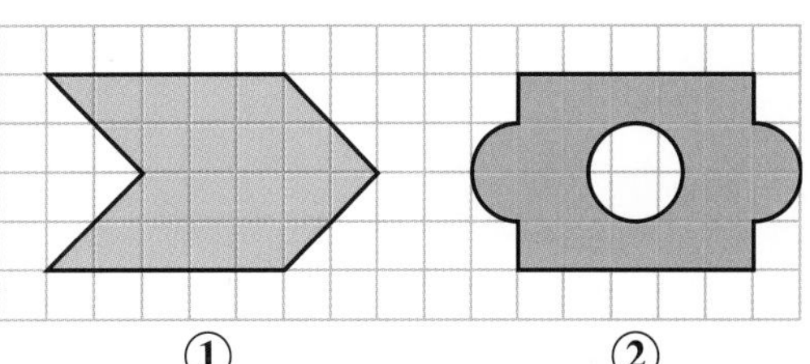

3 Le point E est le milieu du segment BC.
Le point F est le milieu du segment AD.

a. Compare l'aire de la partie jaune de la figure et l'aire de la partie bleue.

b. Recopie et complète :

L'aire de la partie jaune est .... à l'aire de la partie bleue.

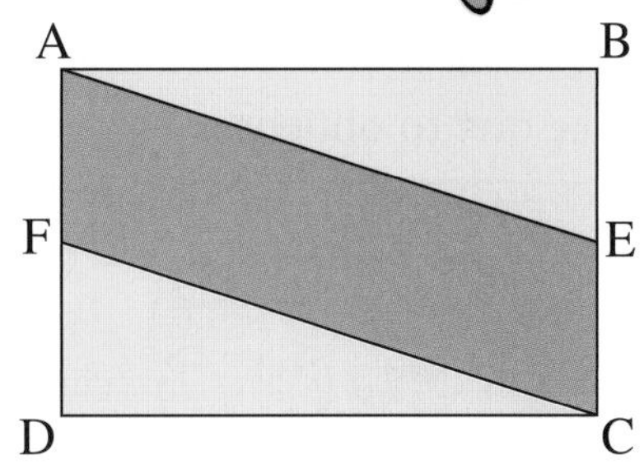

4 Range ces figures par aire croissante.

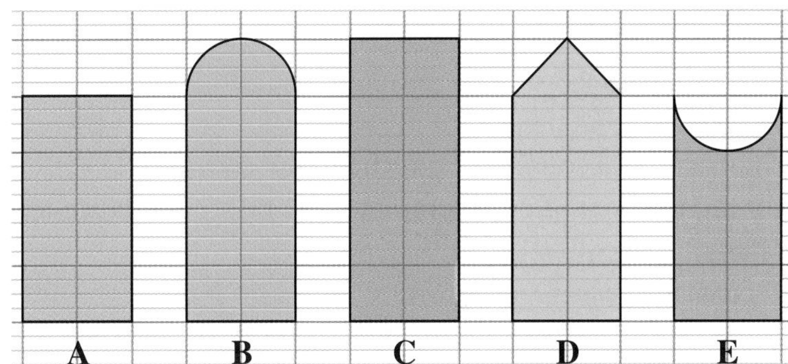

5 a. Reproduis la figure A ci-contre.

b. Dessine une figure B de même aire mais de forme différente.

c. Dessine un rectangle C de même aire.

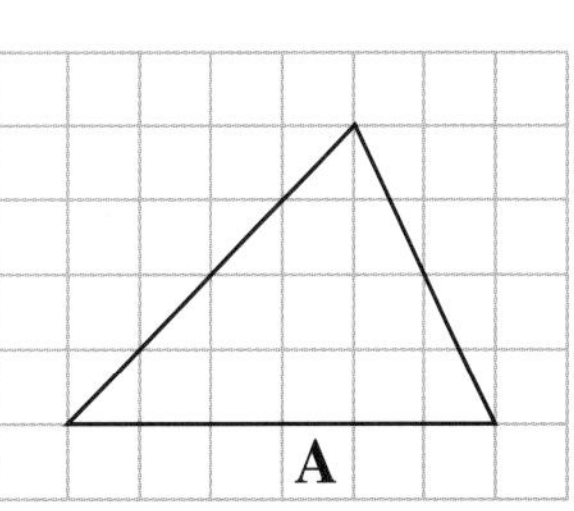

Réinvestissement

Pose et effectue les divisions ci-dessous.
Écris d'abord un encadrement pour chercher le nombre de chiffres du quotient.

- 914 divisé par 4
- 208 divisé par 8
- 1 432 divisé par 7

Le coin du chercheur

Trois tunnels sont percés dans ce grand cube construit avec 64 petits cubes.
Combien de petits cubes a-t-on enlevés ?

Atelier informatique (3)

Tracer des quadrilatères

Calcul mental

Tables de 7, 8, 9.
8×9

COMPÉTENCE : Utiliser les outils de dessin d'un traitement de texte pour tracer des quadrilatères.

1. Ouvre le traitement de texte OpenOffice Writer*.
Vérifie si la barre de boutons ci-dessous **est présente** en bas de la fenêtre.

Si elle n'y est pas, clique sur le bouton  « Dessin » dans la barre du haut.

2. Clique sur la petite flèche noire à droite du bouton « Formes de base ».
Voici ce que tu obtiens :

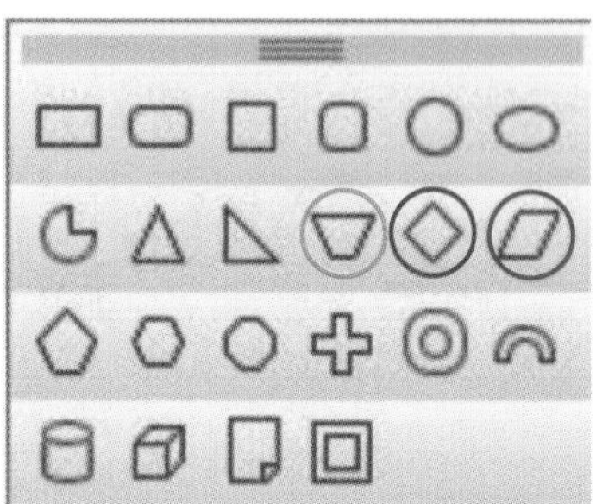

a. Tracer un parallélogramme
– Clique sur le parallélogramme
– Pour le tracer, déplace la souris, clic gauche maintenu.
– Un marqueur jaune apparaît à un sommet de la figure, déplace-le au maximum vers la gauche.
• *Quelle figure obtiens-tu alors ?*

b. Tracer un trapèze
– Clique sur le trapèze.
– Pour le tracer, déplace la souris, clic gauche maintenu.
– Un marqueur jaune apparaît à un sommet de la figure : déplace-le au maximum vers la gauche ; puis vers la droite.
• *Quelles figures obtiens-tu alors ?*

c. Tracer un losange
– Clique sur le losange.
– Pour le tracer, déplace la souris, clic gauche maintenu.

d. Tracer un carré
– Recommence le travail précédent, mais pendant que tu traces le losange, maintiens la touche « Majuscule » ⇧ enfoncée.
• *Trouve d'autres façons de tracer un carré.*

3. Clique ensuite sur l'une des figures que tu as tracées. En utilisant les boutons ci-dessous, modifie l'aspect et la couleur des côtés et des surfaces.

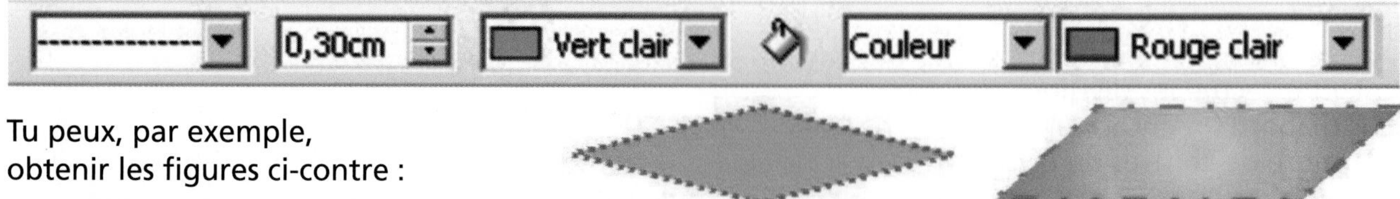

Tu peux, par exemple, obtenir les figures ci-contre :

Cette activité est conçue à l'aide du logiciel OpenOffice. Elle peut être facilement adaptée et réalisée avec tout **logiciel de traitement de texte équipé des outils de dessin.**

54 Demi, tiers, quart

COMPÉTENCES : Connaître et utiliser les expressions : demi, tiers, quart...
Connaître et utiliser les relations entre les nombres d'usage courant.

Calcul mental

Multiplier par 20.
12×20

Lire, débattre

Salomé, Lisa et Flavien possèdent des scooters identiques. Ils arrivent à la plage.

À qui reste-t-il le plus d'essence ?

Chercher

Le réservoir de chaque scooter peut contenir 12 L.
Quelle quantité d'essence reste-t-il dans les différents réservoirs ?
Observe, recopie et complète les calculs.

Salomé	Lisa	Flavien
Le **tiers** de 12 est .... ; mon réservoir contient .... L.	Le **quart** de 12, c'est .... ; mon réservoir contient .... L.	Un **demi** de 12 est .... ; mon réservoir contient .... L.
12 : 3 = ...	12 : 4 = ...	12 : 2 = ...

Prendre le **tiers**, c'est diviser par trois.

Prendre le **quart**, c'est diviser par quatre.

Un **demi**, c'est comme la moitié.

S'exercer, résoudre

Banque d'Exercices n°s 18 et 19 p. 117.

1 Écris :
a. la moitié de 60 b. le tiers de 45 c. le quart de 100

2 Recopie et complète avec les expressions : *la moitié*, *le tiers*, *le quart*.
a. 15 est .... de 30 b. 5 est .... de 20 c. 20 est .... de 60

3 Recopie et complète les phrases.

a. 50 est :
– la moitié de ....
– le tiers de ....
– le quart de ....

b. 25 est :
– la moitié de ....
– le tiers de ....
– le quart de ....

émo

12 est le **demi** ou la moitié de 24.	24 : **2** = 12	ou	24 = **2** × 12
8 est le **tiers** de 24.	24 : **3** = 8	ou	24 = **3** × 8
6 est le **quart** de 24.	24 : **4** = 6	ou	24 = **4** × 6

55 Droites parallèles *(2)*

COMPÉTENCE : **Donner du sens à la notion de « distance d'un point à une droite » ou « de distance entre deux droites parallèles ».**

Calcul mental

Multiplier par 50.

12 × 50

Lire, débattre

De quelle route Julie la fourmi est-elle le plus près : la route rouge ou la route bleue ?

Chercher

A Reproduis cette figure.

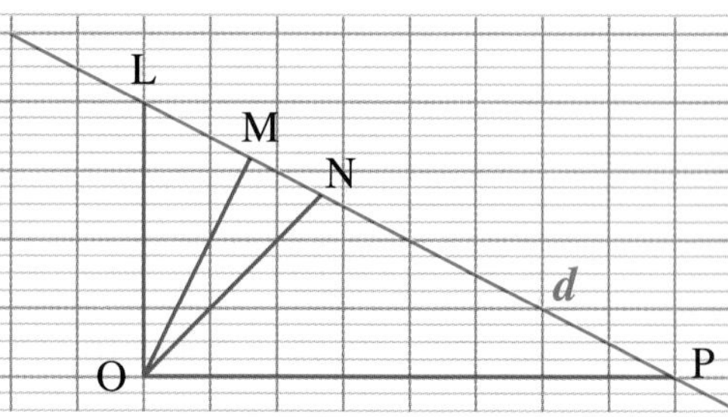

a. Compare les longueurs des segments bleus qui joignent le point O à la droite d.

Quel est le plus court ?

b. Est-il possible de tracer un segment encore plus court ?

c. Quel segment est perpendiculaire à la droite d ?
Mesure la distance du point O à la droite d.

La **distance** du point O à la droite d est le plus court chemin entre le point O et la droite d.

B Reproduis cette figure.

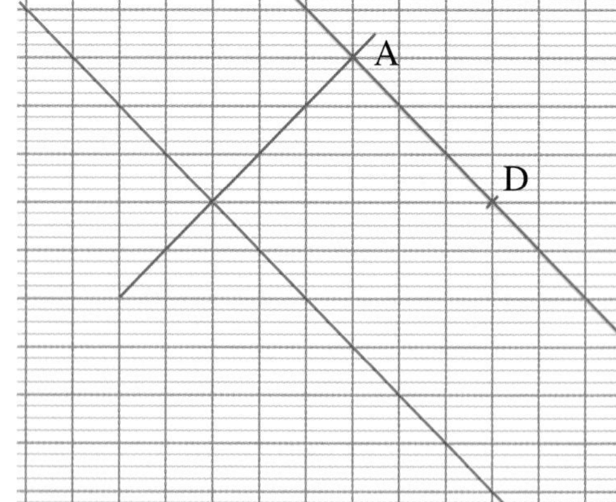

a. Les droites verte et rouge sont-elles parallèles ? Comment peux-tu le vérifier ?

b. Mesure les distances des points A et D à la droite rouge.

c. Que peux-tu dire de l'écart entre deux droites parallèles ?

Mémo

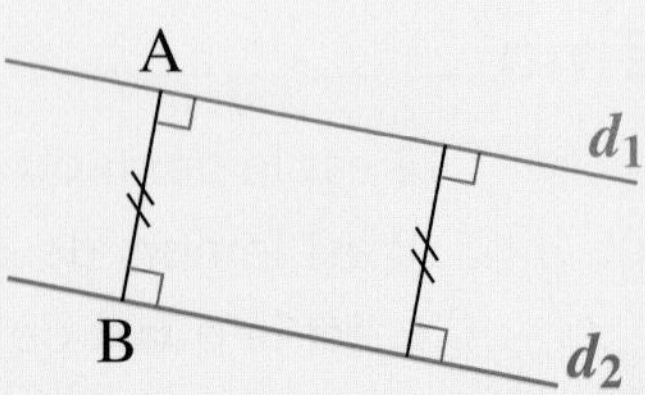

La distance du point A à la droite d_2 est la longueur du segment AB, perpendiculaire à la droite d_2.

L'écart entre les deux droites parallèles d_1 et d_2 est toujours le même.

S'exercer, résoudre

Banque d'Exercices n° 20 p. 117.

1 Reproduis cette figure.

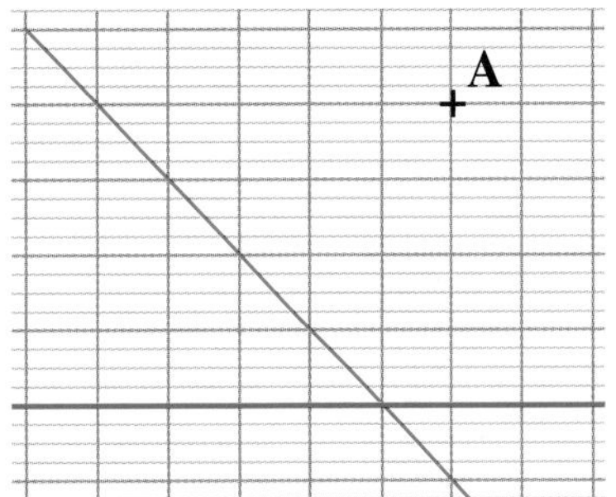

a. Mesure, en mm, la distance du point A à la droite verte.

b. De quel instrument as-tu besoin pour tracer le chemin le plus court du point A à la droite rouge ?
– Trace ce chemin.
– Mesure, en mm, la distance du point A à cette droite.

c. Le point A est-il plus près de la droite rouge que de la droite verte ?

2 Reproduis cette figure.

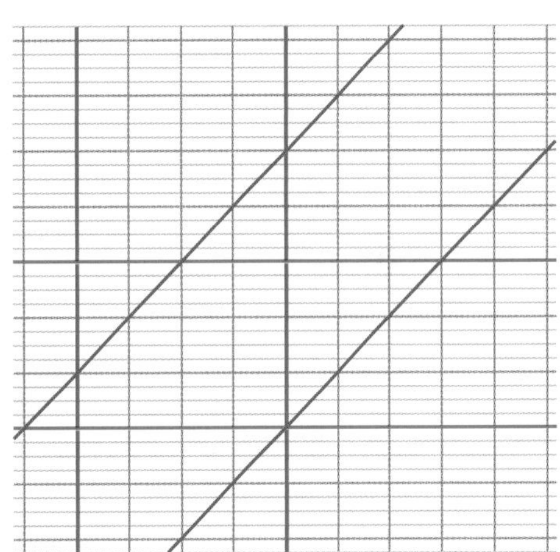

a. Mesure, en mm, l'écart entre les deux droites parallèles vertes.

b. Mesure, en mm, l'écart entre les deux droites parallèles rouges.

c. Pour connaître l'écart entre les deux droites parallèles bleues, que faut-il d'abord tracer ? Réalise la construction, puis mesure cet écart.

3 Sur du papier calque, trace deux bandes de largeur 4 cm. Découpe-les et croise-les selon le modèle.

a. Quel quadrilatère obtiens-tu ?

b. Peux-tu obtenir un autre quadrilatère en croisant les bandes d'une autre manière ?

Calcul réfléchi

Multiplier par 4

Observe :

4 est le double de 2.
26 × 4 est le double de 26 × 2 = 52
26 × 4 = 52 × 2 = 104

Calcule.
- 27 × 4
- 31 × 4
- 42 × 4
- 56 × 4

Le coin du chercheur

Le nez de Pinocchio mesure 1 dm. À chaque mensonge, il s'allonge de 5 cm et il raccourcit de 32 mm à chaque vérité. Pinocchio dit trois mensonges et quatre vérités.

Quelle est alors la longueur de son nez ?

56 Mesure des aires

COMPÉTENCES : Mesurer l'aire d'une surface par un pavage à l'aide d'une surface référence : l'unité d'aire.
Construire une surface qui a même aire qu'une surface donnée.

Calcul mental

Multiplier par 11.

14×11

Lire, débattre

Chercher

A L'unité d'aire est l'aire du triangle rose du Tangram.
- Quelle est l'aire de chaque pièce du Tangram ?
- Quelle est l'aire du Tangram entier ?

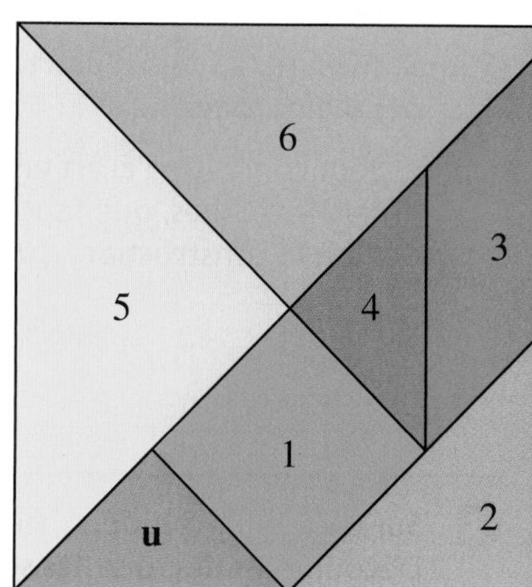

B Le triangle vert est l'unité d'aire **u**.
- Quelle est l'aire des figures A et B ?
- Recopie et complète :

Aire .... < Aire ....

C Le losange bleu est l'unité d'aire **v**.
- Quelle est l'aire des figures A et B ?
- Obtiens-tu les mêmes valeurs qu'avec l'unité **u** ?
- Recopie et complète :

Aire .... < Aire ....

- Compare les résultats. Qu'en déduis-tu ?

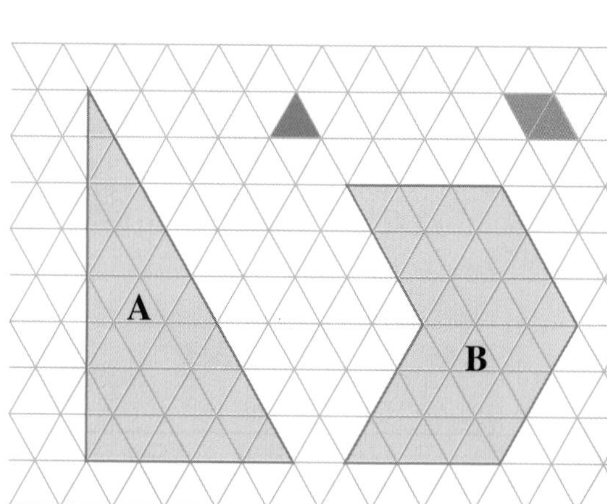

Tu peux décalquer les figures, les découper, les superposer...

Mémo

Aire **A = 4 u = 8 w**

La mesure d'une aire dépend de l'unité choisie.

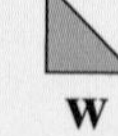

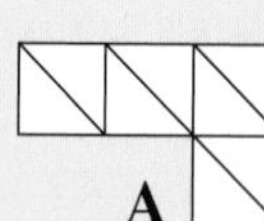

S’exercer, résoudre

Banque d'Exercices n° 21 p. 117.

1 Quelle est l’aire de chacune des figures formées avec les pièces du Tangram de la page précédente ?

L’unité d’aire est l’aire du **triangle rose** du Tangram.

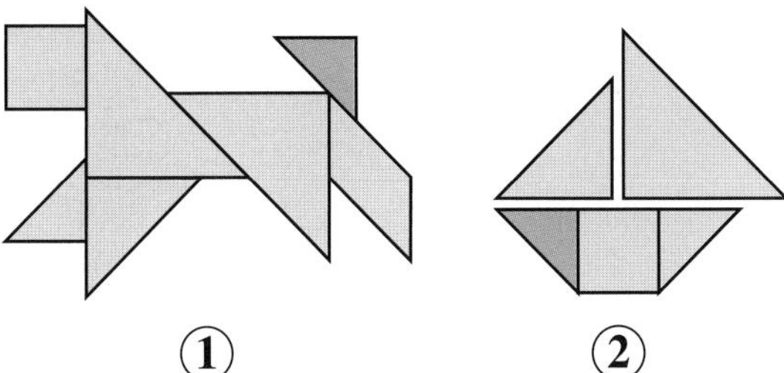

① ②

2 Mesure les aires de ces figures.

Quelle figure a l’aire la plus grande ?

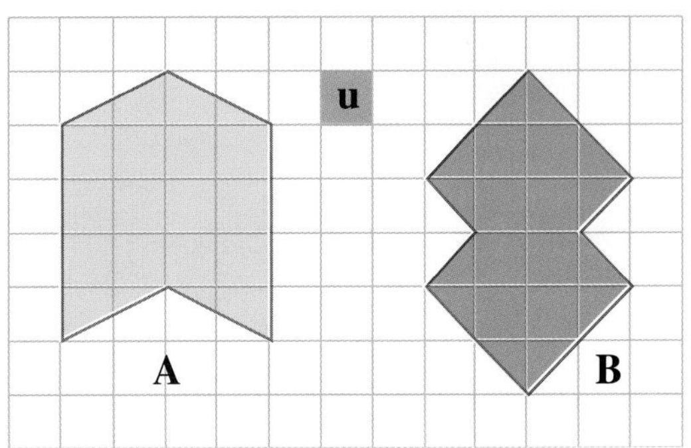

3 a. Mesure les aires des figures **A, B** et **C** avec l’unité **u**.
Range ces figures de la plus petite à la plus grande.

b. Mesure les aires des mêmes figures avec l’unité **v**.
– Obtiens-tu les mêmes valeurs qu’avec l’unité **u** ?
– Range ces figures de la plus petite à la plus grande.
– Obtiens-tu le même rangement qu’avec l’unité **u** ?

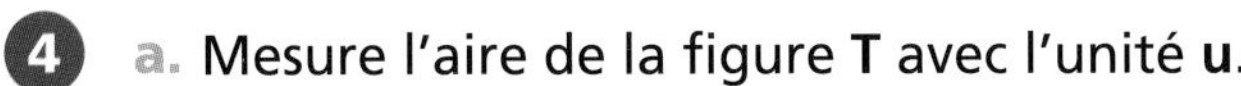

4 a. Mesure l’aire de la figure **T** avec l’unité **u**.

b. Sur une feuille de papier quadrillé, trace une figure **P** de forme différente de même aire que la figure **T**.
Compare ta construction à celles de tes camarades.

c. Trace un rectangle **R** d’aire double de celle de la figure **T**.

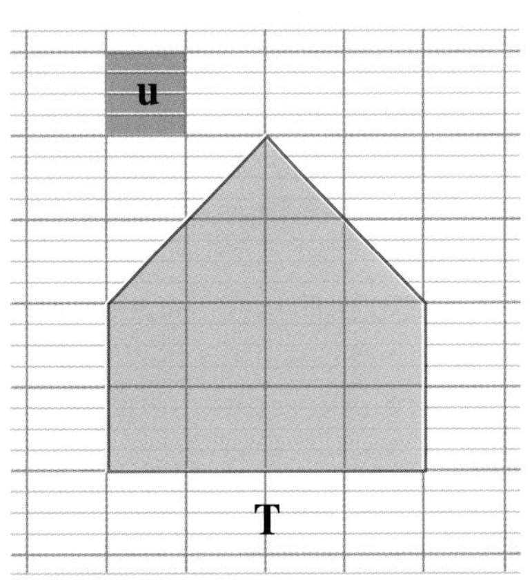

Calcul réfléchi

Diviser par 10

Observe :

248 divisé par 10
248 = 240 + 8 = (24 × 10) + 8 = 24 dizaines + 8
248 divisé par 10 = 24, reste 8 < 10.

Divise par 10 les nombres : ◆ 450 ◆ 256 ◆ 1 263

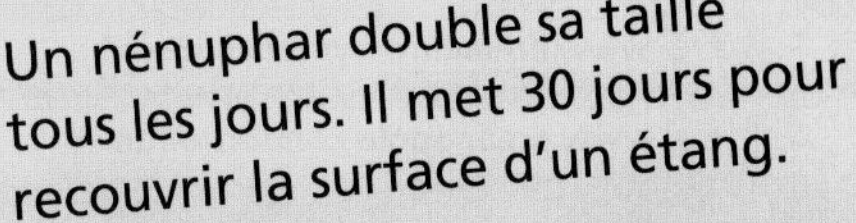

Le coin du chercheur

Un nénuphar double sa taille tous les jours. Il met 30 jours pour recouvrir la surface d’un étang.

Combien de jours lui a-t-il fallu pour en recouvrir la moitié ?

57 Le monde des océans

Mobilise tes connaissances !

Objectif

Mobiliser ses connaissances et ses savoir-faire pour interpréter des documents et résoudre des problèmes complexes.

L'océan cet inconnu

À l'époque où l'on découvre des traces d'eau sur la planète Mars, la moitié des océans est encore inexplorée. Depuis quelques **décennies***, il est possible d'observer les fonds marins jusqu'à 6 500 m de profondeur et de connaître l'activité volcanique qui s'y produit.
Ces explorations ont permis de découvrir une multitude d'espèces qui ont su s'adapter à cet environnement **inhospitalier***.

1. Quel est le nombre d'océans sur notre planète ?

Les océans en chiffres

La plus haute montagne sur Terre est le Mauna Kea, un volcan hawaiien, dont le sommet s'élève à 10 200 m depuis le fond de l'océan, mais **culmine*** seulement à 4 205 m au-dessus du niveau de la mer.
La fosse océanique la plus profonde est celle des Mariannes, dans le nord-ouest du Pacifique.
Elle atteint une profondeur de 11 000 m.

Pour 100 litres d'eau disponibles sur la planète Terre, l'eau douce représente seulement 3 litres. L'eau de mer contient environ 35 g de sel par litre.

2. Quelle est la hauteur immergée du volcan Mauna Kea ?

3. L'altitude du mont Blanc est 4 808 m. La profondeur de la fosse des Mariannes correspond-elle à 2 fois, 2 fois et demie ou 3 fois cette altitude ?

www.ifremer.fr/francais/index.php

www.oceanopolis.com/intro.htm

4. Quelle quantité d'eau de mer contiennent 1 000 L d'eau disponibles sur la Terre ?

5. Combien de kilogrammes de sel contiennent 100 L d'eau de mer ?

* **décennie :** période de 10 ans.
* **inhospitalier :** qui n'est pas accueillant.
* **culminer :** atteindre son point le plus élevé.
* **abîme :** gouffre très profond.

6. Quelle est, en mètres et centimètres, la hauteur des vagues quand la mer est forte ? grosse ? énorme ?

Description de la mer d'après la hauteur des vagues	
Mer calme	0 cm
Mer belle	10 à 50 cm
Peu agitée	50 à 125 cm
Agitée	125 à 250 cm
Forte	250 à 400 cm
Très forte	400 à 600 cm
Grosse	600 à 900 cm
Très grosse	900 à 1 400 cm
Énorme	plus de 1 400 cm

Le monde des abîmes*

Les poissons des grands fonds nagent dans l'obscurité en créant leur propre lumière. Mais il ne faut pas penser qu'ils restent toujours dans ces zones obscures. Ils remontent régulièrement vers la surface pour se nourrir.

Par exemple, le poisson lanterne remonte chaque soir de 1 700 m à 100 m de profondeur.

Ce voyage dure 3 heures.

Le poisson lanterne peut faire clignoter sa lumière. C'est sûrement une des explications aux lumières étranges aperçues par des marins.

7. Un poisson lanterne commence sa remontée à 22 h 15 min. À quelle heure arrivera-t-il à 100 mètres de la surface ?

8. En imaginant qu'il monte et qu'il descende verticalement, quelle distance parcourt-il en une semaine pour aller vers la lumière ? (Pense au retour !)

9. Quel temps passe-t-il à remonter vers la surface en 10 jours ?

La pollution

De nombreuses espèces marines se sont éteintes ou sont en voie d'extinction à cause de la pollution ou des activités humaines.

En France, la qualité des eaux de baignade est souvent contrôlée. Les plages polluées sont repérées par le « Pavillon Noir ».

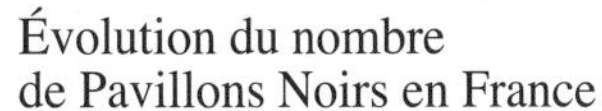

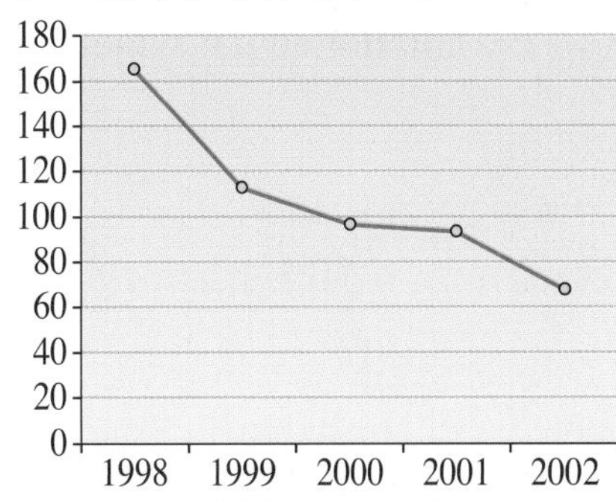

10. Combien de plages avaient le Pavillon Noir en 1998 ? en 2000 ? en 2002 ?

11. La qualité des plages françaises s'améliore-t-elle ou se dégrade-t-elle ?

Pour chaque exercice, recopie la bonne réponse **A**, **B** ou **C**

Problèmes

- Reconnaître et résoudre des problèmes.

		A	B	C	Aide
1	Médor pèse 6 kg 150 g et son compagnon Gros Minet 2 kg 50 g. Ensemble, ils pèsent…	6 kg 250 g	8 kg 650 g	8 kg 200 g	**Leçon 47** Mémo *(p. 94)* Exercice 5 *(p. 95)*
2	Chantal et Clovis possèdent ensemble 100 cartes postales. Chantal a 10 cartes de plus que Clovis. Combien de cartes Clovis a-t-il ?	40 cartes	90 cartes	110 cartes	**Leçon 49** Chercher *(p. 98)* Exercice 1 *(p. 99)*
3	Guillaume a acheté une BD à 8 €, un DVD à 17 € et un CD. En tout, il a payé 37 €. Quel est le prix du CD ?	12 €	13 €	11 €	

Géométrie

- Percevoir un solide, le décrire.
- Identifier des quadrilatères.
- Compléter une figure par symétrie.

		A	B	C	Aide
4	Ma base est un rectangle et j'ai six faces. Je suis…	un cube	un pavé	une pyramide	**Leçon 44** Mémo *(p. 90)* Exercices 1 et 4 *(p. 91)*
5	J'ai 6 faces carrées. Je suis…	un pavé	un cube	un hexagone	
6	J'ai une seule face. Je suis….	une pyramide	une boule	un cône	
7	Trouve la couleur du carré.	vert	orange	bleu	**Leçon 51** Mémo *(p. 102)* Exercices 1, 2 et 3 *(p. 103)*
8	Trouve la couleur du losange.	rouge	orange	vert	
9	Dans quel cas la figure a-t-elle été complétée par symétrie ? (A, B, C)	A	B	C	**Leçon 42** Mémo *(p. 86)* Exercice 1 *(p. 87)*

Calcul

- Effectuer des divisions.
- Calculer le demi, le tiers, le quart.

		A	B	C	Aide
10	Calcule le quotient et le reste de 75 divisé par 8.	q = 9 r = 3	q = 8 r = 11	q = 10 r = 0	**Leçon 43** Mémo *(p. 88)* Exercice 1 *(p. 89)*
11	Quel est le résultat de la division de 105 par 6 ?	q = 16 r = 9	q = 10 r = 45	q = 17 r = 3	**Leçon 50** Mémo *(p. 100)* Exercice 2 *(p. 101)*
12	Quel est le tiers de 24 ?	12	8	36	**Leçon 54** Mémo *(p. 107)* Exercices 1, 2 et 3 *(p. 107)*
13	Quel est le quart de 60 ?	15	240	30	
14	15 est le tiers de…	45	30	90	

Mesures

- Utiliser les mesures de masse.
- Comparer des angles.
- Comparer, ranger, mesurer des aires.

		A	B	C	Aide
15	1 kg est égal à…	100 g	10 g	1 000 g	**Leçon 47** Mémo *(p. 94)*
16	1 g est égal à…	10 dg	100 dg	1 dg	
17	$\widehat{M}$ $\widehat{N}$ $\widehat{O}$ $\widehat{P}$ L'angle égal à l'angle $\widehat{M}$ est l'angle …	$\widehat{N}$	$\widehat{O}$	$\widehat{P}$	**Leçon 48** Mémo *(p. 96)* Exercices 1 et 2 *(p. 97)*
18	Compare l'aire de la figure bleue à celle de la figure rouge.	Elles sont égales.	L'aire rouge est plus grande que l'aire bleue.	L'aire rouge est plus petite que l'aire bleue.	**Leçon 52** Mémo *(p. 104)* Exercices 1 et 2 *(p. 105)*
19	Quelle est l'aire de la figure verte ? u	12 **u**	16 **u**	18 **u**	**Leçon 56** Mémo *(p. 110)* Exercice 1 *(p. 111)*

LEÇON 42

1 Reproduis ces figures, puis complète-les pour que la droite rouge soit l'axe de symétrie.

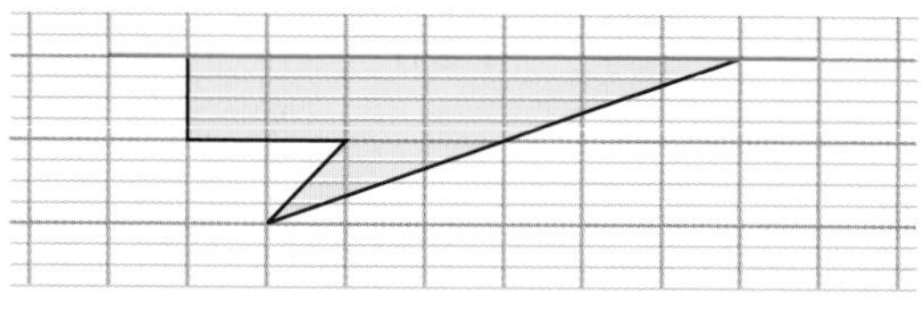

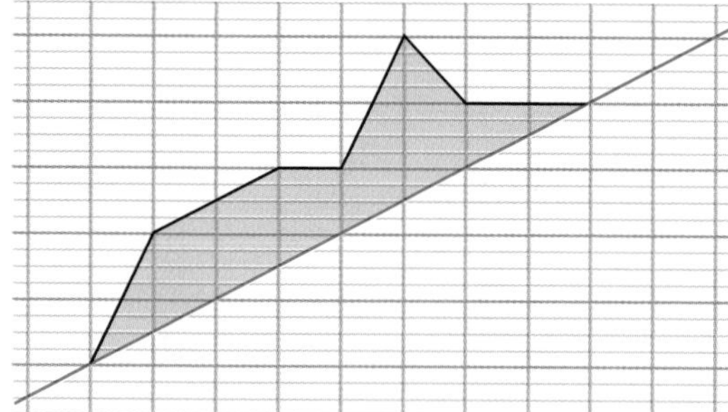

2 Décalque la figure, puis complète-la pour que la droite rouge soit l'axe symétrie.

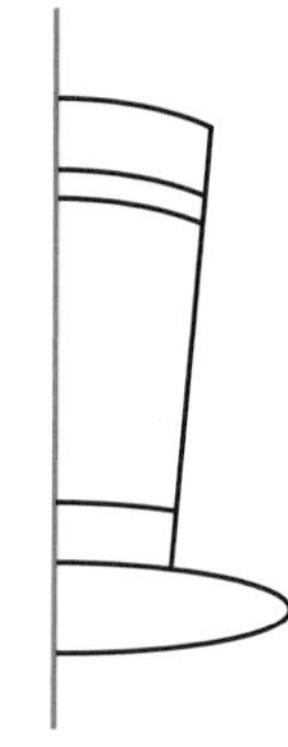

LEÇON 43

3 a. Encadre 67 entre deux multiples consécutifs de 9.
Trouve le quotient et le reste de la division de 67 par 9.

b. Encadre 75 entre deux multiples consécutifs de 6.
Trouve le quotient et le reste de la division de 75 par 6.

4 Quel est le quotient et le reste de :

- 65 divisé par 7 ?
- 65 divisé par 5 ?
- 68 divisé par 7 ?
- 68 divisé par 5 ?

5 Un pâtissier a préparé 130 madeleines. Il les range dans des sachets de 9.

a. Combien de sachets peut-il remplir ?

b. Combien manque-t-il de madeleines pour remplir un sachet de plus ?

LEÇON 44

6 Reproduis la grille, puis complète-la avec les noms des solides et les mots suivants qui permettent de les décrire : *arête*, *face*, *sommet*.

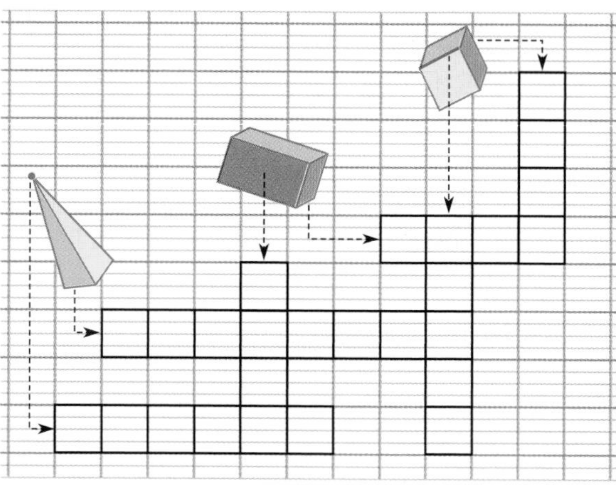

LEÇON 47

7 Choisis la masse qui convient.

	A	B	C
une pomme	2 kg	200 g	2 g
une bouteille de 1 L d'eau	100 g	100 hg	1 kg
un livre de mathématiques	6 kg	600 g	600 mg
un morceau de sucre	5 cg	500 mg	5 g
un merle	75 g	75 hg	75 kg

8 Complète à l'aide des signes < , > ou =.

- 2 500 g .... 2 kg 500 g
- 3 080 g .... 3 kg
- 1 050 g .... 1 kg 500 g
- 5 700 g .... 57 kg

9 a. Quelle masse faut-il ajouter à 600 g pour obtenir 1 kg ?

b. Quelle masse faut-il ajouter à 420 g pour obtenir un demi-kilogramme ?

LEÇON 48

10 Trace un angle égal à l'angle $\widehat{A}$ et un angle égal à l'angle $\widehat{B}$.

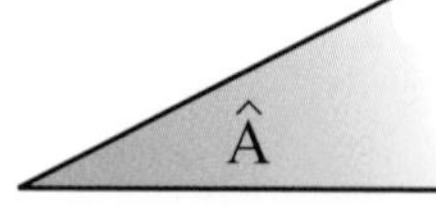

$\widehat{B}$

11 a. Range ces angles du plus petit au plus grand.

b. Quels sont les angles aigus ? Les angles obtus ?

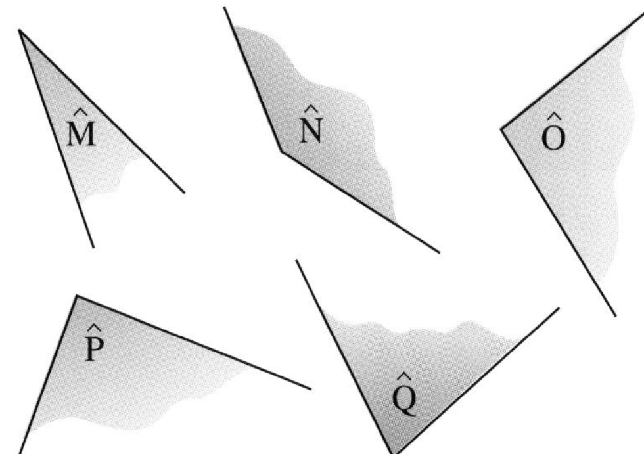

LEÇON 50

12 Calcule les quotients et les restes.

a. 86 divisé par 5 — 86 = (5 × ....) + ...

b. 687 divisé par 4 — 687 = (4 × ....) + ...

c. 8 705 divisé par 6 — 8 705 = (6 × ....) + ...

13 Pose et effectue.

- 543 divisé par 4
- 2 431 divisé par 7
- 1 874 divisé par 6

14 En vacances, 7 amis louent un voilier pour 1 568 €.

Combien chacun doit-il payer ?

LEÇON 51

15 Trouve les quadrilatères dans cette figure. Donne leurs noms.

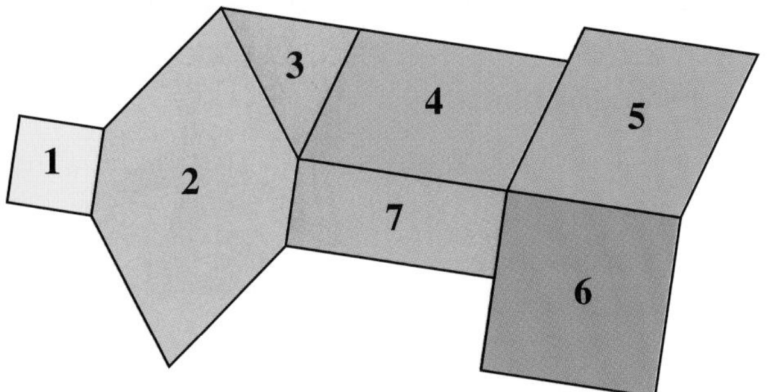

LEÇON 52

16 Quelles figures ont la même aire ?

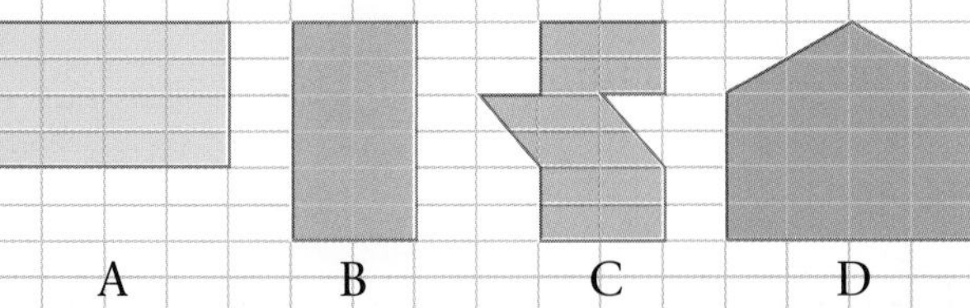

17 Le carreau d'une feuille de ton cahier est l'unité d'aire **u**.

Dessine deux figures ayant pour aire 12 **u**.

LEÇON 54

18 Recopie et complète le tableau.

Nombre donné	Demi	Tiers	Quart
24	....	....	....
....	....	20	....
....	....	....	3

19 Observe chaque suite. Trouve la règle de chacune et écris les trois nombres suivants.

a. 125 250 500 ....

b. 192 96 48 ....

c. 2 048 512 128 ....

LEÇON 55

20 Quel segment représente la distance la plus courte entre les droites d_1 et d_2 ?

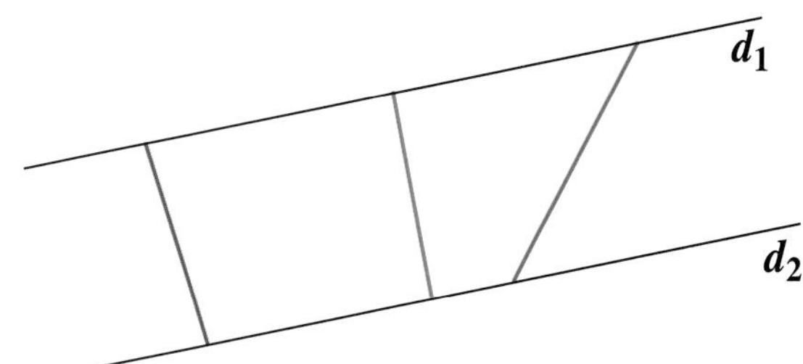

LEÇON 56

21 a. Quelle est l'aire de ce pavage en utilisant $\mathbf{u_1}$, puis $\mathbf{u_2}$ et enfin $\mathbf{u_3}$ comme unités.

b. Dois-tu recompter à chaque changement d'unité ? Pourquoi ?

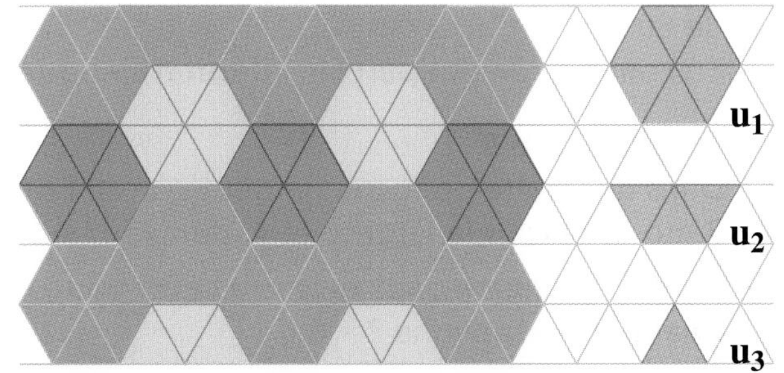

Atelier problèmes (3)

Travail en équipe

A Problèmes pour apprendre à chercher

COMPÉTENCE : **Élaborer des solutions originales pour résoudre des problèmes de recherche.**

Problème 1

Trace un segment AB de 6 cm. Place un point C pour que la figure ABC soit un triangle équilatéral.

Problème 2

Un groupe de 30 personnes paie 500 € pour régler une excursion touristique.
Les adultes paient plein tarif soit 20 €, et les enfants demi-tarif.

Quel est le nombre d'adultes et d'enfants dans ce groupe ?

Problème 3

Mathéo possède 32 pièces de 1 € et 2 €. Il compte sa fortune et trouve 50 €.

Combien de pièces de 2 € possède-t-il ?

Problème 4

Alénior a tracé 5 rectangles identiques sur une feuille de carton selon le modèle de cette figure.

Calcule la longueur et la largeur d'un rectangle.

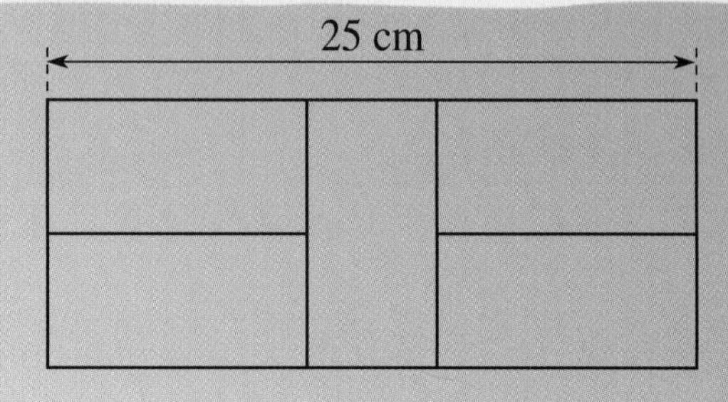

B Problèmes à étapes

COMPÉTENCE : **Articuler les différentes étapes d'une solution. (Tu peux utiliser la calculatrice si nécessaire)**

Problème 5

Un français mange en moyenne 1 kg 500 g de pommes par mois.
Un kilogramme de pommes coûte en moyenne 2 €.

Combien dépense au mois de novembre une famille de 4 personnes pour sa consommation mensuelle de pommes ?

Problème 6

Un automobiliste parcourt 33 000 km dans l'année. Son automobile consomme 6 L aux 100 kilomètres. Le litre de carburant coûte 1 € 40.

Quelle somme annuelle dépense-t-il en carburant ?

Problème 7

Jacques habite à 300 m du collège. Chaque jour, il effectue 2 aller-retour à pas réguliers de 60 cm.
En combien de pas parcourt-il son trajet quotidien ?

Problème 8

Dans une boîte de sucre, on peut placer 12 morceaux sur la longueur, 7 morceaux sur la largeur et 4 morceaux sur la hauteur.

Combien de morceaux de sucre cette boîte contient-elle quand elle est pleine ?

Période 4

Dans le dessin, retrouve Mathéo la mascotte.
Cherche des détails illustrant les notions étudiées dans la période 4.

	Leçons		Leçons
Utiliser le vocabulaire relatif au cercle : rayon, diamètre…	58	• Utiliser les unités de mesures de contenance.	68
Distinguer aire et périmètre.	60	• Identifier et tracer le symétrique d'une figure.	70
Percevoir, décrire un solide.	66	• Reconnaître, construire et utiliser le patron d'un solide.	72
Reconnaître et utiliser les fractions.	59, 61, 63 67, 69, 71	• Résoudre un problème.	62, 65, 73

58 Le cercle

COMPÉTENCES : Tracer un cercle au compas ou à main levée à partir d'un modèle, d'une description ou d'un programme de construction. Utiliser à bon escient le vocabulaire suivant : cercle, centre, rayon, diamètre.

Calcul mental

Dictée de grands nombres.
12 601 305

Lire, débattre

Chercher

A La figure ci-contre représente une pelouse arrosée par deux arroseurs rotatifs O et P.

– Utilise un compas pour reproduire cette figure :
1 carreau représente 1 m.

– Colorie en vert la partie arrosée deux fois.

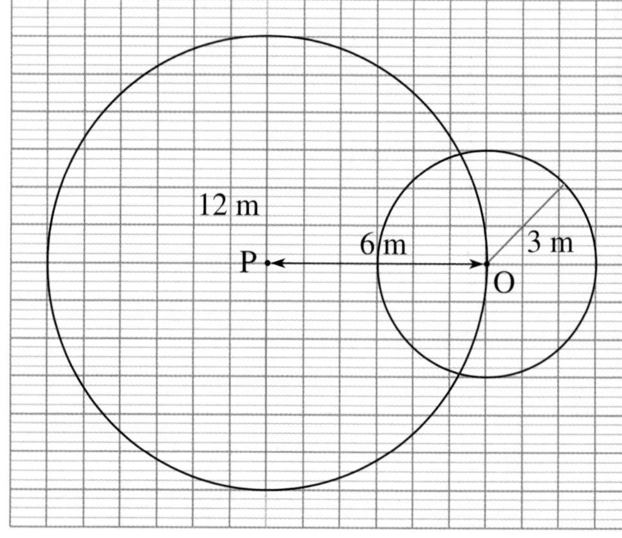

B a. Trace :
– un cercle de centre O et de diamètre AB ;
– un cercle de centre B et de rayon OB.
Nomme C et D les points où les cercles se coupent.

b. Trace en rouge le triangle BOC. Comment l'appelle-t-on ?

c. Trace en vert le quadrilatère OCBD. Comment l'appelle-t-on ?

Justifie leurs noms grâce aux propriétés du cercle.

Mémo

La mesure du diamètre est le double de celle du rayon.

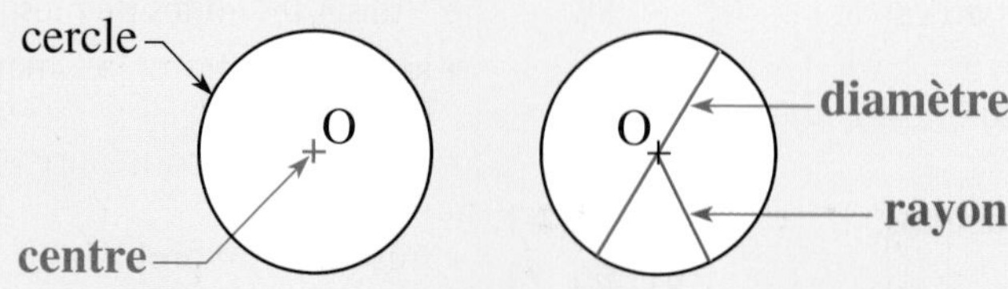

S'exercer, résoudre

Banque d'Exercices n°s 1 et 2 p. 152

1 Reproduis la figure ci-dessous. Colorie en rouge la région commune aux trois cercles.

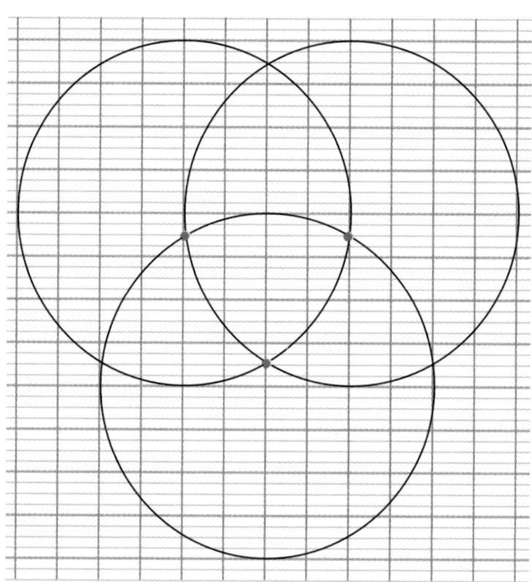

2 Dans chaque cas, trouve la couleur du ou des cercles.

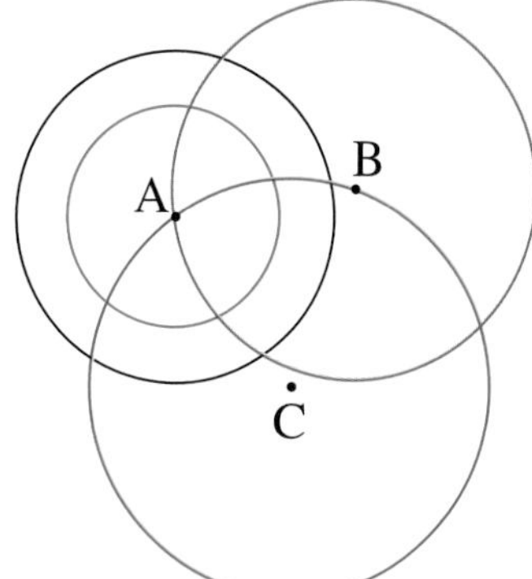

① AB est mon rayon.

② Je passe par les centres des deux autres cercles.

③ Nous avons le même centre.

3 Trace un point **A** et un point **B** distants de 7 cm.
Colorie en rouge la zone située à moins de 5 cm de **A** et à moins de 5 cm de **B**.

Réalise d'abord le tracé à main levée, puis avec la règle et le compas.

4 Observe la spirale. Elle est constituée de quarts de cercles. Le centre du premier quart de cercle est le point rouge. Le centre du second est bleu.

a. Quelle est la couleur du centre des autres quarts de cercle ?

b. À l'aide de ton compas, reproduis la spirale sur ton cahier.

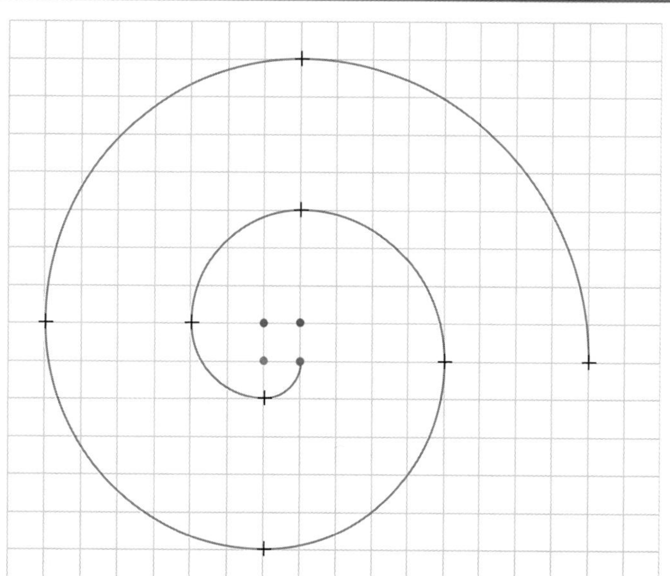

Calcul réfléchi

Multiplier par 8 *(1)*

Observe : **34 × 8**

8 est le double de 4. **8 = (2 × 2) × 2**

34 × 8 = (34 × 2) × 2 × 2
= (68 × 2) × 2
= 136 × 2 = 272

Calcule.

- 23 × 8
- 32 × 8
- 41 × 8
- 54 × 8

Le coin du chercheur

La droite d_1 est perpendiculaire à d_2,
d_2 est perpendiculaire à d_3,
d_3 est perpendiculaire à d_4, etc.

Que peux-tu dire des droites d_{12} et d_{15} ?

59 Fractions *(1)*

Calcul mental

Nombre de milliers dans…
1 560 000 ?

COMPÉTENCES : **Introduire la notion de fraction à partir des mesures d'aire inférieures à l'unité. Nommer et écrire des fractions.**

Lire, débattre

Chercher

A L'unité d'aire est l'aire du carré bleu.

a. Quelle est l'aire de la figure **A** ?

– L'aire de la figure **B** est la moitié de l'unité.

On l'écrit $\frac{1}{2}$ **u**. $\frac{1}{2}$ est une **fraction.**

C'est un nouveau nombre qui se lit « **un demi** ».
1 est le numérateur, 2 est le dénominateur.

– Trouve une autre figure dont l'aire est $\frac{1}{2}$ **u**.

b. L'aire de la figure **C** est le quart de l'unité **u**.
On l'écrit $\frac{1}{4}$ **u**. Cette fraction se lit « **un quart** ».
– Trouve une autre figure dont l'aire est $\frac{1}{4}$ **u**.

c. L'aire de la figure **D** est égale à 3 fois celle de **C**.
On l'écrit $\frac{3}{4}$ **u**. Cette fraction se lit **« trois quarts »**.
– Quel est le numérateur de cette fraction ?
Quel est son dénominateur ?
– Trouve une autre figure dont l'aire est $\frac{3}{4}$ **u**.

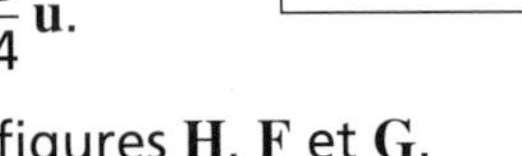

u A B C D E F G H I J

d. Écris les fractions exprimant l'aire des figures **H**, **F** et **G**.

B Pour chaque figure ci-dessous, indique :
a. la fraction de la figure coloriée ;
b. la fraction de la figure non coloriée.

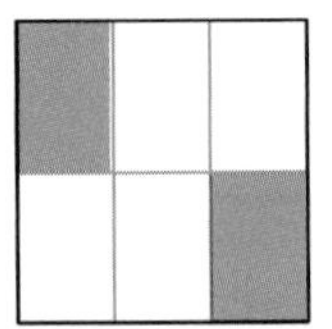

a

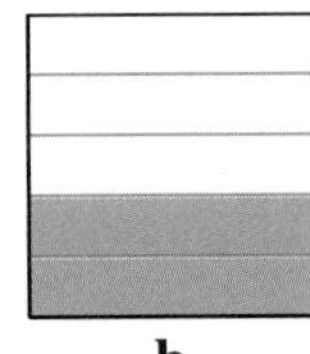

b

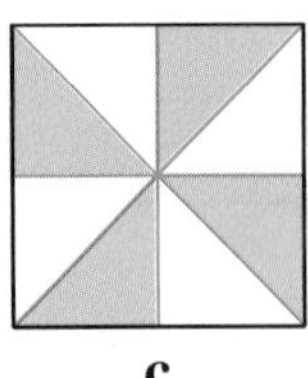

c

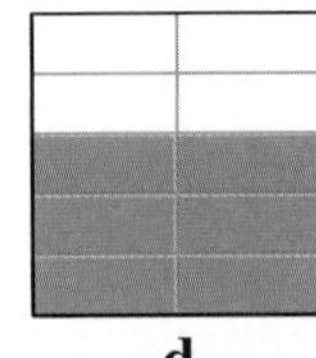

d

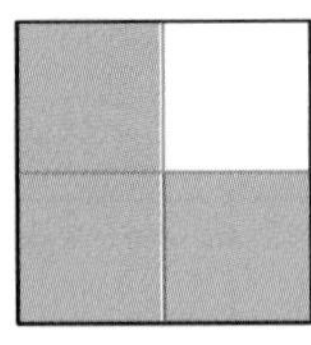

e

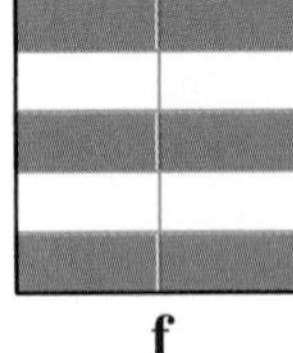

f

Mémo

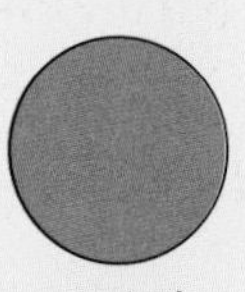

unité

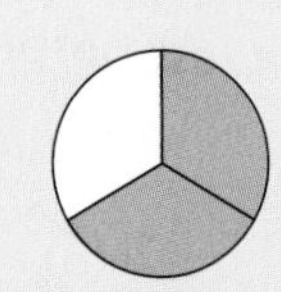

deux tiers

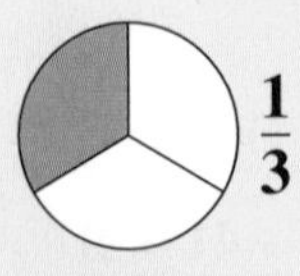

un tiers

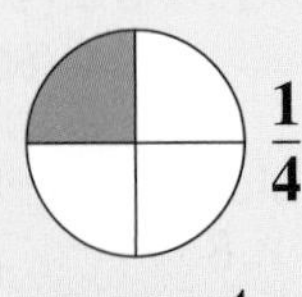

un quart

S'exercer, résoudre

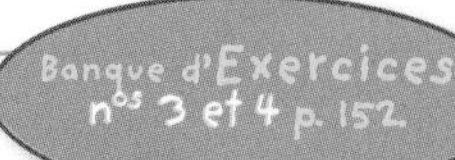

1 Écris en chiffres :

◆ trois quarts ◆ un tiers ◆ cinq sixièmes ◆ sept dixièmes ◆ quatre cinquièmes ◆ deux demis

2 L'unité d'aire est l'aire du drapeau.
Quels sont les pays :

a. dont $\frac{1}{3}$ du drapeau est vert ?

b. dont $\frac{2}{3}$ du drapeau sont rouges ?

c. dont $\frac{1}{4}$ du drapeau est bleu ?

d. dont $\frac{1}{2}$ du drapeau est jaune ?

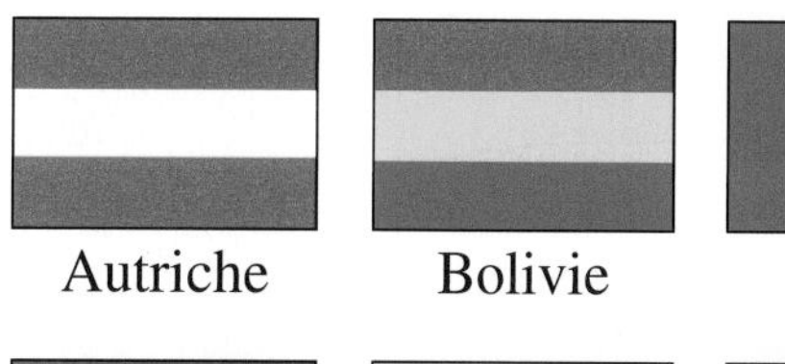

Autriche Bolivie Italie

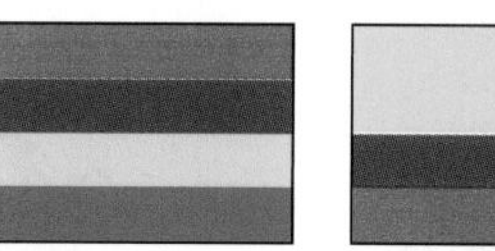
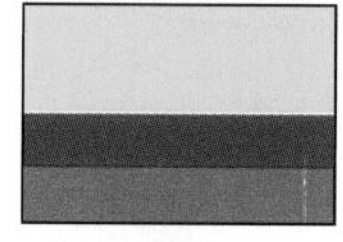

Ile Maurice Colombie Mali

3 Trace quatre rectangles comme celui-ci.

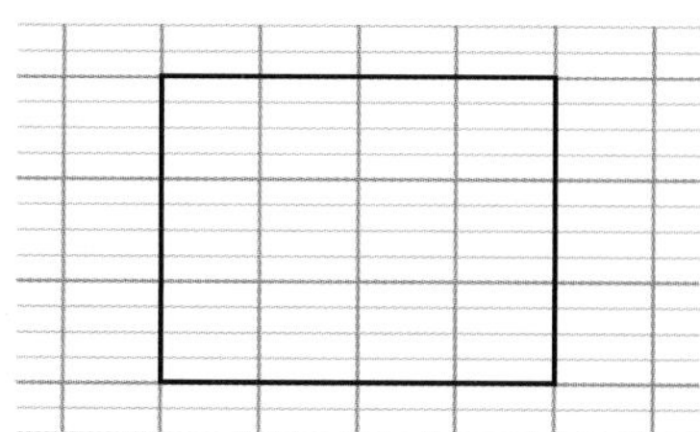

a. Colorie $\frac{1}{12}$ du premier, $\frac{1}{6}$ du deuxième, $\frac{1}{4}$ du troisième et $\frac{1}{3}$ du quatrième.

b. Indique chaque fois quelle est la fraction du rectangle non coloriée.

4 Trois enfants se sont partagé ce fromage.

Quelle fraction de ce fromage correspond à la part de chacun ?

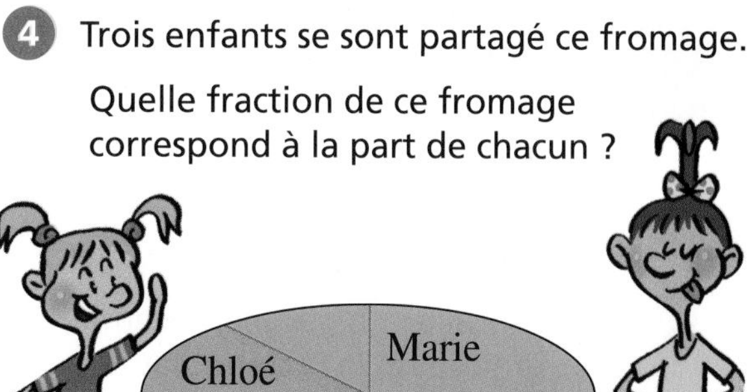

5 Chacun des enfants a reçu la même tablette de chocolat de 12 carrés.

Amélie Titouan Alex

Observe ce qu'il reste à chacun.
Quelle fraction de tablette de chocolat chaque enfant a-t-il mangée ?

Réinvestissement

Le carré bleu est l'unité d'aire.

Dessine une figure d'aire triple de celle du polygone orange.

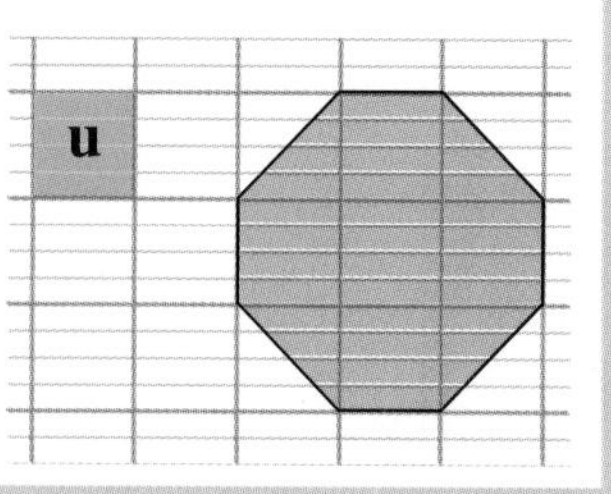

Le coin du chercheur

Combien mesure la queue du chat ?

60 Aire et périmètre

COMPÉTENCES : Distinguer aire et périmètre.
Construire une figure de périmètre ou d'aire donnés.

> **Calcul mental**
> Sommes de deux nombres de deux chiffres.
> 48 + 34

Chercher

A Pour travailler en groupe, les enfants assemblent 4 tables identiques afin d'obtenir une grande table rectangulaire.
Sur ton cahier, représente une table par un rectangle de trois carreaux.

table
u
w

a. Mesure l'aire d'une table avec l'unité **u**, puis son périmètre avec l'unité **w**.

b. Dessine trois assemblages différents de 4 tables.
– Compare l'aire des différents assemblages.
Que constates-tu ?
– Calcule le périmètre de chaque assemblage.
Que constates-tu ?

c. Deux figures de même aire ont-elles toujours le même périmètre ?

B **a.** Mesure l'aire puis le périmètre du polygone **A**.

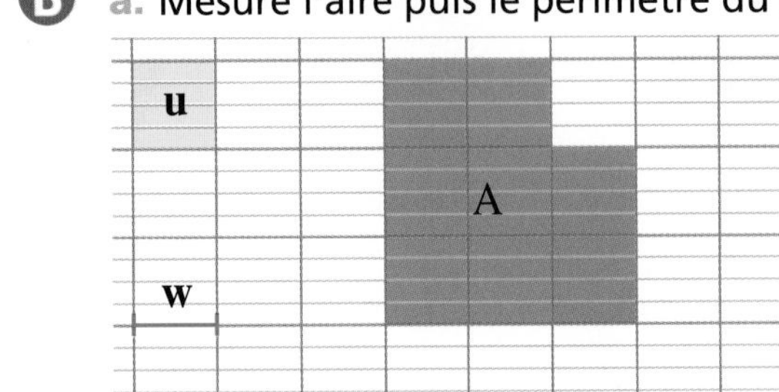

b. Construis une figure **B** différente du polygone **A** mais de même aire.
Compare son périmètre à celui du polygone **A**.

c. Construis un rectangle **C** de même périmètre que le polygone **A**.
Compare son aire à celle du polygone **A**.

Mémo

Des figures de **même aire** peuvent avoir des **périmètres différents**.

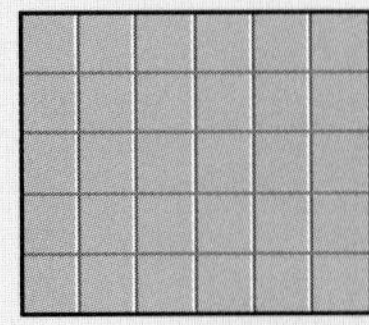

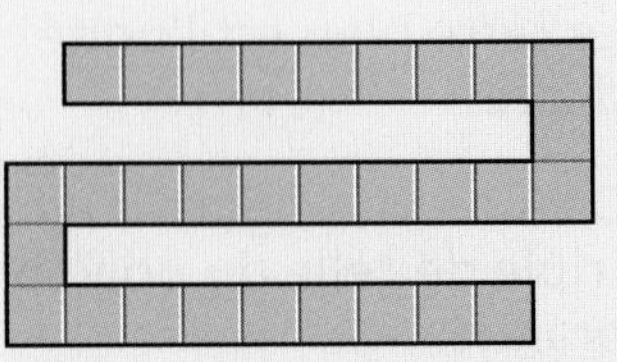

S'exercer, résoudre

Banque d'Exercices nos 5 et 6 p. 152

1 Reproduis le carré ci-contre sur ton cahier.

a. Quel est le périmètre de ce carré en prenant le côté d'un carreau pour unité de longueur ?

b. Quelle est son aire en prenant un carreau pour unité d'aire ?

c. Dessine un rectangle d'aire double, puis calcule son périmètre.

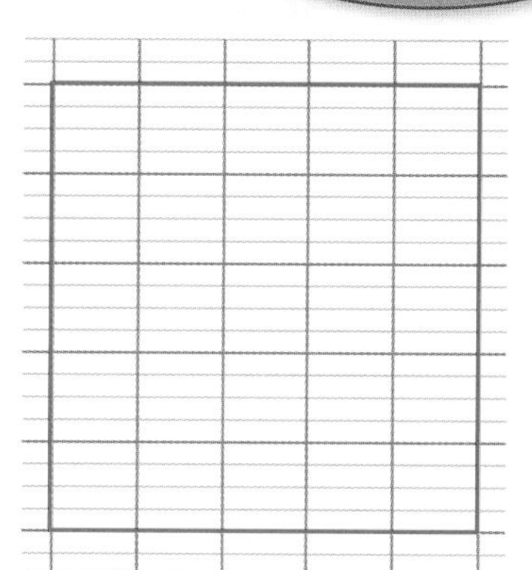

2 a. Le disque bleu est l'unité d'aire. Quelle est l'aire de la figure jaune ?

b. Son périmètre est-il égal au double du périmètre du disque bleu ?

3 a. L'unité de longueur est le côté d'un carreau.
Dessine à main levée sur une feuille de papier quadrillée tous les rectangles de périmètre 24 carreaux. Tous ces rectangles doivent comporter un nombre entier de carreaux.

b. Calcule l'aire de chacun de ces rectangles en prenant un carreau comme unité d'aire. Ces rectangles, de même périmètre, ont-ils la même aire ?

4 Huit invités peuvent se placer autour d'une table de ce modèle.
Pour son anniversaire, Solène peut assembler trois tables identiques disposées comme en **A** ou en **B**.

a. L'aire de chacune de ces deux dispositions est-elle la même ?

b. Pour chacune de ces dispositions, combien d'invités peuvent prendre place ?

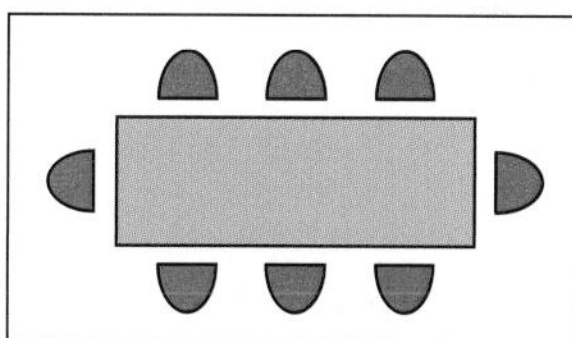

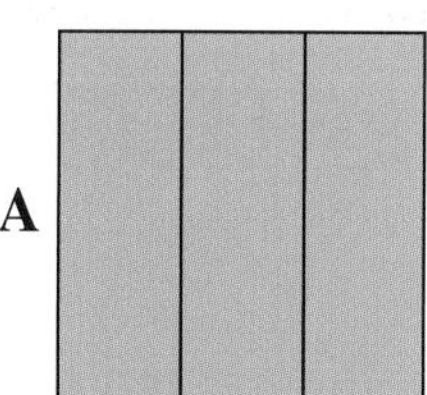

B

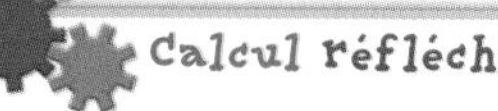

Multiplier par 8 ***(2)***

Observe : **32 × 8**

8 = 10 – 2

32 × 8 = (32 × 10) – (32 × 2)

= 320 – 64 = 300 – 44 = 260 – 4 = 256

Calcule.

- 25 × 8
- 34 × 8
- 42 × 8
- 57 × 8

Le coin du chercheur

Quel est le nombre de centimètres dans un kilomètre ?

61 Fractions *(2)*

COMPÉTENCE : **Utiliser des fractions pour coder des mesures de longueur.**

Calcul mental

Ajouter un nombre de dizaines.

142 + 30

Lire, débattre

Je n'ai qu'une bande de papier pour mesurer la longueur de cette table.

Comment écrire cette mesure puisque ça ne tombe pas juste ?

Chercher

A Découpe une bande de la longueur de l'unité **u**.
Mesure la longueur de la bande **A** avec cette unité.

u

A

B Mathéo a mesuré la longueur de la bande **B**.

Il a trouvé : longueur de la bande **B** = $\frac{1}{2}$ **u**. Justifie cette écriture.

B

a. Écris de la même façon les longueurs des bandes **F** et **C**.
Justifie tes réponses.

C **F**

b. Quelle bande mesure $\frac{5}{4}$ **u** ?

c. Quelle bande mesure $\frac{3}{2}$ **u** ?

Utilise les bandes de couleur que tu as mesurées.

D **E**

C – Trace un segment rouge de longueur 1 **u** + $\frac{3}{4}$ **u** et un segment bleu de longueur $\frac{7}{4}$ **u**.

Compare leur longueur. Quelle égalité peux-tu écrire ?

– Trace un segment vert de longueur 1 **u** + $\frac{1}{3}$ **u** et un segment noir de longueur $\frac{4}{3}$ **u**.

Compare leur longueur. Quelle égalité peux-tu écrire ?

Mémo

u

$\frac{1}{2}$ **u**

1 **u** + $\frac{1}{2}$ **u** = $\frac{3}{2}$ **u**

S'exercer, résoudre

Banque d'Exercices nos 7 et 8 p. 152

1 Écris la longueur de chacune de ces bandes avec l'unité **u**.

u

A

B

C

2 Écris la longueur de chacune de ces bandes.

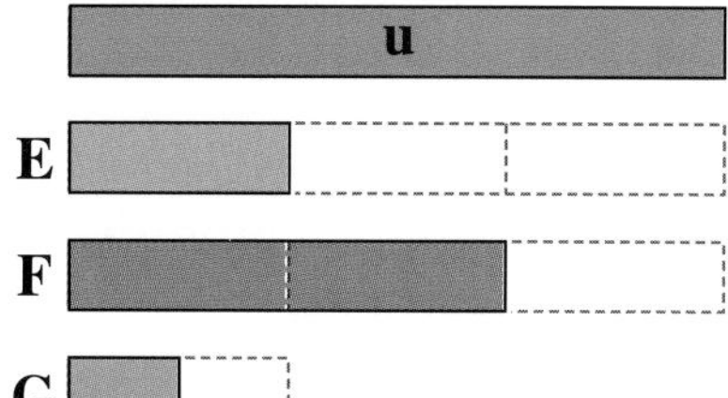

3 Reproduis la bande unité **u** sur ton cahier.

a. Colorie :

– une bande **A** de longueur $\frac{1}{4}$ **u** ;

– une bande **B** de longueur $\frac{1}{3}$ **u** ;

– une bande **C** de longueur $\frac{2}{6}$ **u** ;

– une bande **D** de longueur $\frac{3}{2}$ **u** ;

– une bande **E** de longueur 1 **u** + $\frac{1}{3}$ **u**.

b. Écris sous la forme d'une fraction la longueur de la bande **E**.

c. Que peux-tu dire des fractions $\frac{1}{3}$ et $\frac{2}{6}$?

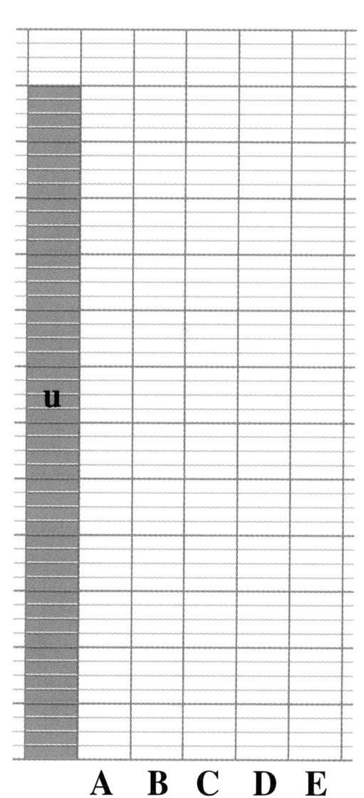

4 a. Trace sur ton cahier un segment unité **u** de 4 carreaux.

Trace :

– un segment **bleu** qui mesure 2 **u** + $\frac{1}{2}$ **u** ;

– un segment **noir** qui mesure 3 **u** + $\frac{1}{4}$ **u**.

5 Mesure le périmètre de la figure **B** avec l'unité **u**.

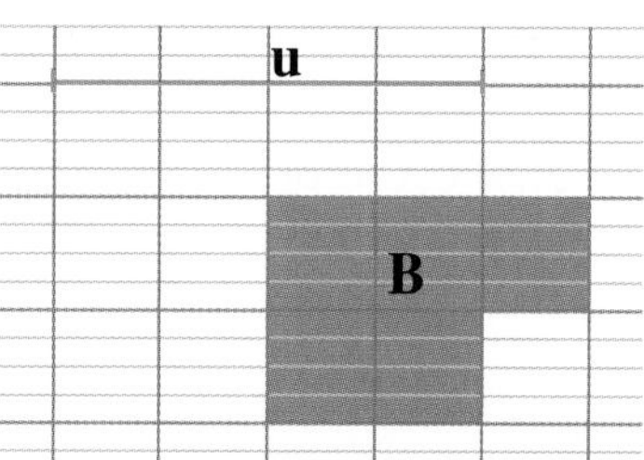

Réinvestissement

Trace deux droites qui se coupent.
Trace un cercle de sorte que chacune de ces droites deviennent des axes de symétrie du cercle.
Quel est le centre de ce cercle ?

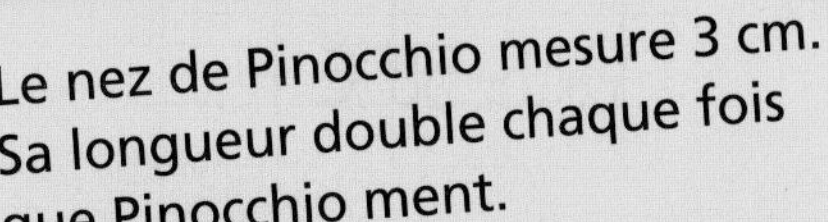

Le coin du chercheur

Le nez de Pinocchio mesure 3 cm. Sa longueur double chaque fois que Pinocchio ment.

Combien mesure-t-il lorsque le pantin a menti quatre fois ?

62 PROBLÈMES Choisir l'opération, les différentes étapes d'une solution

COMPÉTENCES : Résoudre des problèmes en utilisant les connaissances sur les opérations.
Mettre en œuvre un raisonnement, articuler les différentes étapes d'une solution.

Calcul mental
Tables de multiplication de 7, 8 , 9.
8 × 7

Lire, chercher

A a. Parmi les opérations proposées, retrouve celles qui permettent de résoudre les problèmes suivants.

1 Le matin, Bertrand emporte 12 billes à l'école.
Le soir, il en a 3 fois moins.
Combien de billes a-t-il alors ?

2 Karima a accroché 12 posters dans sa chambre.
C'est trois de plus que sa petite sœur Julia.
Combien de posters Julia possède-t-elle ?

3 La famille de Robert a ramassé 3 paniers de 12 kg de champignons.
Quelle est la masse de sa récolte ?

4 Louise répartit équitablement sa collection de 36 flacons de parfum sur 3 étagères.
Quel est le nombre de flacons sur chaque étagère ?

a 12 × 3

b 12 + 12

c 36 divisé par 3

d 12 – 3

e 36 × 3

f 12 divisé par 3

b. Effectue les opérations et rédige les réponses pour chaque problème.

B Lis le problème et les solutions proposées par Adrien, Samira et Chang.

Avec 120 €, Marine et Thomas ont acheté pour 38 € de nourriture, un baladeur à 24 € et deux pantalons.
Quel est le prix d'un pantalon ?

Adrien

120 – 38 = 82
82 – 24 = 58
Un pantalon coûte 58 €.

Samira

120 – 38 = 82
La moitié de 82, c'est 41.
Le prix d'un pantalon est 41 €.

Chang

38 + 24 = 62
120 – 62 = 58
58 : 2 = 29
Un pantalon coûte 29 €.

a. Qui a trouvé la bonne solution ?
b. Quelles erreurs ont commis les deux autres enfants ?

S'exercer, résoudre

1 a. Trouve l'opération qui permet de résoudre le problème.

① 7 + 42 ② 7 divisé par 42

③ 42 divisé par 7 ④ 7 × 42

b. Rédige la solution.

> Dans le hall d'entrée d'un immeuble de 7 étages, il y a 42 boîtes aux lettres. Chaque étage comporte le même nombre d'appartements.
> Quel est le nombre d'appartements à chaque étage ?

2 Lis le problème et les solutions proposées par Julie, Mohamed et Diane.

> Pour illuminer une vitrine, un décorateur utilise 5 guirlandes multicolores de 100 ampoules et 3 guirlandes blanches de 50 ampoules.
> Combien d'ampoules vont illuminer la vitrine ?

Julie

100 + 50 = 150
150 ampoules vont illuminer la vitrine.

Mohamed

5 × 100 = 500
500 ampoules vont illuminer la vitrine.

Diane

(5 × 100) + (3 × 50) = 650
Le décorateur a utilisé 650 ampoules pour illuminer la vitrine.

a. Qui a trouvé la bonne solution ?

b. Quelles erreurs ont commis les deux autres enfants ?

3 Lis le problème et les solutions proposées par Lucile, Martin et Anaïs

> Au stand de tir aux fléchettes, on a droit à cinq fléchettes par partie.
> Ninon joue 6 parties et crève 12 ballons.
> Combien de fléchettes a-t-elle lancées ?

Lucile

6 × 5 = 30
Ninon a lancé 30 fléchettes.

Martin

6 × 5 = 30
30 – 12 = 18
Ninon a lancé 18 fléchettes.

Anaïs

Puisque 12 ballons sont crevés, Ninon a lancé 12 fléchettes.

a. Qui a trouvé la bonne solution ?

b. Quelles erreurs ont commis les deux autres enfants ?

Calcul réfléchi

Multiplier par 15

Observe : **23 × 15**

23 × 15 = (23 × 10) + (23 × 5)
(23 × 5) est la moitié de (23 × 10)
23 × 15 = 230 + moitié de 230 = 230 + 115
23 × 15 = 345

Calcule.

- 25 × 15
- 27 × 15
- 34 × 15
- 42 × 15

Le coin du chercheur

Quel est le plus grand multiple de 10 ayant quatre chiffres ?

63 Fractions *(3)*

Calcul mental

Sommes de multiples de 10, de 100.

600 + 500

COMPÉTENCES : **Placer des fractions simples sur une droite numérique.**
Écrire une fraction sous forme de somme d'un entier et d'une fraction inférieure à 1.

Lire, débattre

Chercher

A La distance entre deux piquets de la clôture est l'unité de longueur.
Au zoo, Baptistin le kangourou se déplace par bonds identiques le long de la clôture de son enclos. Il fait 4 bonds entre deux piquets consécutifs.

a. Reproduis cette droite graduée sur ton cahier.

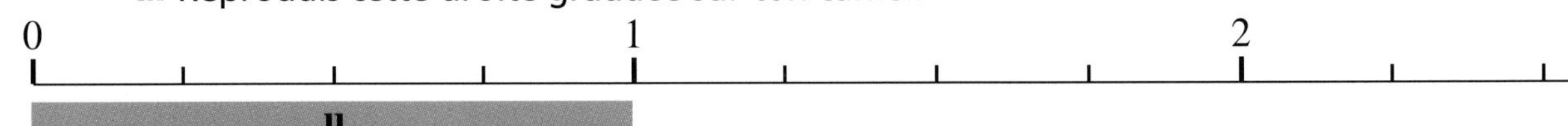

b. Exprime par une fraction la longueur d'un bond de Baptistin. Place cette fraction sur cette droite graduée.

B a. Place ensuite les fractions qui indiquent où se trouve Baptistin après :
- 2 bonds
- 3 bonds
- 4 bonds
- 5 bonds
- 8 bonds

b. Parmi ces fractions, lesquelles sont égales à un nombre entier ?
Recopie et complète les égalités :

$\frac{....}{4} = 1 \quad \frac{....}{4} = 2$

C Écris deux fractions inférieures à 1.

D Repère la graduation $1 + \frac{1}{2}$, puis écris la fraction égale à cette somme.
Écris la fraction $\frac{5}{4}$ sous forme de somme d'un nombre entier et d'une fraction :

$$\frac{5}{4} = ... + \frac{....}{4}$$

Mémo

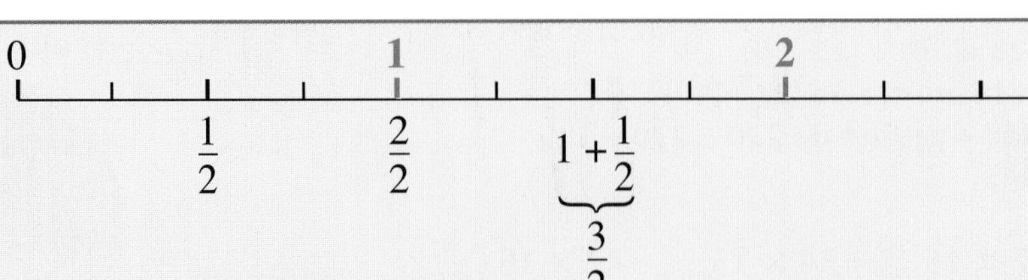

S'exercer, résoudre

Banque d'Exercices n°s 9 et 10 p. 152

1 a. Reproduis la droite graduée, puis place les fractions : $\frac{2}{5}$ $\frac{1}{5}$ $\frac{5}{5}$ $\frac{15}{5}$ $\frac{8}{5}$

0 1 2 3

b. Quelles fractions sont : égales à 1 ? inférieures à 1 ? supérieures à 1 ?

2 a. Parmi les fractions suivantes, lesquelles sont supérieures à 1 ?

$\frac{1}{2}$ $\frac{6}{4}$ $\frac{8}{3}$ $\frac{2}{3}$ $\frac{5}{3}$ $\frac{12}{5}$

b. Écris cinq fractions inférieures à 1.

3 Recopie les fractions égales à un nombre entier.

$\frac{1}{2}$ $\frac{4}{2}$ $\frac{6}{3}$ $\frac{10}{5}$ $\frac{12}{12}$ $\frac{4}{4}$ $\frac{18}{6}$ $\frac{13}{3}$ $\frac{12}{4}$ $\frac{20}{20}$

4 Reproduis cette droite graduée, puis place les lettres correspondant aux nombres. Observe l'exemple.

B $\left(1 + \frac{2}{3}\right)$ C $\left(\frac{6}{3}\right)$ D $\left(3 + \frac{1}{3}\right)$

A $\left(2 + \frac{1}{3}\right)$

0 1 2 A 3 4 5

5 Décompose suivant l'exemple : $\frac{7}{3} = \frac{6}{3} + \frac{1}{3} = 2 + \frac{1}{3}$

$\frac{4}{3}$ $\frac{8}{5}$ $\frac{3}{2}$ $\frac{5}{4}$ $\frac{7}{4}$

Pour t'aider, tu peux reproduire et utiliser la graduation du verre doseur.

6 Li prépare 2 L de boisson pour ses frères et sœurs.

Il mélange $\frac{1}{3}$ L de jus de pamplemousse, $\frac{1}{3}$ L de jus d'orange, 1 L de limonade et du jus d'abricot.

Quelle fraction de litre représente le jus d'abricot ?

7 Une fourmi se déplace sur une droite numérique. Elle part de la graduation 0 ; **u** est l'unité de longueur.

Lundi elle parcourt $\frac{1}{2}$ **u**, mardi $\frac{1}{4}$ **u**, mercredi $\frac{3}{2}$ **u** et jeudi $\frac{3}{4}$ **u**.

Reproduis la droite graduée et indique où elle se trouve alors.

0 1 2 3

u

Réinvestissement

Le carreau rose est l'unité d'aire ; son côté est l'unité de longueur.
Dessine une figure ayant la même aire que la figure bleue et la moitié de son périmètre.

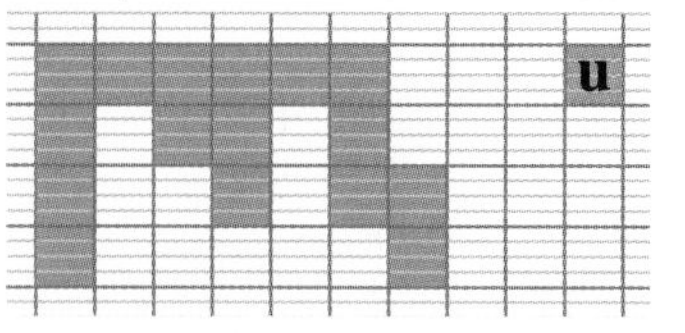

Le coin du chercheur

Gaétan Fonceur arrive au pied du Tourmalet en 3e position. À 50 m du sommet du col, il double le 2e.

Quelle est sa place sur la ligne d'arrivée ?

Atelier informatique (4)

Tracer le symétrique d'une figure

Calcul mental

Tables de multiplication de 6 et 7.

7×9

COMPÉTENCE : **Utiliser un logiciel de géométrie dynamique pour tracer le symétrique d'une figure par rapport à une droite.**

Nous allons reproduire la figure ci-dessous : le cercle noir est le symétrique du cercle bleu par rapport à la droite rouge.

1. Ouvre le logiciel Déclic* et observe les boutons de base.

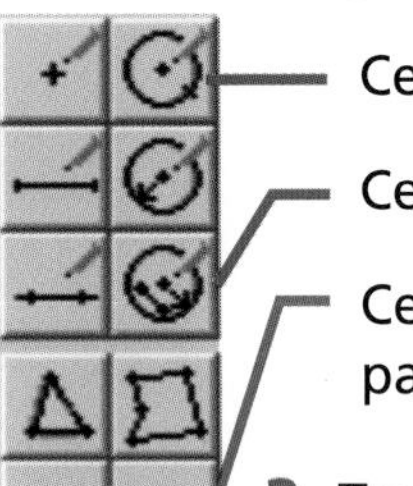

Ce bouton permet de tracer **un cercle** avec deux points.

Ce bouton permet de trouver **le milieu** d'un segment.

Ce bouton permet de tracer **le symétrique** d'un point par rapport à un axe.

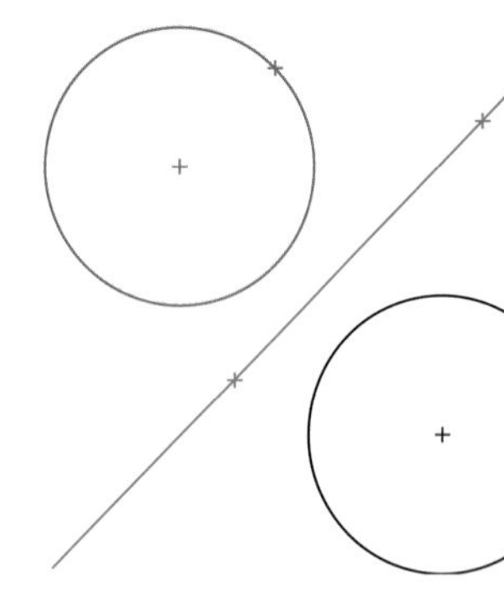

2. Trace la droite rouge

– Clique sur le bouton.

– Place un premier point, puis un deuxième : la droite est tracée automatiquement.

– Colorie-la en rouge (voir Atelier informatique *1*).

3. Trace le cercle bleu

– Clique sur le bouton .

– Place un premier point (le centre), puis un deuxième : le cercle est tracé automatiquement.

– Colorie le cercle en bleu.

Attention !
Quand tu traces le cercle symétrique, clique d'abord sur le point qui est l'image du centre.

4. Trace le symétrique du cercle bleu

– Clique sur le bouton .

– Clique sur le centre du cercle puis sur la droite (axe de symétrie).

– Fais de même pour le point sur le cercle.

– Clique sur le bouton pour former la figure symétrique.

5. Visualise les propriétés de la symétrie

– Trace le segment qui joint les centres des deux cercles.

– Clique sur le bouton, clique sur le segment : le milieu est tracé automatiquement.

• *Que remarques-tu ?*

– Trace la droite perpendiculaire à la droite rouge et qui passe par le centre du cercle bleu (voir Atelier informatique *1*).

• *Que remarques-tu ?*

Ces activités ont été conçues à partir du logiciel Déclic 32 (téléchargeable gratuitement sur *http://emmanuel.ostenne.free.fr/*) mais elles peuvent être facilement adaptées et réalisées avec tout **logiciel de géométrie dynamique**.

65 PROBLÈMES
Procédures personnelles *(4)*

COMPÉTENCE : Élaborer une démarche personnelle pour résoudre un problème.

Calcul mental

Différences de multiples de 10, de 100.

2 500 – 300

Chercher, argumenter

A Cherche seul, puis avec ton équipe, pour résoudre ce problème.
Reproduis cette droite, puis place les graduations **10, 60** et **25**.

40 70

B Observe maintenant le travail de l'équipe d'Adrien et celui de l'équipe de Clémence.

Équipe d'Adrien

Nous essayons de compter 10 par carreau : 40, 50, 60.

Non, ça ne va pas !

On essaie par 5.

....

Équipe de Clémence

De 40 à 70, il y a 30 pour 6 carreaux.

....

a. Explique le raisonnement de l'équipe d'Adrien à tes camarades, puis termine le travail.
b. Fais de même avec le travail de l'équipe de Clémence.
c. As-tu raisonné comme eux ? As-tu trouvé une autre méthode ?

S'exercer, résoudre

1 Reproduis cette droite graduée et place les graduations **2, 7, 1, 5**.

3 6

2 Reproduis cette droite graduée et place les graduations **520, 490, 575, 505**.

510 540 610

3 Reproduis cette droite graduée et place les graduations **0, 160, 240, 50**.

100 220

66 Solides *(2)* : Autour du cube

COMPÉTENCES : **Percevoir, décrire et construire un solide.**
Vérifier certaines propriétés relatives aux faces ou aux arêtes d'un solide.

Calcul mental

Petits quotients.

42 : 6 = 7

Lire, débattre

Un cube a bien six faces et douze arêtes ?

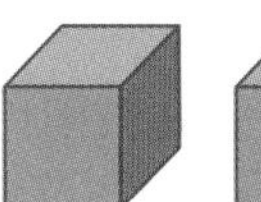

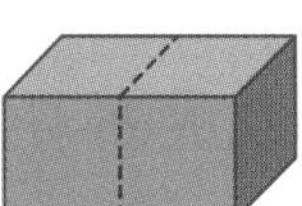

Et en accolant deux cubes, on multiplie par 2 les nombres de faces et d'arêtes.

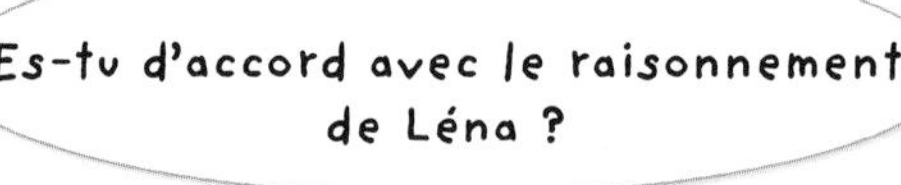

Chercher

Voici un solide formé d'un assemblage de huit cubes identiques.

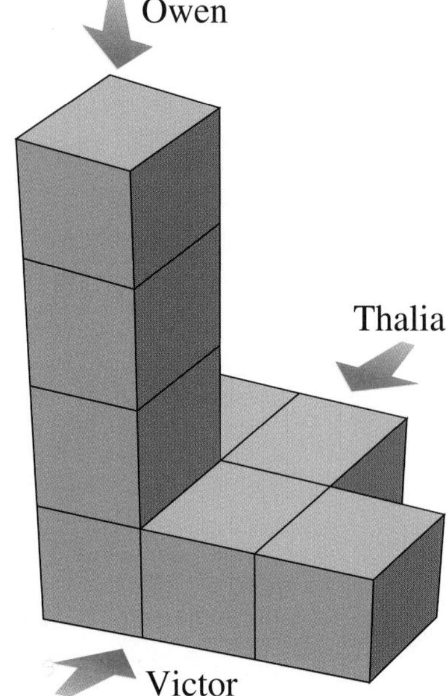

A Owen, Thalia et Victor se sont placés autour de ce solide pour prendre une photo.

a. Retrouve la photo prise par chaque enfant.

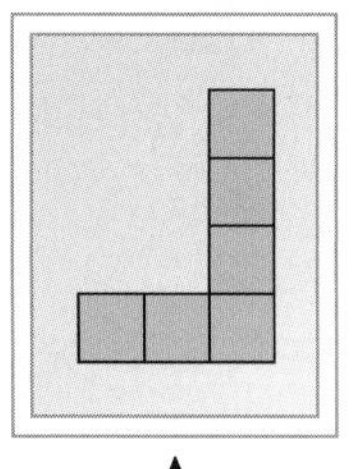

A

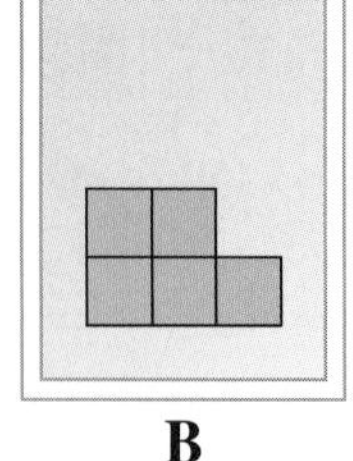

B

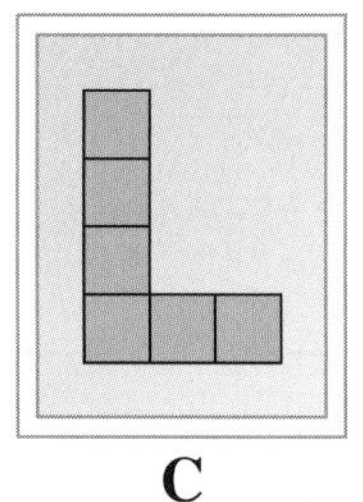

C

b. En utilisant les mots :

dessus, dessous, devant, derrière,

rédige une phrase pour décrire la position de chaque enfant.

B Dessine à main levée ce que voit un enfant :

a. situé à gauche de ce solide ;

b. situé sous ce solide ;

c. situé à droite de ce solide.

Représente les faces comme sur les photos.

C Quel est le nombre de faces et d'arêtes de ce solide ?

Mémo

Les cubes et les pavés possèdent **6 faces**, **8 sommets** et **12 arêtes**.
Ce n'est pas le cas des autres solides obtenus en assemblant plusieurs cubes.

Banque d'Exercices n°s 11 et 12 p. 152 et 153

S'exercer, résoudre

1 Voici les vues de face ①, de dessus ②, du côté droit ③ de l'un de ces cinq solides.
Quel est ce solide ?

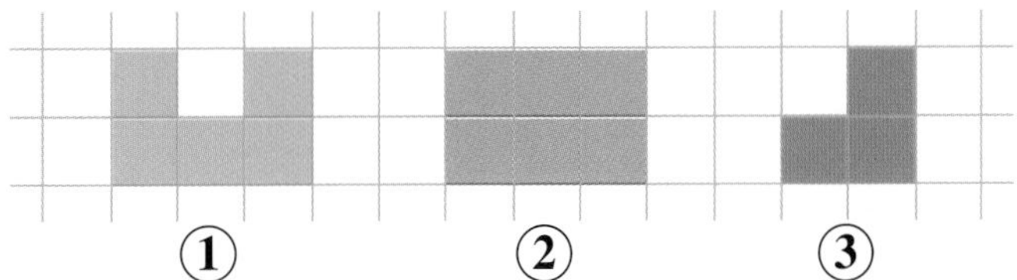

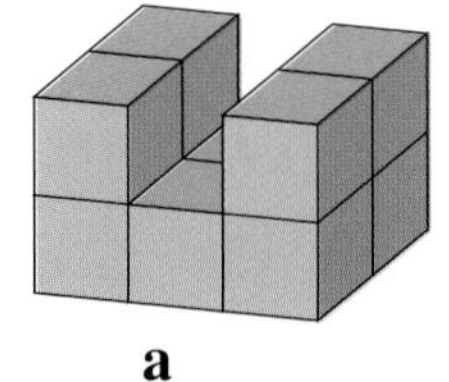
a

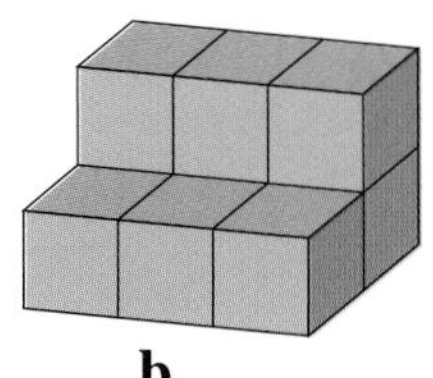
b

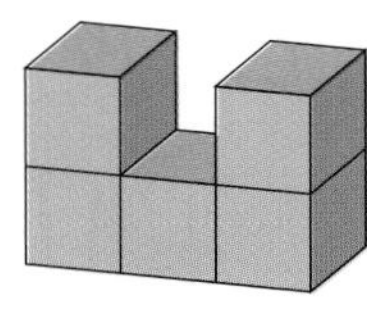
c

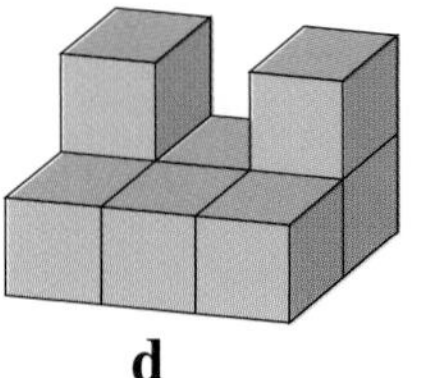
d

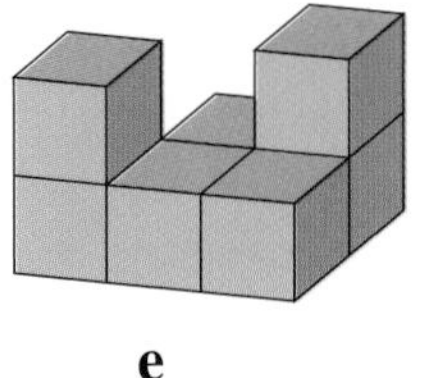
e

2 Dessine les vues de dessus, de face et du côté droit de ces deux solides qui sont formés de cubes identiques.

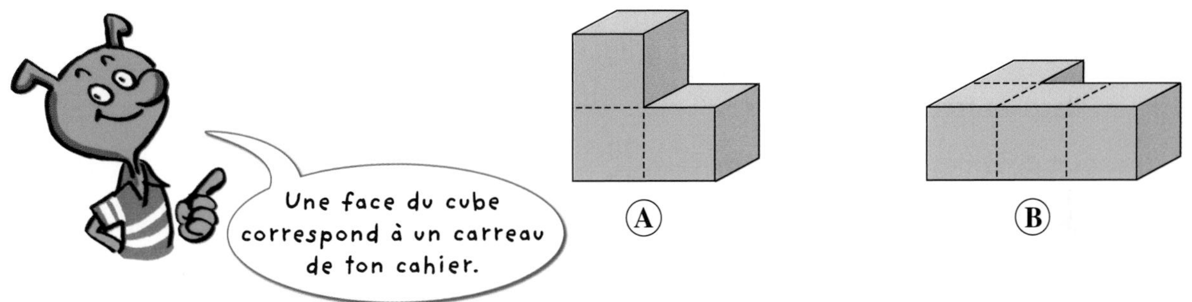

3 Ce solide est un assemblage de quatre cubes.
Quel est le nombre de faces de cet assemblage ?

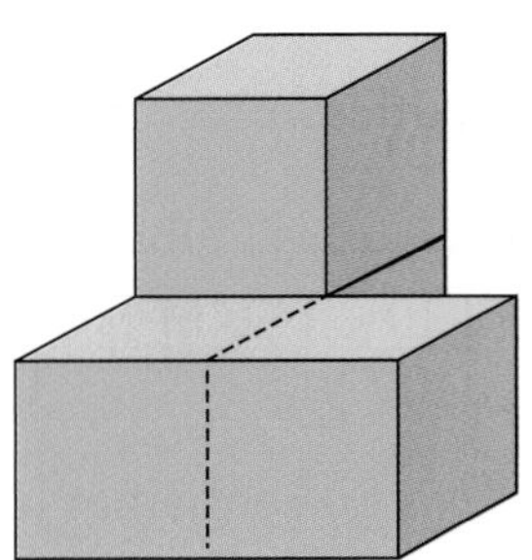

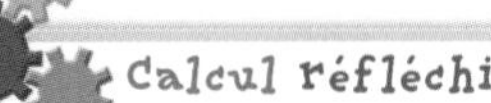

Multiplier par 21

Observe :

$$23 \times 21 = (23 \times 20) + (23 \times 1)$$
$$= (46 \times 10) + 23$$
$$= 460 + 23 = 483$$

Calcule.
- 26 × 21
- 31 × 21
- 45 × 21
- 52 × 21
- 67 × 21

Mon frère a trois ans de plus que moi.
Combien aura-t-il de plus que moi dans 20 ans ?

67 Fractions décimales *(1)*

COMPÉTENCES : Lire, écrire une fraction décimale.

Calcul mental

Sommes de multiples de 50.

350 + 250

Lire, débattre

Chercher

A Reproduis cette droite graduée.

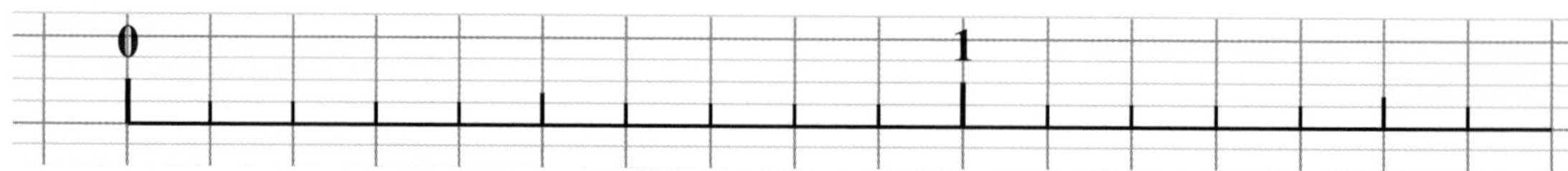

Pourquoi dit-on que cette droite est graduée en **dixièmes** ?

a. Place les fractions suivantes :

- huit dixièmes ◆ treize dixièmes ◆ $\frac{10}{10}$ ◆ $\frac{2}{10}$ ◆ $\frac{12}{10}$ ◆ $\frac{4}{10}$ ◆ $\frac{16}{10}$

Lesquelles sont inférieures à 1 ? supérieures à 1 ? Laquelle est égale à 1 ?

b. Encadre entre deux nombres entiers consécutifs les fractions : ◆ $\frac{4}{10}$ ◆ $\frac{13}{10}$ ◆ $\frac{21}{10}$

B Pourquoi dit-on que cette droite est graduée en **centièmes** ?

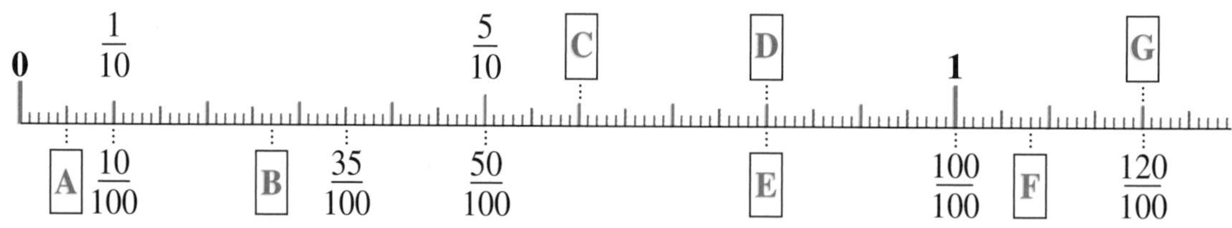

a. Écris en centièmes les nombres qui correspondent aux lettres A, B, E et F.

b. Écris en dixièmes les nombres qui correspondent aux lettres C, D et G.

c. Recopie et complète les égalités. ◆ $\frac{8}{10} = \frac{....}{100}$ ◆ $\frac{1}{10} = \frac{....}{100}$ ◆ $\frac{5}{....} = \frac{50}{100}$

d. Par quelle fraction exprimée en centièmes peut-on remplacer le nombre entier 2 ?

Mémo

$\frac{5}{10}$ se lit cinq dixièmes. $\frac{32}{100}$ se lit trente-deux centièmes. $1 = \frac{10}{10}$ $1 = \frac{100}{100}$

Les fractions dont le dénominateur est 10, 100 ou 1 000 sont des fractions décimales.

S'exercer, résoudre

Banque d'Exercices n°s 13 et 15 p. 153

1 Écris les fractions correspondant aux points de couleur.

2 Écris en lettres chaque fraction. ◆ $\frac{10}{100}$ ◆ $\frac{1}{10}$ ◆ $\frac{25}{100}$

3 Reproduis la droite graduée et place les fractions suivantes :

◆ $\frac{15}{10}$ ◆ $\frac{8}{10}$ ◆ $\frac{10}{10}$ ◆ $\frac{5}{10}$ ◆ $\frac{12}{10}$

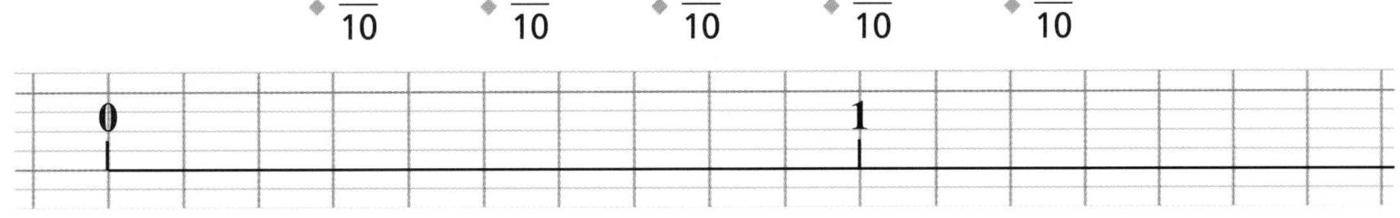

4 Vrai ou faux ?

a. 10 dixièmes, c'est une unité.

b. 100 centièmes, c'est une unité.

c. 10 dixièmes, c'est un centième.

d. 10 centièmes, c'est un dixième.

5 Trace un carré de 10 carreaux de côté.

a. Colorie : ◆ $\frac{3}{10}$ du carré en jaune

◆ $\frac{15}{100}$ du carré en bleu

◆ $\frac{7}{100}$ du carré en vert

b. Quelle fraction du carré est coloriée ?

c. Quelle fraction du carré n'est pas coloriée ?

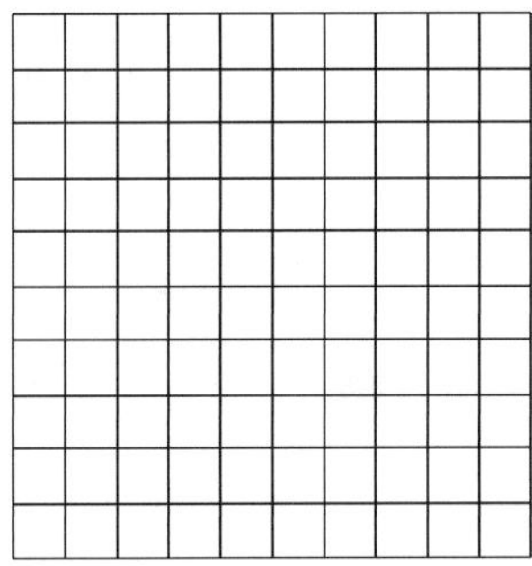

6 Recopie et complète.

a. $\frac{1}{10} = \frac{....}{100}$

◆ $\frac{5}{10} = \frac{....}{100}$

◆ $\frac{9}{10} = \frac{....}{100}$

◆ $\frac{23}{10} = \frac{....}{100}$

b. $6 = \frac{60}{....}$

◆ $2 = \frac{....}{100}$

◆ $1 = \frac{10}{....}$

◆ $10 = \frac{....}{100}$

7 Le commerçant Savantini a une étrange façon d'afficher ses prix.

Traduis-les en centimes.

Réinvestissement

Reproduis ces figures. Colorie :

$\frac{1}{3}$ de la figure ① en bleu,

$\frac{1}{5}$ de la figure ② en vert,

et $\frac{3}{4}$ de la figure ③ en rouge.

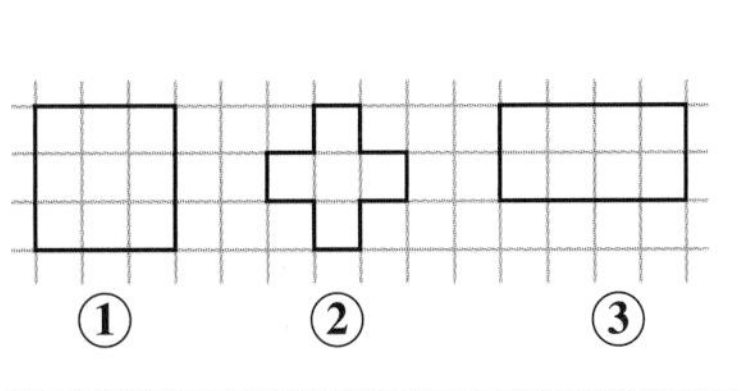

Le coin du chercheur

Quel est le nombre suivant ?

1 ; 2 ; 6 ; 24 ; 120 ; ....

68 Contenances

COMPÉTENCES : Mesurer une contenance. Effectuer des calculs sur les contenances.
Utiliser les équivalences entre les unités.

Calcul mental

Diviser par 10, 100 (quotient entier).

3 600 divisé par 100

Lire, débattre

Chercher

A Observe : ◆ 1 m = 10 dm ◆ 1 g = 10 dg ◆ 1 L = 10 dL

a. Que signifie dL ? cL ? mL ?

b. Recopie et complète : ◆ 1 L = ... dL ◆ 1 L = ... cL ◆ 1 L = ... mL

B En cuisine, quelle est l'utilité d'un verre doseur ?

a. Nayala et Rémi veulent mesurer la contenance d'un pot de yaourt.
Nayala le remplit d'eau, puis verse l'eau dans le verre doseur *(fig. 1)*.
Peut-elle connaître la contenance du pot de yaourt avec précision ?

b. Rémi a versé dix pots d'eau dans le verre doseur *(fig. 2)*.
Quelle est, en cL, la contenance des dix pots ? d'un pot ?

c. Qui a réalisé la mesure la plus précise ?

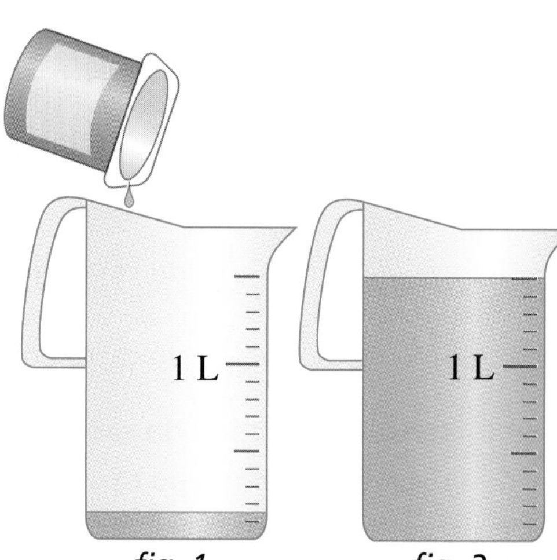

fig. 1 *fig. 2*

C

Cocktail d'été :
➤ Verser :
– 25 cL de jus d'orange
– 10 cL de jus de citron
– 200 mL de jus de raisin.
➤ Agiter. Ajouter 4 dL d'eau gazeuse.
➤ Servir très frais.

Pour réaliser ce cocktail, Anouchka a le choix entre trois grandes coupes de contenance :

◆ 1 L ◆ 800 mL ◆ 50 cL

Laquelle doit-elle choisir ?

Mémo

1 L = 10 dL = 100 cL = 1 000 mL

Avant d'effectuer des calculs sur les contenances, il faut les exprimer avec la même unité.

150 cL = 1 L 50 cL

L	dL	cL	mL
1	5	0	

S'exercer, résoudre

Banque d'Exercices n°s 16, 17, 18 p. 153

1 Convertis :

a. en **dL** : ◆ 2 L ◆ 500 mL ◆ 300 cL

b. en **cL** : ◆ 1 L ◆ 5 dL ◆ 300 mL

c. en **mL** : ◆ 2 L ◆ 30 cL ◆ 6 dL

2 a. Range par ordre croissant les contenances de ces flacons de shampooing.

250 mL

2 dL

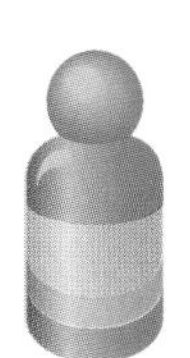
100 mL

15 cL

3 Le médecin conseille à Arnaud de boire tous les soirs 3 cL de sirop pour calmer sa toux.
Une cuillère à soupe a une contenance de 15 mL.
Combien doit-il prendre de cuillerées ?

4 Une canette de soda a une contenance de 25 cL.
Combien faut-il de canettes pour remplir une bouteille de 1 L ?

5 Une cuillère à café a une contenance de 5 mL.
Albane nourrit son bébé d'un petit pot de compote de 10 cL.
Combien de cuillerées va-t-elle lui donner ?

6 Quelle est, en cL, la quantité de liquide dans chaque éprouvette ?

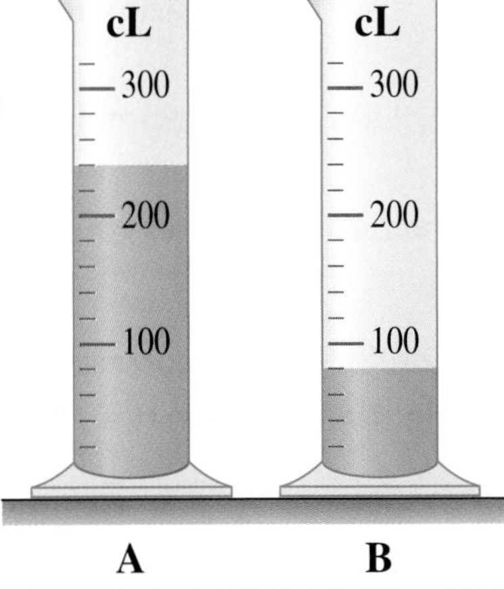

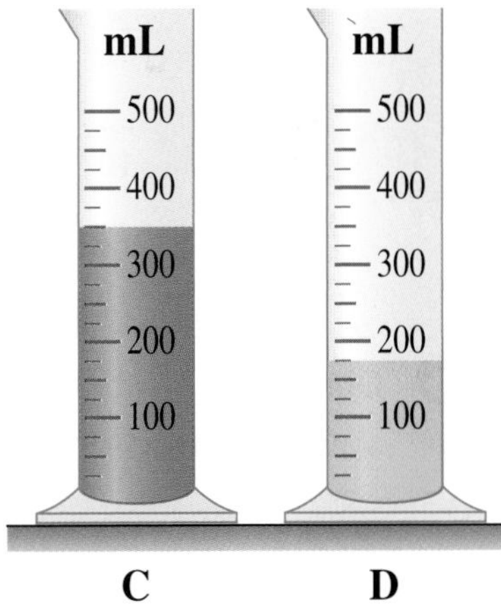

7 Les bouteilles de vin ont généralement une contenance de 75 cL.
Un *Magnum* a une contenance d'un litre et demi, un *Jéroboam* de 3 L, un *Mathusalem* de 6 L et un *Salmanazar* de 9 L.
Combien de bouteilles de 75 cL faut-il pour remplir chacune de ces bouteilles particulières ?

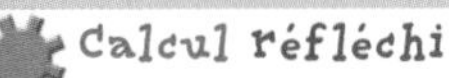

Calcul réfléchi

Diviser un nombre par 2.

Observe : **23 divisé par 2**

23 = 22 + 1
= (2 × 11) + 1
Quotient 11, reste 1.

Divise par 2 les nombres suivants.

◆ 27 ◆ 43 ◆ 48 ◆ 51 ◆ 64

Le coin du chercheur

Adrien est le fils de la fille de mon grand-père.
C'est mon ....
ou mon ....

69 Fractions décimales *(2)*

COMPÉTENCE : **Décomposer une fraction décimale.**

Calcul mental

Combien de fois…
6 dans 42 ?

Lire, débattre

Chercher

A Observe la droite graduée.

a. À quelle fraction correspond une petite graduation ?
Quels nombres correspondent aux lettres **A** et **B** ?

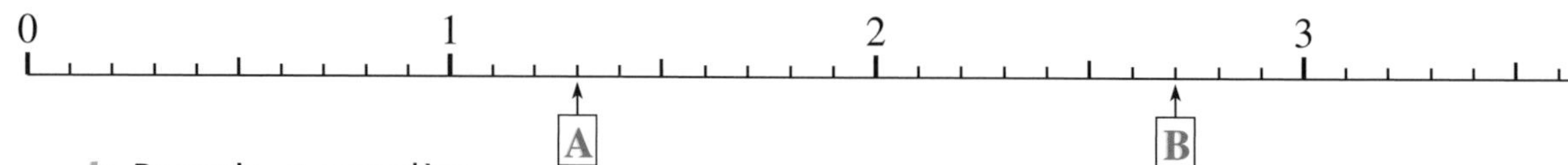

b. Recopie et complète.

A : $\frac{13}{10} = \frac{10}{10} + \frac{3}{10} = 1 + \frac{....}{10}$ La fraction décimale $\frac{13}{10}$ est égale à 1 unité .... dixièmes.

B : $\frac{27}{10} = \frac{20}{10} + \frac{....}{10} = 2 + \frac{....}{10}$ La fraction décimale $\frac{....}{10}$ est égale à 2 unités .... dixièmes

c. Écris de la même façon les fractions suivantes : ◆ $\frac{18}{10}$ ◆ $\frac{32}{10}$

B Observe la droite graduée. À quelle fraction correspond une petite graduation ?

a. Quelles fractions correspondent aux lettres **M**, **P**, **R** et **S** ?

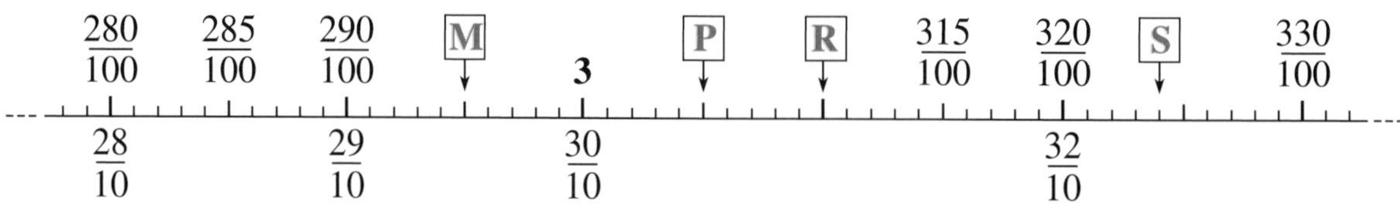

b. Observe l'exemple : $\frac{295}{100} = \frac{200}{100} + \frac{90}{100} + \frac{5}{100} = 2 + \frac{9}{10} + \frac{5}{100} = 2 + \frac{95}{100}$

Décompose de la même façon les fractions correspondant aux points **P**, **R** et **S**.

c. Écris sous la forme d'une fraction décimale : ◆ $2 + \frac{8}{10} + \frac{7}{100}$ ◆ $3 + \frac{28}{100}$ ◆ $1 + \frac{8}{100}$

Mémo

$\frac{36}{10} = \frac{30}{10} + \frac{6}{10} = 3 + \frac{6}{10}$

$\frac{125}{100} = 1 + \frac{2}{10} + \frac{5}{100}$

$\frac{105}{100} = 1 + \frac{5}{100}$

S'exercer, résoudre

Banque d'Exercices n° 14 p. 153.

1 Aide-toi de la droite numérique pour décomposer les fractions décimales selon l'exemple : $\frac{18}{10} = 1 + \frac{8}{10}$

$\frac{18}{10}$ ↓

0 1 2 3 5 10

a. ◆ $\frac{25}{10}$ ◆ $\frac{62}{10}$ ◆ $\frac{40}{10}$ b. ◆ $\frac{37}{10}$ ◆ $\frac{86}{10}$ ◆ $\frac{100}{10}$

---

2 Décompose ces fractions décimales selon l'exemple : $\frac{253}{100} = 2 + \frac{5}{10} + \frac{3}{100}$

◆ $\frac{154}{100}$ ◆ $\frac{362}{100}$ ◆ $\frac{65}{100}$ ◆ $\frac{205}{100}$

---

3 Écris sous la forme d'une fraction décimale selon l'exemple.

1 unité 5 dixièmes : $1 + \frac{5}{10} = \frac{10}{10} + \frac{5}{10} = \frac{15}{10}$

a. ◆ 2 unités 3 dixièmes ◆ 13 unités 5 dixièmes

b. ◆ 1 unité 5 dixièmes 8 centièmes ◆ 1 unité 4 centièmes

---

4 Quels enfants ont raison ?

Lilou

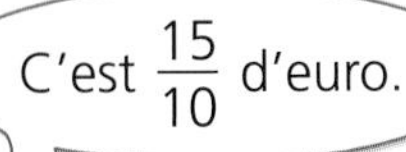

C'est $\frac{150}{100}$ d'euro.

Djamel

Léo

---

5 Le tableau donne les résultats de la course des escargots.
L'unité de longueur est le mètre.

a. Écris ces distances en centimètres.

b. Range ces escargots selon la distance parcourue.

Nom	Distance parcourue
Petit-Louis	$2 + \frac{1}{10} + \frac{4}{100}$
Bourgognet	$2 + \frac{2}{100}$
Gros-Gris	$2 + \frac{2}{10}$
Mourguette	$1 + \frac{9}{10}$

Réinvestissement

Un solide est formé d'un assemblage de six cubes identiques.
Qu'il soit placé devant ce solide, sur le côté droit ou le côté gauche, un enfant voit le dessin vert.

Dessine ce qu'il verrait s'il se plaçait au-dessus du solide.

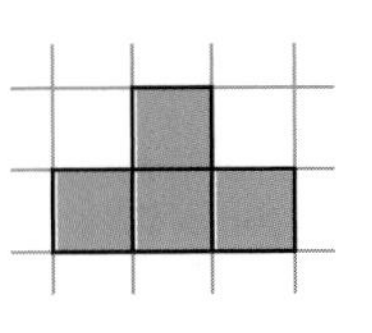

Le coin du chercheur

« Aujourd'hui, j'ai gagné CMXI sesterces* », dit un commerçant romain.
Écris cette somme en chiffres arabes.

* sesterces : monnaie romaine.

70 Identifier et tracer le symétrique d'une figure

Calcul mental

Dictée de fractions simples.

$\frac{3}{2}$

COMPÉTENCES : Identifier et tracer le symétrique d'une figure par rapport à une droite donnée.

Lire, débattre

Chercher

A Dans quelles figures la droite rouge est-elle un axe de symétrie ?

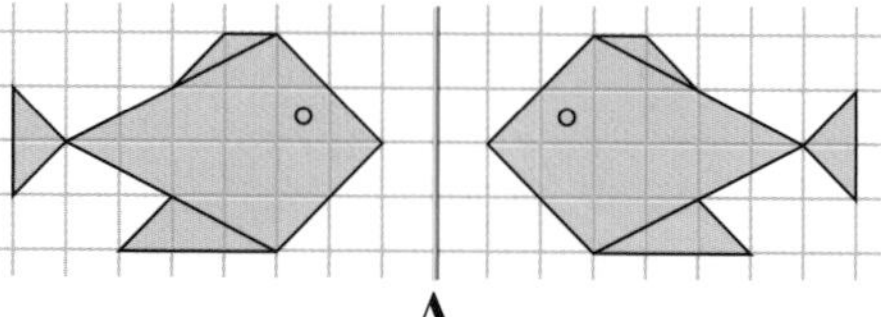

A

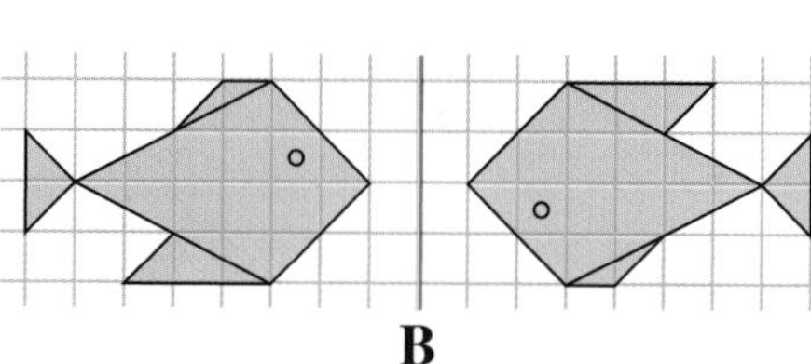

B

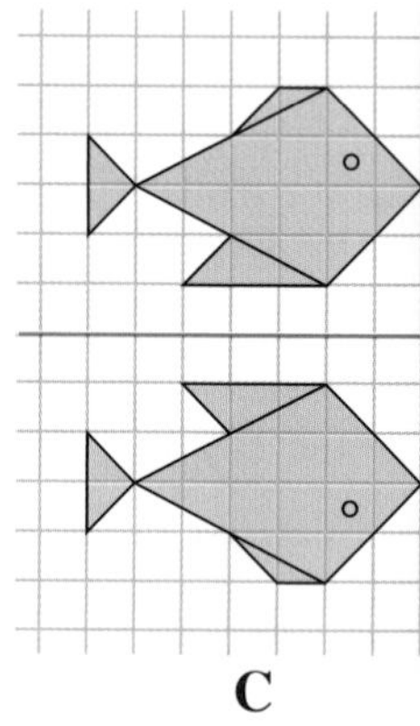

C

B Reproduis chaque figure, puis trace son symétrique par rapport à la droite rouge :

a. en utilisant le quadrillage.

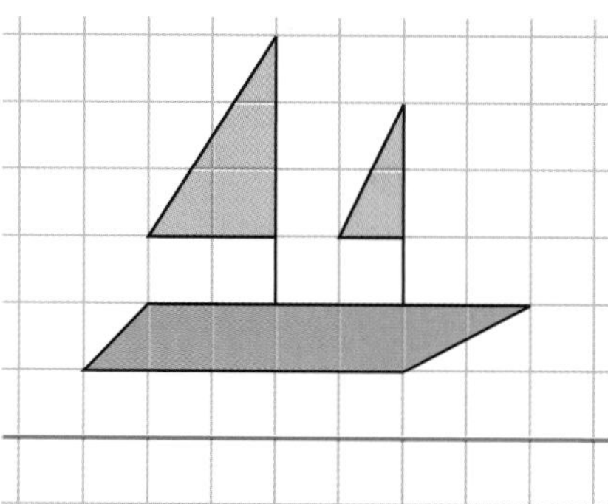

b. en utilisant le calque.

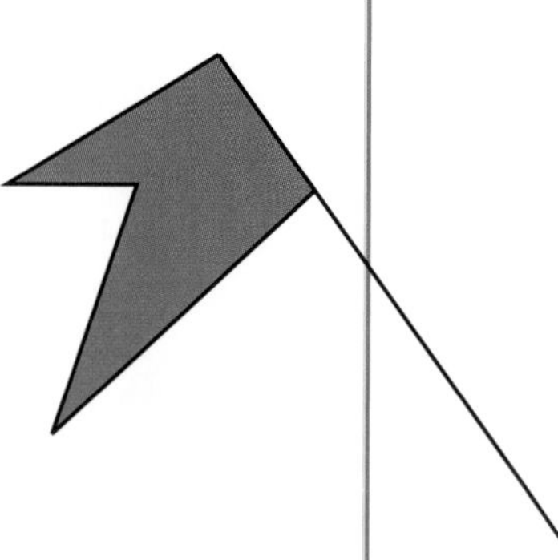

Mémo

Pour tracer le symétrique d'une figure, trace d'abord le symétrique des points importants.

Un point et son symétrique sont à égale distance de l'axe de symétrie.

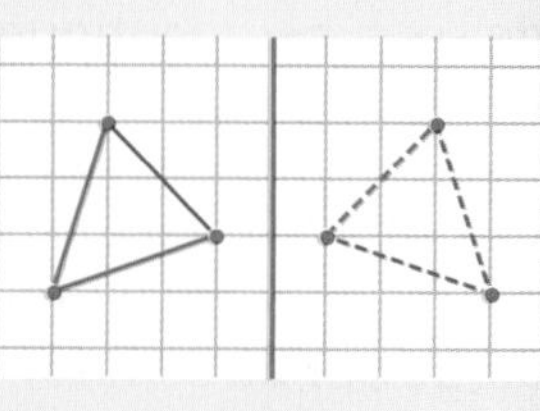

S'exercer, résoudre

Banque d'Exercices nos 19 à 21 p. 153

1 Parmi les figures suivantes, lesquelles ont été obtenues par symétrie ?

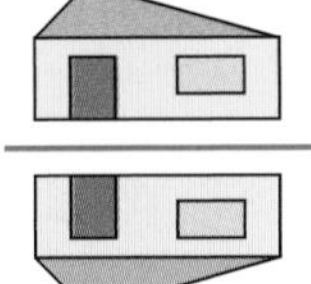

a b c d

2 Reproduis la figure, puis trace son symétrique par rapport à la droite rouge.

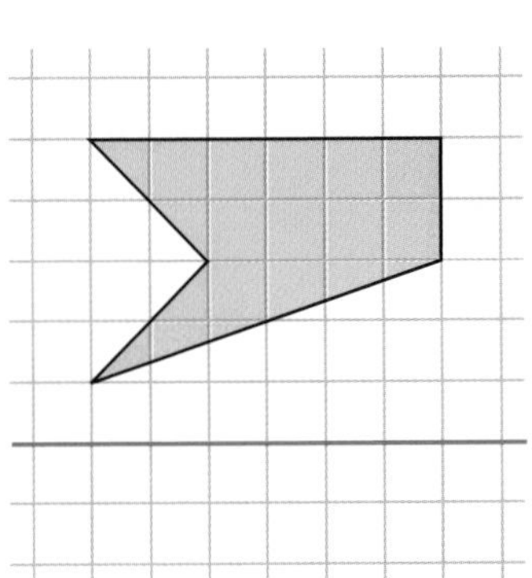

3 Reproduis la figure, puis trace son symétrique par rapport à la droite rouge.

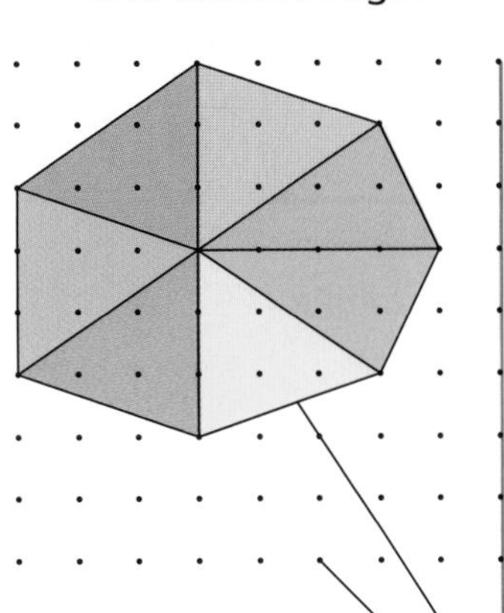

Si tu n'as pas de papier pointé, utilise les nœuds du quadrillage d'une feuille de cahier.

4 Utilise le calque pour reproduire ce dessin et trace son symétrique par rapport à l'axe rouge.

5 Trace chaque lettre A et son symétrique par rapport à la droite rouge.

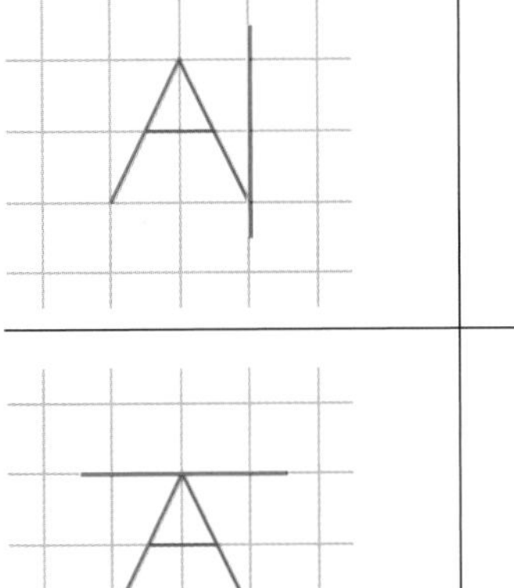

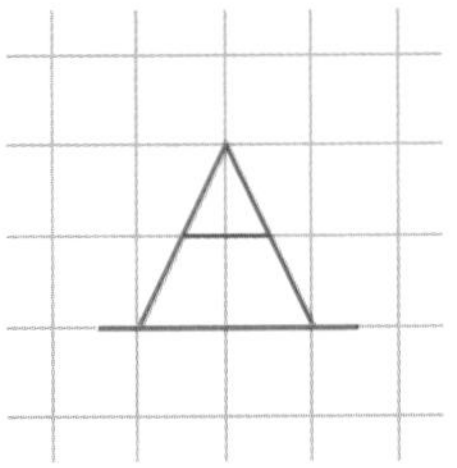

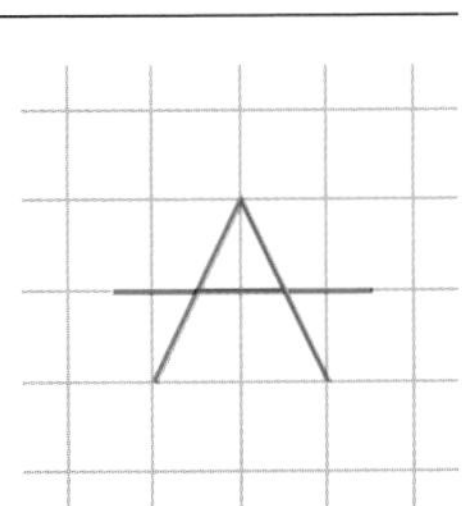

Calcul réfléchi

Diviser par 10

Observe :

248 divisé par 10

248 = 240 + 8

= (24 × 10) + 8 = 24 dizaines + 8

Le quotient de 248 par 10 est 24, il reste 8.

- Divise par 10 les nombres : ◆ 450 ◆ 256 ◆ 1 263
- Divise par 100 les nombres : ◆ 315 ◆ 879 ◆ 2 781

Le coin du chercheur

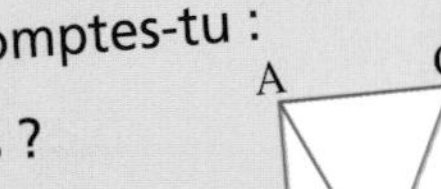

Combien comptes-tu :
- de carrés ?
- de rectangles ?

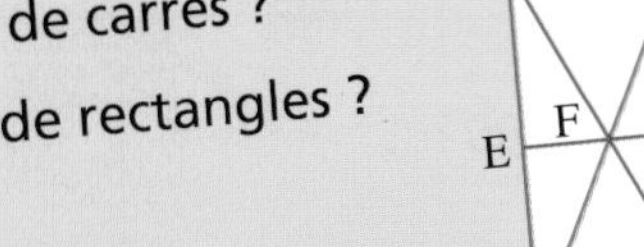

71 Fractions et mesures

COMPÉTENCE : **Savoir utiliser les fractions simples dans les mesures.**

Calcul mental

Arrondir à la centaine la plus proche.

1 280 → 1 300

Lire, débattre

Chercher

A Camille reçoit des invités. Elle décide de préparer un cocktail de jus de fruits et un gâteau. Voici les quantités d'ingrédients nécessaires.

Cocktail de jus de fruits

Ingrédients pour 6 personnes

$\frac{1}{4}$ L de jus d'ananas

$\frac{1}{2}$ L de jus de pamplemousse

$\frac{1}{10}$ L de jus de mandarine

$\frac{3}{4}$ d'un verre de grenadine (contenance du verre 16 cL)

Mélanger le tout, puis placer $\frac{3}{4}$ d'heure au réfrigérateur avant de servir.

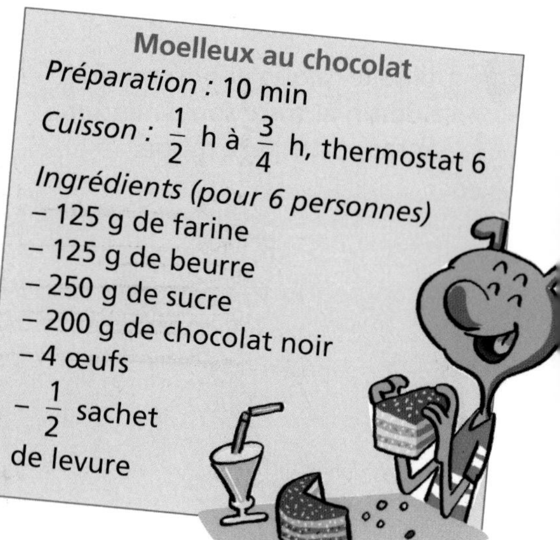

Moelleux au chocolat

Préparation : 10 min

Cuisson : $\frac{1}{2}$ h à $\frac{3}{4}$ h, thermostat 6

Ingrédients (pour 6 personnes)

– 125 g de farine
– 125 g de beurre
– 250 g de sucre
– 200 g de chocolat noir
– 4 œufs
– $\frac{1}{2}$ sachet de levure

a. Écris, en cL, les quantités de chaque ingrédient du cocktail.

b. Combien de minutes Camille doit-elle mettre ce cocktail au réfrigérateur avant de le servir ?

B Les quantités d'ingrédients pour le moelleux au chocolat s'écrivent : $\frac{1}{5}$ kg ; $\frac{1}{4}$ kg ; $\frac{1}{8}$ kg.
Associe la masse en g de chaque ingrédient à sa masse exprimée par une fraction de kg.

Mémo

$\frac{1}{2}$ L = 50 cL = 500 mL	$\frac{1}{2}$ km = 500 m	$\frac{1}{2}$ h = 30 min
$\frac{1}{2}$ m = 50 cm = 500 mm	$\frac{1}{2}$ kg = 500 g	

S'exercer, résoudre

Banque d'Exercices n° 22 p. 153

1 Recopie et complète.

a. • $\frac{1}{4}$ m = ... cm = ... mm • $\frac{1}{4}$ L = ... cL = ... mL

b. • $\frac{1}{4}$ km = ... m • $\frac{1}{4}$ h = ... min • $\frac{3}{4}$ h = ... min

2 Quel est le lieu le plus proche : le centre-ville ou la salle des fêtes ? Justifie ta réponse.

3 Quelle est, en cL, la contenance :

a. d'une bouteille d'eau minérale d'un litre et demi ?

b. d'une bouteille de sirop de $\frac{1}{2}$ L ?

c. d'une bouteille d'eau gazeuse de $\frac{3}{4}$ L ?

4 « Il me faudrait $\frac{1}{2}$ kg de bifteck et $\frac{1}{4}$ kg de saucisses », dit Pierre à la bouchère.

Écris ces masses en grammes.

5 Les enfants organisent une course d'escargots. La piste mesure un mètre.
L'escargot de Ludo a déjà parcouru les $\frac{3}{4}$ du trajet, celui d'Esteban seulement $\frac{1}{10}$.
Il reste encore $\frac{1}{10}$ du chemin à parcourir à l'escargot d'Éva.

a. Quelle est la couleur de l'escargot de chaque enfant ?

b. Quelle distance, en centimètres, chaque escargot a-t-il parcourue depuis le départ ?

6 À combien de minutes correspondent : • $\frac{1}{2}$ h ? • $\frac{1}{4}$ h ? • $\frac{3}{4}$ h ? • $\frac{1}{10}$ h ?

7 « Je vais faire le plein de carburant, car il en reste seulement le quart du réservoir », dit Cathy.

Combien de litres de carburant Cathy doit-elle ajouter pour remplir ce réservoir de 60 L ?

8 Enzo passe un examen.
« Votre épreuve dure une heure. Les trois quarts du temps sont déjà écoulés », annonce le surveillant.
Combien de minutes reste-t-il à Enzo pour terminer son épreuve ?

Réinvestissement

L'unité d'aire est le triangle bleu.

Quelle est la mesure de l'aire du triangle jaune ?

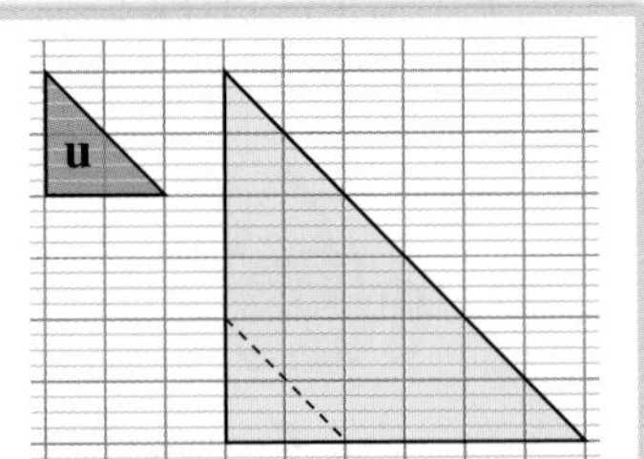

Le coin du chercheur

Écris le numéro de la partie commune aux quatre cercles.

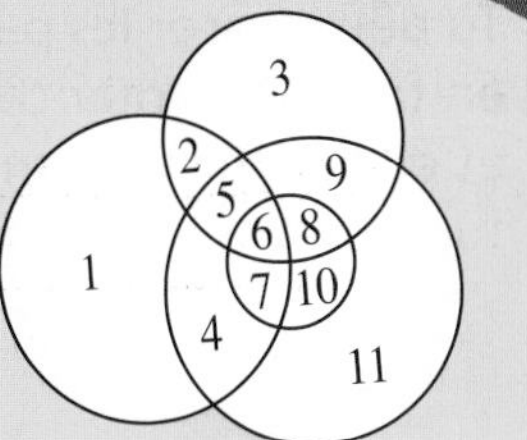

72 Solides *(3)* : Patrons

COMPÉTENCES : **Reconnaître, construire ou compléter un patron de cube, de parallélépipède rectangle, de pyramide, de prisme…**

Calcul mental
Complément d'un multiple de 25 à la centaine supérieure.
75

Lire, débattre

Chercher

Les cubes, les prismes et les pyramides peuvent être construits par pliage et collage à partir de leur patron.

A Parmi ces figures quels sont :
– les patrons de cubes ?
– les patrons de parallélépipèdes rectangles ?
– les patrons de pyramides ?

a

b

B a. Certaines figures ne sont pas des patrons de solides. Lesquelles ?

b. Complète la figure qui permet d'obtenir un patron de cube.

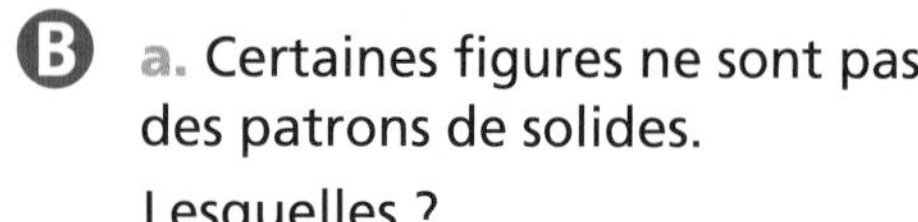

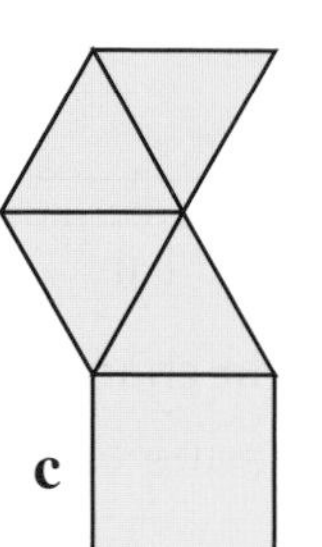

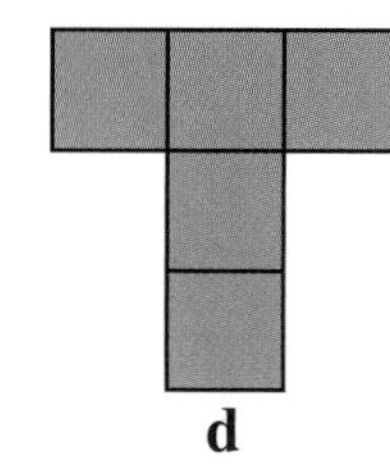

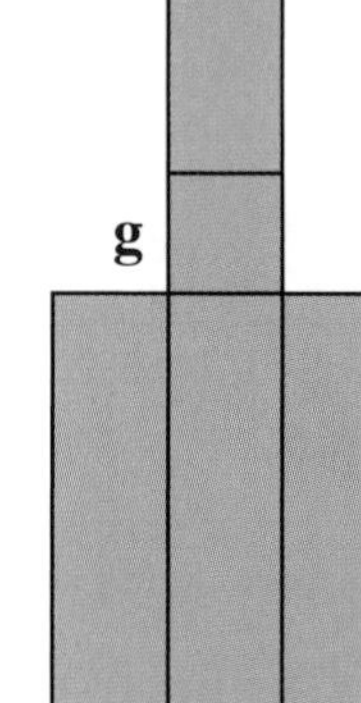

e

f

Mémo

Pour colorier des faces, il faut d'abord les tracer.

Tu peux tracer les patrons des solides en faisant pivoter ces solides sur leurs arêtes, et en traçant les contours des faces ; tu peux ensuite colorier les faces.

S'exercer, résoudre

Banque d'Exercices n° 23 p. 153

1 Parmi ces figures, lesquelles sont des patrons de cube ?

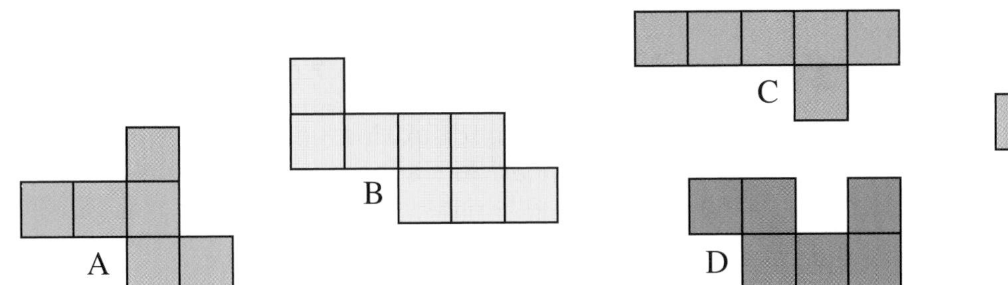

2 Parmi ces dessins, lesquels ne sont pas des patrons de solides ?

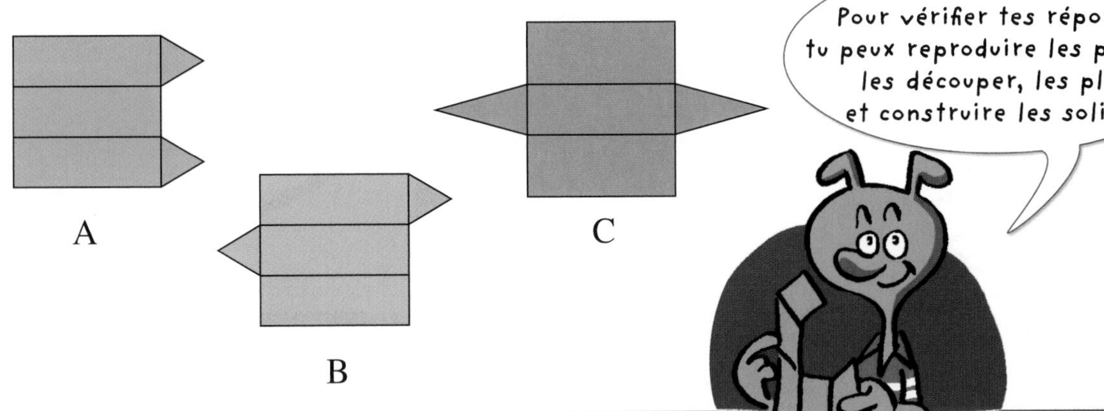

3 Reproduis cette figure sur ton cahier. Complète-la pour obtenir le patron d'un cube.

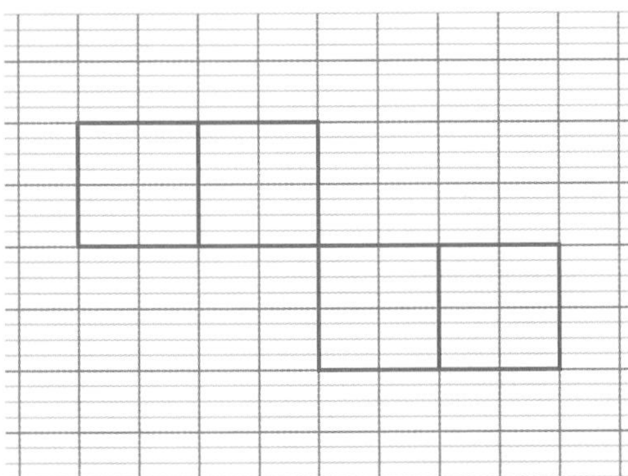

4 Reproduis cette figure sur ton cahier. Complète-la pour obtenir le patron d'un pavé.

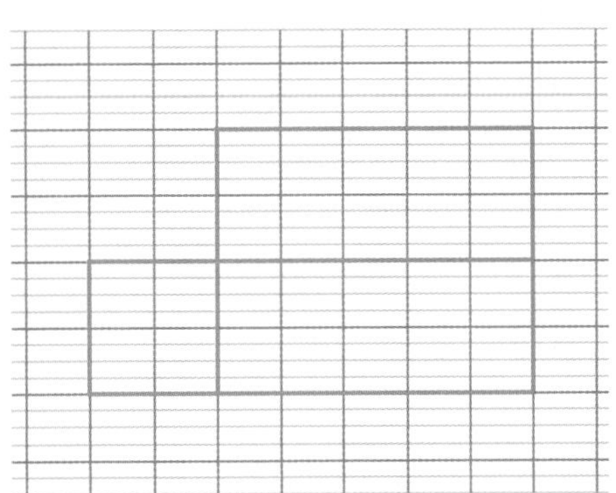

Calcul réfléchi

Diviser un nombre de dizaines par 5

Observe :

120 divisé par 5.
120 divisé par 5, c'est le double de120 divisé par 10.
120 divisé par 10 = 12
Le double de 12 c'est 24.
120 divisé par 5 = 24

Calcule.

- 80 divisé par 5
- 180 divisé par 5
- 200 divisé par 5
- 240 divisé par 5

Le coin du chercheur

Combien de fois utilise-t-on le mot **quinze** lorsque l'on compte de 0 à 1 000 ?

73 Au temps des pharaons

Mobilise tes connaissances !

Objectif

Mobiliser ses connaissances et ses savoir-faire pour interpréter des documents et résoudre des problèmes complexes.

Des fractions dans l'œil d'Horus

Selon la **mythologie*** égyptienne, les dieux Horus et Seth se livrent une lutte interminable. Au cours d'un combat, Seth arrache l'œil gauche d'Horus. Il le coupe en six morceaux et le jette dans le Nil.

À l'aide d'un filet, le dieu Thot récupère 63/64e de l'œil. Par magie, il ajoute la partie manquante pour permettre à l'œil de fonctionner.

L'œil d'Horus est décomposé en six éléments :

- la petite pyramide = $\frac{1}{2}$
- le soleil = $\frac{1}{4}$
- la grande pyramide = $\frac{1}{16}$
- la ligne de sol = $\frac{1}{8}$
- le bloc poussé par l'Égyptien = $\frac{1}{64}$
- la ligne recourbée = $\frac{1}{32}$

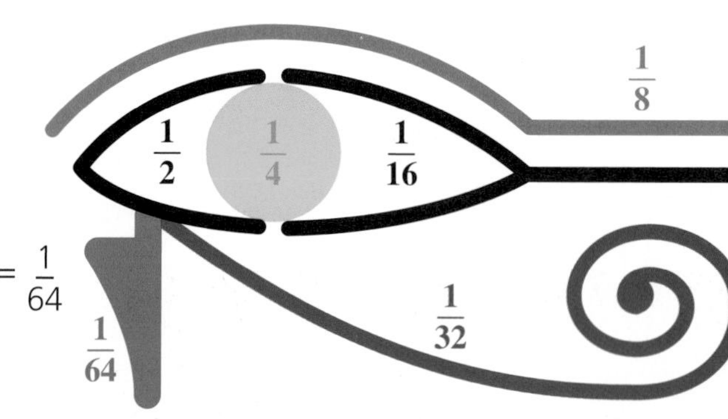

1. Quelle fraction de l'œil Thot ajoute-t-il ?

2. Quelle est la plus grande des fractions dans l'œil d'Horus ? Quelle est la plus petite ?

3. Recopie et complète : $\frac{1}{2} = \frac{\dots}{10} = \frac{\dots}{100}$; $\frac{1}{4} = \frac{\dots}{100}$

4. Trace un cercle de 12 cm de diamètre. Trace ensuite trois autres cercles de même centre dont les rayons mesurent respectivement $\frac{1}{4}$, $\frac{1}{3}$ et $\frac{1}{6}$ du diamètre du premier cercle. Colorie avec des couleurs chaudes, comme le Soleil.

5. Associe les **fioles*** de la reine Cléopâtre qui contiennent la même quantité de parfum.

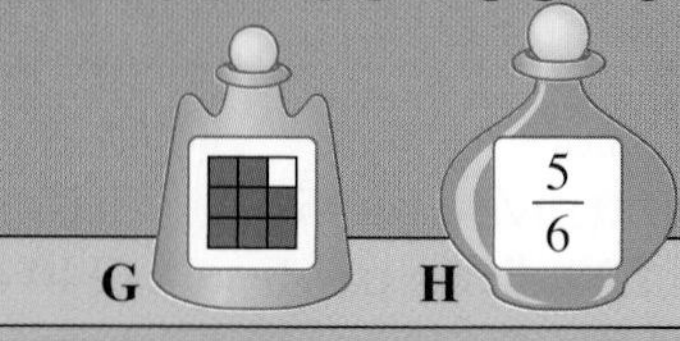

6. Reproduis et complète cette grille de Sudoku avec les nombres 1, 2, 3, 4.

$\frac{8}{2}$			$\frac{9}{3}$
	$\frac{10}{5}$		
		$\frac{12}{4}$	
$\frac{4}{2}$			$\frac{3}{3}$

Écris d'abord ces fractions sous la forme d'un nombre entier et reporte-toi à la règle du Sudoku page 13 (coin du chercheur).

a b c d e f

doc. 1

doc. 2

Les pyramides d'Égypte

Les pyramides abritent les tombeaux des rois, des reines et des grands personnages de l'Égypte antique.

Leur construction témoigne des **compétences*** des ingénieurs égyptiens 40 siècles avant notre ère, principalement dans le domaine des mathématiques.

La pyramide de Khéops, la plus grande de toutes, mesure 147 mètres de haut.

Le Sphinx

Devant les grandes pyramides de Gizeh se dresse la statue du Sphinx. Long de 73 mètres, haut de 20 mètres et large de 14 mètres, le Sphinx a la tête tournée vers l'Est. C'est une sculpture monumentale taillée dans le roc, au milieu d'une grande carrière qui fournissait les blocs de pierre pour la construction des pyramides.

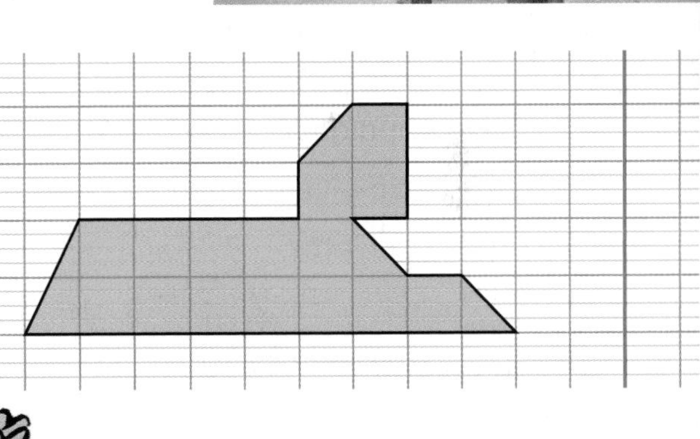

9. Reproduis le Sphinx et trace son symétrique par rapport à la droite rouge.

Cocktail Néfertiti

$\frac{1}{4}$ L de jus de citron vert

$\frac{1}{2}$ L de jus d'orange

$\frac{1}{4}$ L de jus de mangue

Bien mélanger et sucrer à son goût.

10. Recopie la recette du cocktail et exprime les quantités en mL.

La reine Néfertiti

La reine Néfertiti fut l'épouse du pharaon Akhenaton avant que celui-ci ne devienne roi. Elle était célèbre pour sa beauté, **immortalisée*** dans les splendides **bustes*** que l'on peut admirer au musée du Caire et à celui de Berlin.

* **mythologie :** légende d'une civilisation ancienne.
* **compétence :** connaissance approfondie.
* **fiole :** petit flacon.
* **immortalisé :** rendu célèbre même après la mort.
* **buste :** partie supérieure du corps.

Pour chaque exercice, recopie la bonne réponse **A**, **B** ou **C**.

Connaissance des nombres

- Reconnaître et utiliser les fractions

		A	B	C	Aide
1	À quelle fraction du drapeau la partie jaune correspond-elle ?	$\frac{1}{3}$	$\frac{1}{6}$	$\frac{1}{4}$	Leçon 59 Mémo *(p. 122)* Exercice 2 *(p. 123)*
2	Dans quelle figure l'aire coloriée est-elle égale à $\frac{1}{2}$ de celle du carré ? A B C	Figure A	Figure B	Figure C	
3	Sur quelle figure a-t-on colorié $\frac{2}{3}$ du segment ? ① ② ③	Figure ①	Figure ②	Figure ③	Leçon 61 Mémo *(p. 126)* Exercices 1 et 2 *(p. 127)*
4	La lettre A indique la graduation $\frac{1}{3}$ et la lettre B la graduation $1 + \frac{1}{3}$. Qu'indique la lettre C ? 0 1 2 3 A B C	$1 + \frac{2}{3}$	$2 + \frac{2}{3}$	$\frac{9}{3}$	Leçon 63 Mémo *(p. 130)* Exercice 4 *(p. 131)*
5	Quelle somme est égale à la fraction $\frac{25}{10}$?	$1 + \frac{5}{10}$	$2 + \frac{10}{10}$	$2 + \frac{5}{10}$	Leçon 69 Mémo *(p. 140)* Exercice 5 *(p. 141)*
6	Quelle est la fraction égale à 3 ?	$\frac{30}{100}$	$\frac{300}{100}$	$\frac{3}{10}$	
7	Quelle somme est égale à la fraction $\frac{198}{100}$?	$1 + \frac{98}{10}$	$1 + \frac{98}{100}$	$2 + \frac{98}{100}$	

Géométrie

- Utiliser le vocabulaire relatif au cercle : rayon, diamètre…
- Reconnaître, construire ou compléter un patron de solide
- Percevoir, décrire un solide
- Identifier le symétrique d'une figure

	Question	A	B	C	Aide
8	Quel est le centre du cercle ?	Centre C	Centre O	Centre A	Leçon 58 Mémo *(p. 120)*
9	Quel est son rayon ?	AB	BC	OB	
10	Quel est son diamètre ?	EF	AB	BC	
11	Quel dessin permet de construire un pavé ? ① ②	Dessin 2	aucun	Dessin 1	Leçon 72 Mémo *(p. 146)* Exercice 4 *(p. 147)*
12	Sur quel dessin les figures sont-elles symétriques par rapport à la droite rouge ?				Leçon 70 Mémo *(p. 142)* Exercice 1 *(p. 143)*

C B A O F E

Mesures

- Utiliser les unités de mesures de contenance
- Distinguer aire et périmètre

	Question	A	B	C	Aide
13	Range par ordre croissant : ◆ 75 cL ◆ 1 L ◆ 500 mL	500 mL 1 L 75 cL	1 L 75 cL 500 mL	500 mL 75 cL 1 L	Leçon 68 Mémo *(p. 138)* Exercice 2 *(p. 139)*
14	Les figures A et B ont-elles : – la même aire ? – le même périmètre ?	Même aire, périmètre différent	Aire différente, même périmètre	Même aire, même périmètre	Leçon 60 Mémo *(p. 124)* Exercices 1 et 3 *(p. 125)*

u u A B

LEÇON 58

1 Trace un cercle de centre O et de rayon 2 cm. Trace un diamètre de ce cercle et nomme A et B les points où il coupe le cercle.

Trace le cercle de centre A et de rayon égal au diamètre AB.

2 Trace un cercle de 3 cm de rayon. Observe la figure ci-dessous. Avec le compas, reporte des arcs de cercle égaux au rayon.

a. Joins en rouge les points consécutifs. La figure obtenue est un hexagone. Quel est son nombre de côtés ? de sommets ?

b. Joins en bleu les points non consécutifs. Quelle figure obtiens-tu ?

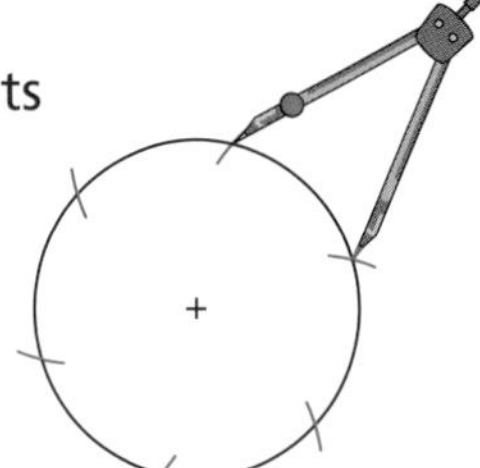

LEÇON 59

3 Le rectangle noir est l'unité d'aire.

a. Écris les fractions correspondant aux parties coloriées

b. Écris les fractions correspondant aux parties non coloriées.

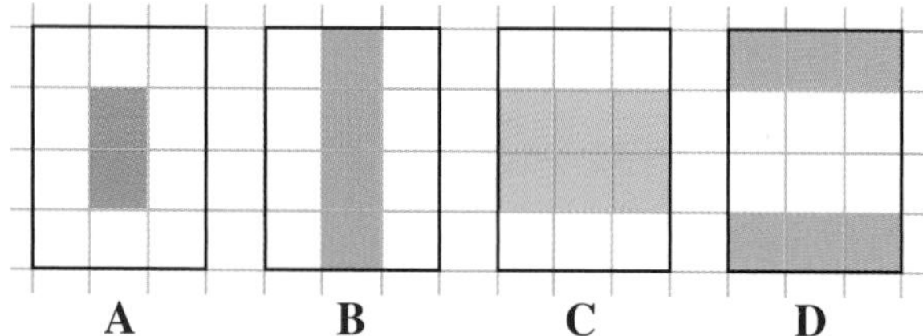

4 Trace trois carrés de quatre carreaux de côté. Colorie $\frac{1}{4}$ du premier, $\frac{1}{8}$ du deuxième et $\frac{1}{2}$ du troisième.

LEÇON 60

5 Quelle figure a :

– la plus petite aire ?

– le plus grand périmètre ?

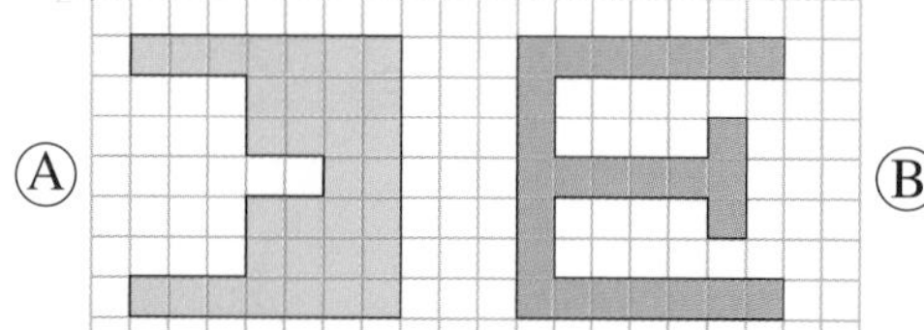

6 a. Dessine un carré de 6 carreaux de côté. L'unité d'aire est l'aire d'un carreau. L'unité de longueur est la longueur d'un carreau. Mesure l'aire de ce carré, puis son périmètre.

b. Dessine un rectangle de même aire que le carré. Mesure son périmètre. Le périmètre du rectangle est-il égal au périmètre du carré ?

LEÇONS 61 et 63

7 L'unité de longueur est la bande **u**. Exprime par une fraction la longueur de chaque bande.

u

A B

C

8 Le segment **u** est l'unité de longueur. Exprime par une fraction la longueur de chaque segment.

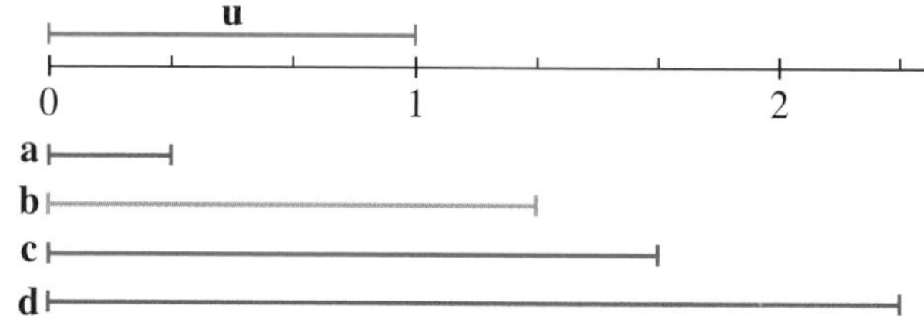

9 Écris une fraction qui correspond à chacune des graduations repérées par une lettre.

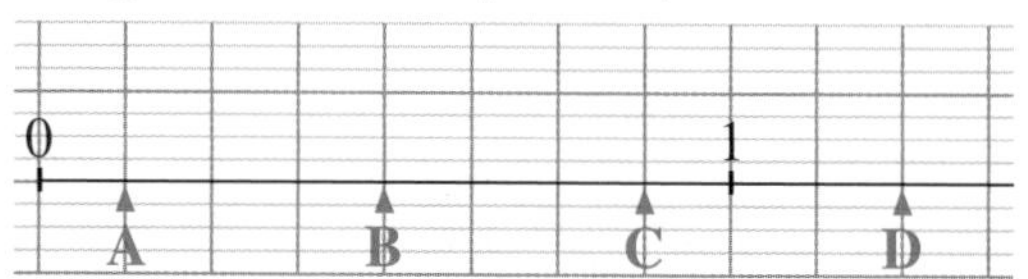

10 L'eau de source se vend par lots de 6 bouteilles d'un litre et demi.

a. Combien de gourdes d'un demi-litre peut-on remplir avec une bouteille ?

b. Combien peut-on en remplir avec un lot complet ?

LEÇON 66

11 Sur ce dessin d'un cube, combien de faces, de sommets et d'arêtes ne sont pas visibles ?

12 Observe ce solide.
Quelles empreintes peut-il laisser dans le sable ?

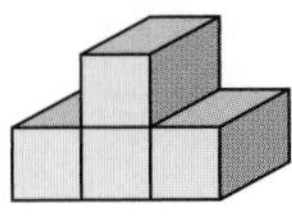

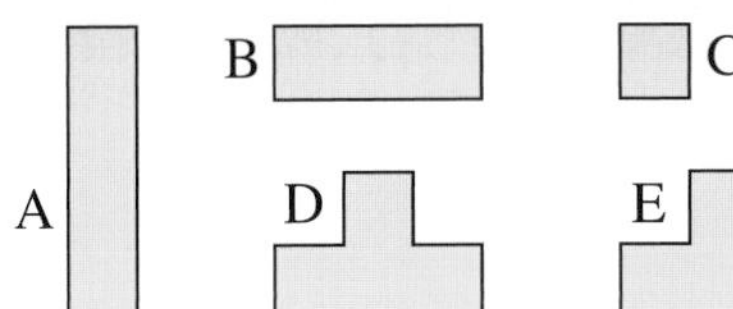

LEÇONS 67 et 69

13 Cette droite est graduée en dixièmes.

a. Indique les fractions repérées par chacune des lettres.

b. Reproduis cette droite, puis place les fractions $\frac{36}{10}$, $\frac{48}{10}$ et $\frac{50}{10}$.

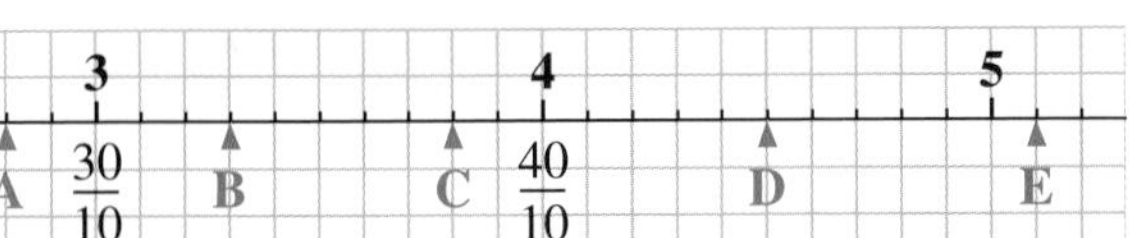

14 Décompose les fractions selon les exemples.

$\frac{17}{10} = \frac{10}{10} + \frac{7}{10}$ $\frac{128}{100} = \frac{100}{100} + \frac{20}{100} + \frac{8}{100}$

- $\frac{50}{10}$ - $\frac{145}{100}$ - $\frac{94}{10}$ - $\frac{805}{100}$

15 Sur une feuille quadrillée, trace un carré de 10 carreaux de côté.

a. Colorie en bleu $\frac{3}{10}$ du carré, en rouge $\frac{20}{100}$ et en vert $\frac{4}{10}$.

b. Exprime en dixièmes, puis en centièmes l'aire non coloriée de ce carré.

LEÇON 68

16 Parmi ces contenances, quelle est la plus petite ? Quelle est la plus grande ?

- 30 L - 37 cL - 900 mL - 300 cL.

17 Avec une bouteille de 1 L de jus d'ananas, combien de verres de 10 cL peux-tu servir à tes camarades ?

18 Mélanie prépare un cocktail de fruits pour ses huit invités. Elle mélange 1 L de jus de pamplemousse, 50 cL d'eau gazeuse et 1 dL de jus de citron vert.

Quelle quantité de jus de fruit obtient-elle ?

LEÇON 70

19 Quels dessins présentent des figures symétriques par rapport à la droite rouge ?

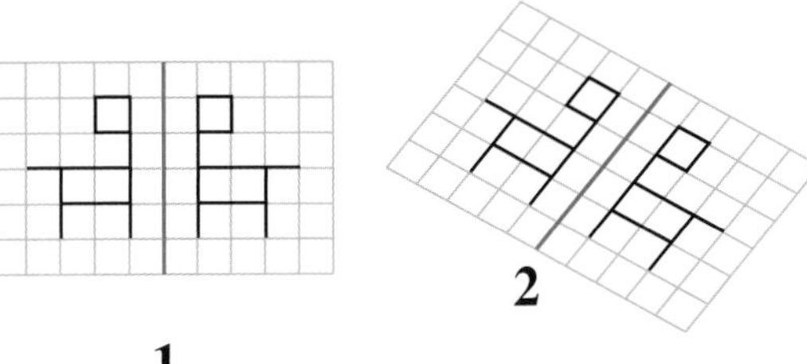

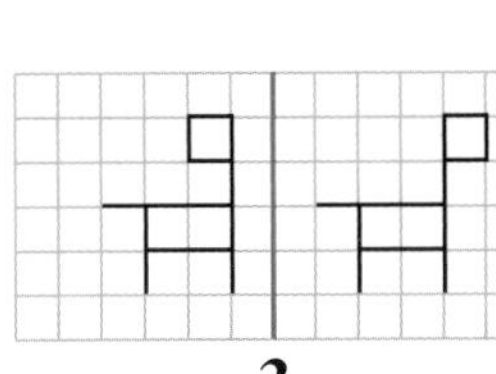

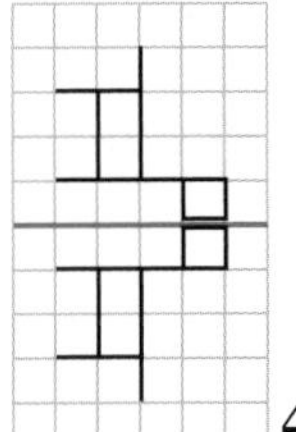

20 Reproduis cette figure, puis trace son symétrique par rapport à la droite rouge.

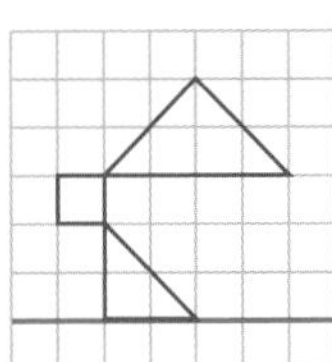

LEÇON 71

21 Recopie et complète.

a. - $\frac{1}{2}$ h = ... min
- $\frac{1}{4}$ h = ... min
- $\frac{3}{4}$ h = ... min

b. - $\frac{1}{10}$ m = ... dm
- $\frac{1}{100}$ m = ... cm
- $\frac{1}{1\,000}$ m = ... mm

LEÇON 72

22 Reproduis ce dessin et complète-le pour obtenir le patron d'un cube.

Atelier problèmes (4)

Travail en équipe

A Problèmes pour apprendre à chercher

COMPÉTENCE : Élaborer des solutions originales pour résoudre des problèmes de recherche.

Problème 1

Quatre adultes et deux enfants vont au cinéma. Les enfants paient demi-tarif.
Un adulte règle le prix des places pour tout le monde, soit 45 €.

Quel est le prix de la place de cinéma ?

Problème 2

Un rectangle a un périmètre de 240 m.
La longueur est le double de la largeur.

Quelles sont les dimensions de ce rectangle ?

Problème 3

Isaure a 24 ans. Son fils Édouard a 2 ans.

Dans combien d'année l'âge d'Isaure sera-t-il le double de l'âge d'Édouard ?

B Problèmes à étapes

COMPÉTENCE : Articuler les différentes étapes d'une solution.

Pour ces problèmes, tu peux utiliser la calculatrice.

Problème 4

Trace un carré de 7 cm de côté et un cercle qui passe par les quatre sommets de ce carré.

Problème 5

M. Dupond veut acheter un téléviseur LCD à 900 €.
Pour cela il revend sa chaîne Hi-Fi 150 €
et on lui reprend son ancien téléviseur pour 75 €.

Combien va-t-il dépenser ?

Problème 6

Rajiv possède 38 photos de mammifères, 36 photos de poissons, 45 photos d'oiseaux. Sur chaque page de son classeur, il ne peut coller que 6 photos. Son classeur comporte 11 pages.

Combien de pages supplémentaires devra-t-il ajouter à son classeur pour y placer toutes ses photos ?

Problème 7

À sa naissance, l'ours brun pèse 350 g ;
à trois mois, il pèse 3 kg et à trois ans, 40 kg.
Il grossit ensuite de 15 kg par an pendant 10 à 15 ans.

Combien pèse un ours brun âgé de 10 ans ?

Période 5

Dans le dessin, retrouve Mathéo la mascotte. Cherche des détails illustrant les notions étudiées dans cette période.

	Leçons
• Lire, écrire, décomposer, comparer des nombres décimaux.	**74, 76**
• Construire une figure à partir d'un message.	**75**
• Calculer la somme, la différence de nombres décimaux.	**77, 78, 80, 85**
• Multiplier, diviser par 10, 100, 1 000.	**81, 82**

	Leçons
• Utiliser les unités de mesure.	**83**
• Résoudre des problèmes relevant de la proportionnalité.	**84, 91**
• Agrandir, réduire des figures.	**89**
• Résoudre un problème.	**79, 86, 87**
• Utiliser la calculatrice.	**88, 90**

74 Nombres décimaux *(1)*

COMPÉTENCE : Passer de l'écriture fractionnaire à l'écriture décimale et réciproquement.

Calcul mental

Dictée de fractions simples.
trois quarts

Lire, débattre

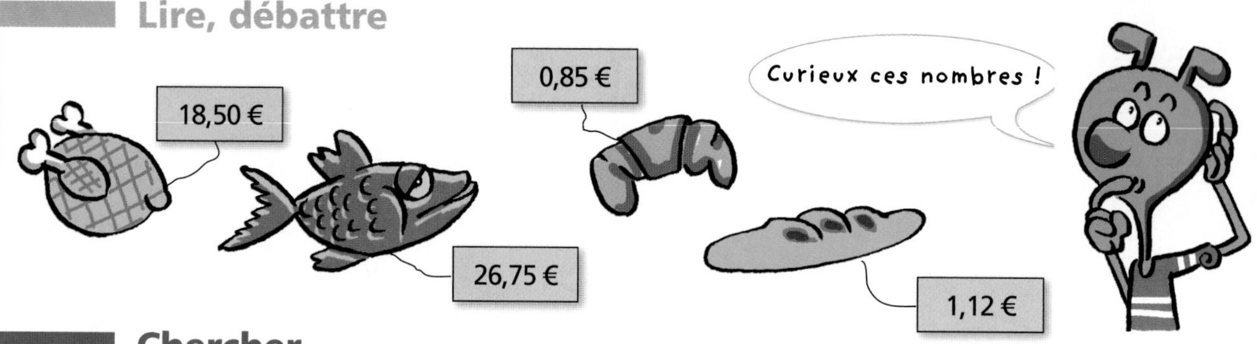

Chercher

A Observe la droite graduée.

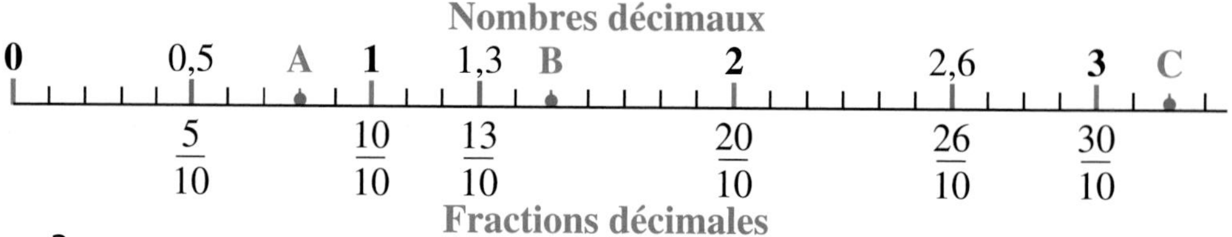

$\frac{13}{10} = 1 + \frac{3}{10} = 1{,}3.$

Le nombre 1,3 est un nombre décimal. Il se lit « une unité trois dixièmes » ou « un virgule trois ».

1 est la partie entière, 3 est la partie décimale.

$\frac{5}{10} = 0{,}5$. Le nombre décimal 0,5 se lit « cinq dixièmes » ou « zéro virgule cinq ».

a. Écris une fraction et un nombre décimal correspondant à chacune des lettres A, B et C.

b. Écris les fractions sous forme d'un nombre décimal : ◆ $\frac{12}{10}$ ◆ $\frac{3}{10}$ ◆ $\frac{35}{10}$ ◆ $\frac{102}{10}$

B $\frac{425}{100} = 4 + \frac{25}{100} = 4{,}25.$

Le nombre 4,25 se lit « quatre unités vingt-cinq centièmes » ou « quatre virgule vingt-cinq ».

Écris les fractions suivantes sous forme d'un nombre décimal : ◆ $\frac{132}{100}$ ◆ $\frac{305}{100}$ ◆ $\frac{8}{100}$ ◆ $\frac{92}{100}$

C Écris en chiffres les nombres décimaux suivants :

a. une unité deux dixièmes
b. quatre dixièmes
c. cinq unités douze centièmes
d. trente-huit centièmes

Recopie ces nombres décimaux : ◆ 34,6 ◆ 0,45 ◆ 124,01 ◆ 9,99 ◆ 10,1
Entoure leur partie entière et souligne le chiffre des dixièmes.

Mémo

Fraction décimale	Partie entière		Partie décimale		Nombre décimal
	dizaine	unité	dixième	centième	
$\frac{349}{100}$		3 ,	4	9	**3,49**

S'exercer, résoudre

Banque d'Exercices n°s 1 à 5 p. 186.

1 a. Recopie chaque nombre et entoure sa partie entière en bleu.

- 15,86
- 5,1
- 0,87

b. Souligne :
– en rouge le chiffre des dixièmes ;
– en noir le chiffre des centièmes.

2 Écris les nombres décimaux qui correspondent aux lettres A, B, C et D.

3 Écris les nombres selon l'exemple.

$\frac{67}{10} = 6,7$

- $\frac{79}{10}$
- $\frac{537}{10}$
- $\frac{7}{10}$
- $\frac{36}{100}$
- $\frac{205}{10}$
- $\frac{80}{100}$

4 Écris en chiffres.

- deux unités trois dixièmes
- neuf dixièmes
- trois unités quatre-vingt-cinq centièmes
- quarante-cinq centièmes
- sept unités cinq centièmes

5 Associe à chaque lettre A, B, C, D l'un de ces nombres :

- 6,4
- 8,2
- 7,2
- 6,9

Trouve d'abord les nombres entiers qui correspondent aux graduations rouges.

? ? ?

A B C D

6 Écris des égalités entre ces nombres selon l'exemple.

$\frac{125}{10} = 12,5$

- $\frac{125}{10}$
- $\frac{189}{10}$
- $\frac{38}{100}$
- $\frac{189}{100}$
- $\frac{38}{10}$
- $\frac{30}{100}$

- 3,8
- 12,5
- 0,38
- 0,3
- 18,9
- 1,89

7 Écris ces nombres en lettres :

- 7,9
- 5,37
- 45,03
- 0,07

Réinvestissement

Trace un losange à l'aide de la règle et de l'équerre. Ses diagonales mesurent 10 cm et 6 cm.

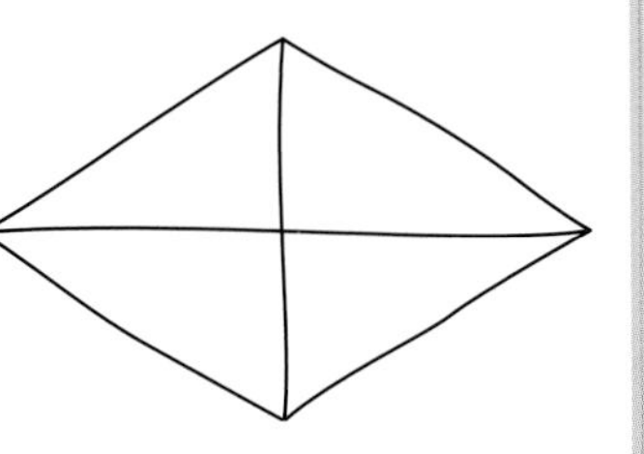

Le coin du chercheur

Le livre que je choisis sur l'étagère est le treizième en commençant par la gauche et le sixième en commençant par la droite.

Quel est le nombre de livres sur l'étagère ?

75 Programmes de construction

COMPÉTENCES : Construire une figure à partir d'un message.
Rédiger la description d'une figure pour en permettre la construction.

Calcul mental

Comparer une fraction à 1.

$\frac{3}{5} < 1$

Lire, débattre

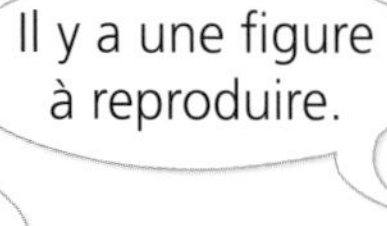

Allo, Martin ?
J'étais malade aujourd'hui.
Que faut-il faire en maths pour demain ?

Comment peut-il, par téléphone, lui décrire la figure à dessiner ?

Chercher

A a. Deux programmes de construction parmi les trois proposés correspondent à cette figure.
Lesquels ?

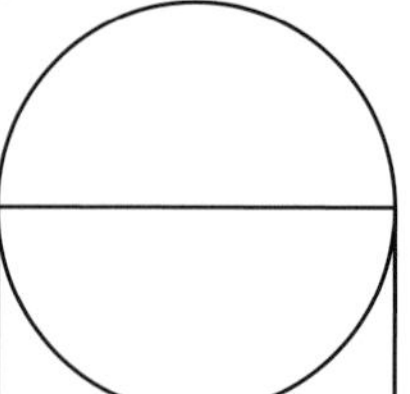

1

1. Trace un rectangle dont la longueur est le double de la largeur.
2. Trace un cercle ayant pour diamètre l'une des longueurs du rectangle.

2

1. Trace un rectangle dont la longueur est le double de la largeur.
2. Trace un cercle qui passe par deux des sommets du rectangle.

3

1. Trace un cercle.
2. Trace un diamètre de ce cercle.
3. Trace un rectangle qui a pour longueur ce diamètre et dont la largeur est égale au rayon du cercle.

b. Complète le programme restant pour qu'il permette de construire la figure.

B Écris le programme qui permet à quelqu'un qui ne voit pas cette figure de la construire.

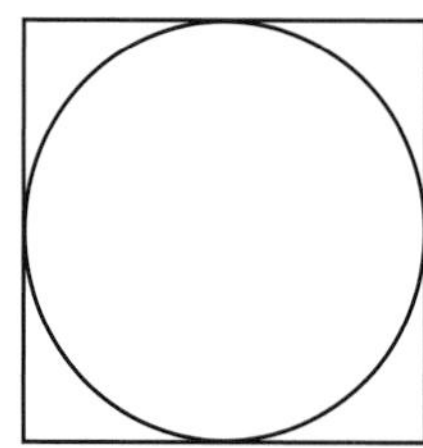

C Trace la figure correspondant à ce programme.

1. Trace un carré.
2. Marque le milieu d'un côté.
3. Joins ce milieu aux sommets du carré situés sur le côté opposé.

Pour tracer une figure, commence par la dessiner à main levée avant de la tracer avec précision.

Mémo

Pour décrire une figure, utilise le vocabulaire de la géométrie : segment, milieu, carré, cercle, axe de symétrie, diamètre, rayon…

S'exercer, résoudre

Banque d'Exercices n°s 6 et 7 p. 186.

1 Parmi ces programmes, lequel permet de construire cette figure sans erreur ?

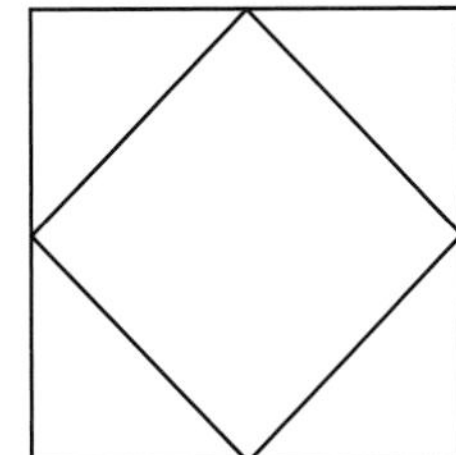

A Trace un carré avec un autre carré à l'intérieur.

B
- Trace un carré.
- Trace un second carré à l'intérieur du premier ; ses sommets sont sur le milieu des côtés du premier carré.

---

2 Ce programme est donné en désordre.

Écris les phrases dans l'ordre et construis la figure.

- Trace un cercle de centre O dont le diamètre est égal au côté du carré.
- Trace les deux diagonales, elles se coupent au point O.
- Trace un carré de 4 cm de côté.

---

3 Quelle figure est décrite par le message ?

La figure comporte :
- un cercle de rayon 4 cm ;
- un autre cercle de rayon 2 cm et qui passe par le centre du premier ;
- une droite qui est axe de symétrie.

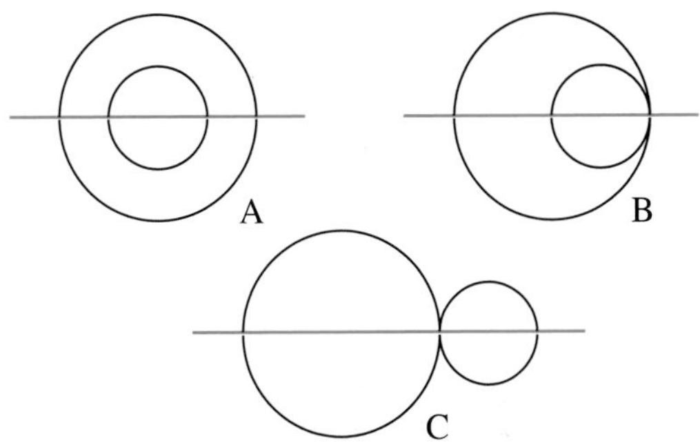

---

4 Écris le programme qui permet à quelqu'un qui ne voit pas cette figure de la construire.

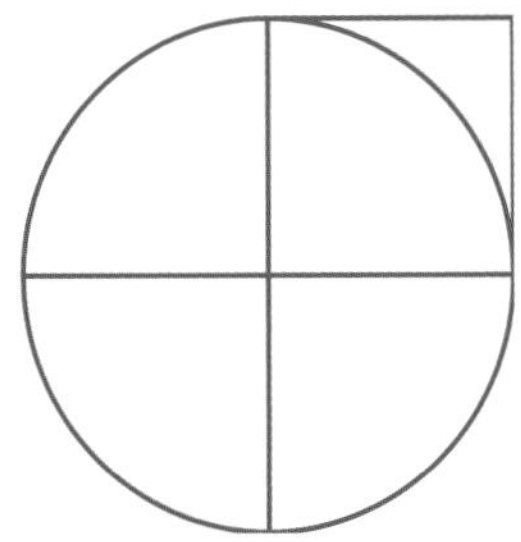

5 Complète l'une des consignes du programme, puis construis la figure.

- Trace deux segments AB et DC de même longueur qui se coupent en leur milieu O.
- Joins les points ACBD.
- Tu viens de tracer un carré.

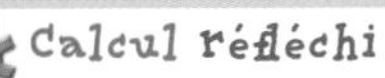

Calcul réfléchi

Trouver des différences égales pour simplifier les calculs

Observe :

158 – 126 = 58 – 26 = 52 – 20 = 32

Calcule.

- 245 – 215
- 357 – 336
- 364 – 342
- 459 – 418
- 567 – 523

Le coin du chercheur

Parmi 5 billes, l'une d'entre elles est légèrement plus lourde.

Comment la découvrir en réalisant *au plus* deux pesées avec une balance Roberval ?

76 Nombres décimaux (2)

COMPÉTENCES : Comparer, ordonner, intercaler des nombres décimaux.

Calcul mental

Tables de multiplication de 7, 8 et 9.

8 × 7

Lire, débattre

Voici les temps réalisés à l'épreuve du 50 m par cinq élèves de CM1.

Épreuve du 50 m	
Hobiana	6,01 s
Sylvain	7,1 s
Arnaud	6,8 s
Maxence	6,24 s
Fatima	6,1 s

C'est Fatima qui a gagné !

Pas si sûr... Comment le vérifier ?

Chercher

A Observe les méthodes de chacun des enfants pour connaître le classement des coureurs.

Moi, je transforme tout en centièmes. $6,24 = \frac{624}{100}$...

Je compare les parties entières, puis les parties décimales de chaque nombre. 6,24 < 7,1 car 6 < 7...

Je place ces nombres décimaux sur une droite graduée **en centièmes**.

Range ces nombres par ordre croissant en utilisant la méthode de ton choix.

B Observe le schéma.
Recopie et complète avec les nombres de ton choix.

- 3 < .... < 4
- 3,3 < .... < 3,4
- 3,35 < .... < 3,36

Combien de nombres décimaux peut-on intercaler entre deux nombres ?

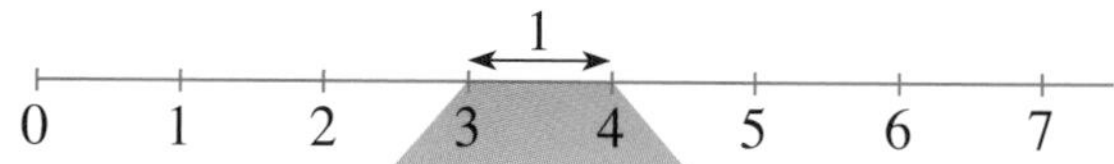

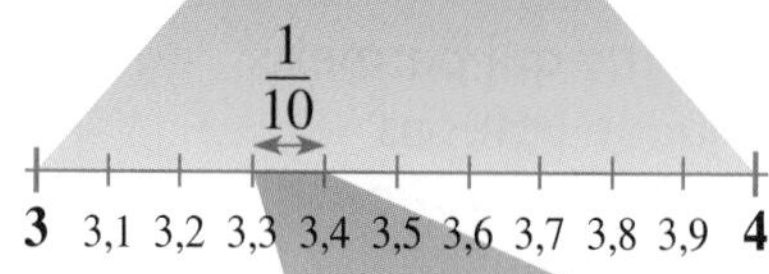

On partage une unité en dix parties égales, on obtient un **dixième**.

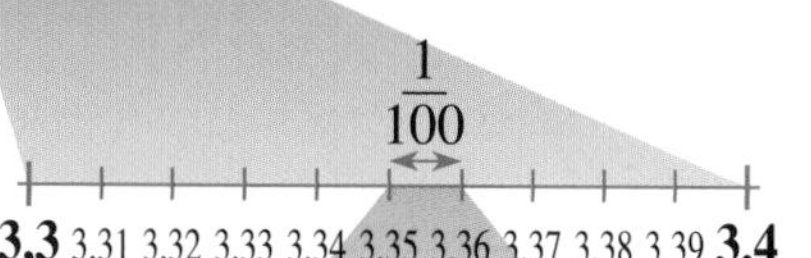

On partage un dixième en dix parties égales, on obtient un **centième**.

C Recopie les nombres suivants et encadre-les entre deux entiers consécutifs.

- .... < 1,6 < ....
- .... < 2,47 < ....
- .... < 0,4 < ....
- .... < 28,07 < ....

D Trouve le nombre entier le plus proche selon l'exemple : **6,8 → 7.**

- 3,6
- 9,9
- 12,09
- 0,3

Mémo

Pour comparer des nombres décimaux,
– on compare d'abord les parties entières ;
– s'ils ont la même partie entière, on compare les parties décimales (d'abord les dixièmes, puis les centièmes...).

7,32 < 7,8 car $\frac{3}{10} < \frac{8}{10}$ **5,23 < 5,26** car $\frac{3}{100} < \frac{6}{100}$

Banque d'Exercices
nos 8 à 11 p. 186.

S'exercer, résoudre

1 Recopie et complète en utilisant les signes : <, =, >.

a. ◆ 5,5 .... 5, 7 ◆ 17,2 .... 16,8 ◆ 8 7,9

b. ◆ 0,25 .... 0,5 ◆ 4,50 .... 4,5 ◆ 5,03 5,30

2 Range les listes de nombres par :

a. ordre croissant : 3,36 3,7 3,74 3,9 3,1

b. ordre décroissant : 7 7,07 0,7 0,77 7,7

3 Arrondis chaque prix au nombre entier le plus proche.

5,85 €

0,99 €

4 Encadre chaque nombre décimal.

5 < 5,08 < 6

◆ 18,3 ◆ 27,7 ◆ 67,1 ◆ 0,99 ◆ 87,91 ◆ 50,99

5 Recopie et place un nombre dans chaque encadrement.

a. ◆ 2 < .... < 3 ◆ 14 < .... < 15 ◆ 57 < .... < 58

b. ◆ 0,8 < .... < 0,9 ◆ 5,2 < .... < 5,3 ◆ 46,9 < .... < 47

6 Avec ces trois chiffres et la virgule, écris quatre nombres. Range-les par ordre croissant.

0

,

7 Voici le tableau des résultats du Triple saut Dames aux Championnats du monde d'Helsinki en 2005.

a. Range ces performances dans l'ordre croissant.

b. Donne le podium de cette compétition (médailles d'or, d'argent et de bronze).

Athlète		Performance
Soudan	Aldama	14,72 m
Grèce	Devetzi	14,64 m
Sénégal	Ndoye	14,47 m
Russie	Pyatykh	14,78 m
Cuba	Savigne	14,82 m
Jamaïque	Smith	15,11 m

Réinvestissement

Il manque une face à chacun de ces dessins pour obtenir des patrons de cubes. Reproduis-les, puis complète-les.

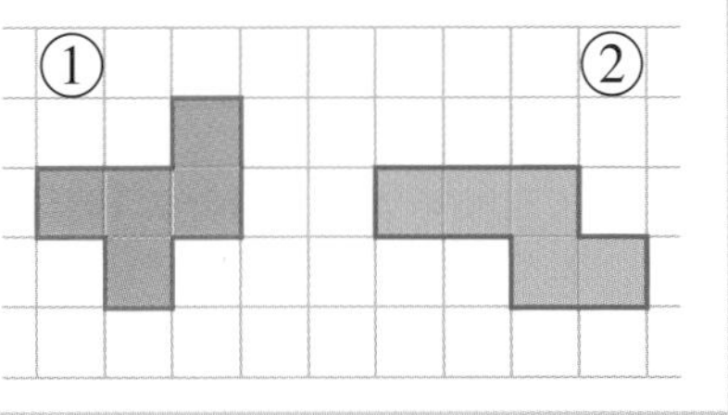

Le coin du chercheur

Repère la bille la plus lourde parmi 9 billes en réalisant deux pesées avec une balance Roberval.

77 CALCUL RÉFLÉCHI Ajouter des nombres décimaux simples

COMPÉTENCE : Calculer des sommes de nombres décimaux par un calcul en ligne.

Calcul mental

Dictée de nombres décimaux.
1 unité 5 centièmes

Comprendre et choisir

A Comment calculer 0,8 + 0,4 ?

Observe, recopie et complète les calculs de Théo et de Léa.

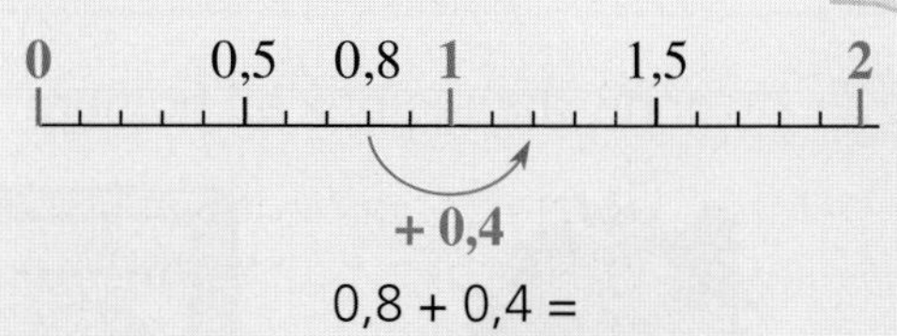

0,4 c'est 4 dixièmes
0,8 c'est .... dixièmes

8 dixièmes + ... dixièmes = ... dixièmes

Donc 0,8 + 0,4 = ...

B Recopie et complète les calculs de Thomas.

a. 1 + 2,8 = 1 + 2 + 0,8 = ... b. 1,3 + 2,5 = 1 + 0,3 + 2 + 0,5 = ...

S'exercer, résoudre

Tu peux utiliser ton cahier d'essais.

1 Calcule sans poser les opérations.

a. ◆ 0,4 + 0,5 ◆ 0,8 + 0,2 ◆ 0,5 + 0,3 ◆ 0,5 + 0,5

b. ◆ 0,9 + 0,2 ◆ 0,8 + 0,3 ◆ 0,7 + 0,7 ◆ 1,5 + 0,5

2 Calcule sans poser les opérations.

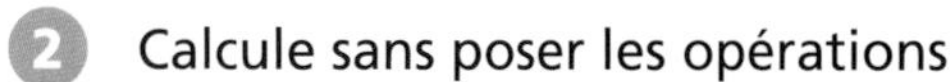

a. ◆ 3,5 + 4 ◆ 8 + 3,1 ◆ 1,5 + 2,3 ◆ 1,5 + 1,5

b. ◆ 2,3 + 0,7 + 1,2 ◆ 0,5 + 1,5 + 4 ◆ 0,2 + 3,4 + 0,8

3 Pour chaque suite, écris les dix nombres qui suivent.

a. 0,4 0,6 0,8 1 b. 5,2 5,7 6,2 6,7

4 L'espace occupé sur la clé USB de Laurie est 2,3 Go (Giga-octets). L'espace encore libre est 1,7 Go.

Quelle est la capacité de cette clé ?

78 Additionner et soustraire des nombres décimaux

COMPÉTENCES : **Maîtriser les algorithmes de l'addition et de la soustraction des nombres décimaux.**

Calcul mental

Passer d'une fraction décimale à un nombre à virgule.

124/100

Comprendre

A Naïma possède 50 €. Elle achète un sac de sport à 23,90 € et un chapeau à 16,65 €.
Combien dépense-t-elle ?
Combien lui reste-t-il ?

	2	3,	9	0
+	1	6,	6	5
	.	.	.	.

	5	0,	0	0
–	.	.	.	.
	.	.	.	.

a. Observe comment Naïma pose les opérations, puis termine ses calculs.
b. Rédige la réponse.

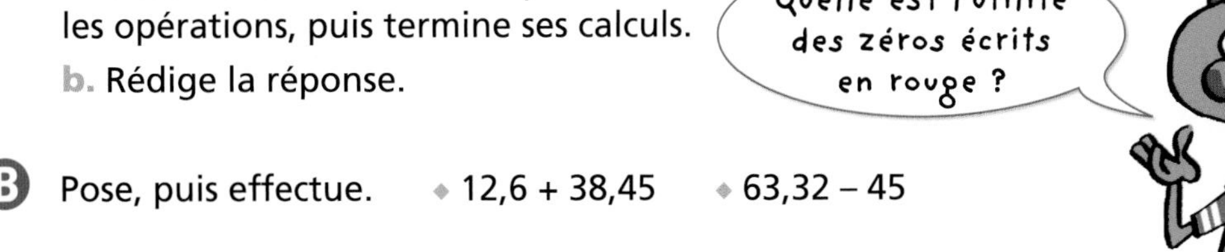

B Pose, puis effectue. • 12,6 + 38,45 • 63,32 – 45

S'exercer, résoudre

Banque d'Exercices n°s 12 à 16 p. 186.

1 Effectue.
- 4,35 + 5,75
- 28 + 45,85
- 8,32 + 4,5
- 325,6 + 89 + 7,6

2 Effectue.
- 52,86 – 8,52
- 100 – 37,4
- 28,52 – 19
- 12,5 – 5,25

3 Le 7 avril 2007, le TGV-Est a établi un nouveau record en atteignant la vitesse de 574,8 km/h. Son précédent record avait été établi le 18 mai 1990 avec 515,3 km/h.
Quel est l'écart entre ces deux vitesses ?

4 Nathan possède 15 € et souhaite acheter deux cadeaux à la brocante.
Écris la liste des choix possibles.
Combien lui resterait-il dans chaque cas ?

4,90 € 12 € 6,85 € 5,15 €

Mémo

Pour poser une addition ou une soustraction de nombres décimaux, aligne correctement les nombres et les virgules.
Tu peux écrire 0 lorsque les rangs des dixièmes ou des centièmes sont vides.

45,35 + 7,5

	4	5,	3	5
+		7,	5	0
	5	2,	8	5

45 – 4,6

	4	5,	0
–		4,	6
	4	0,	4

Réinvestissement

Reproduis ce dessin. Complète-le pour obtenir le patron d'une pyramide à base carrée.

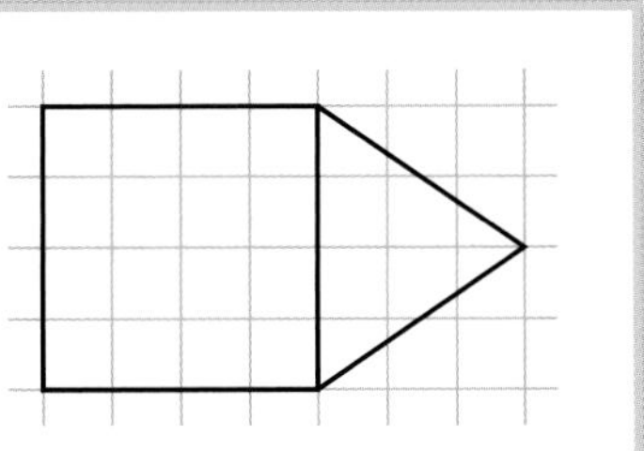

Le coin du chercheur

Reproduis cette figure sans lever ton crayon.

79 PROBLÈMES
Procédures personnelles *(5)*

COMPÉTENCES : Chercher et produire une solution originale dans un problème de recherche.

Calcul mental
Comparer des nombres décimaux.
1,25 et 1,8

Chercher, argumenter

A Cherche seul puis avec ton équipe.

Chez le glacier, on a le choix entre cinq parfums différents : vanille, fraise, chocolat, pistache et citron.
Combien de cornets de deux boules de parfums différents peut-on commander ?

B Observe maintenant le raisonnement de l'équipe de Béatrice.
Reproduis ce tableau, complète-le et rédige la réponse.

	Vanille	Fraise	Chocolat	Pistache	Citron
Vanille	~~V – V~~	V – F	V – N		
Fraise	~~V – F~~	~~F – F~~			
Chocolat					
Pistache					
Citron					

Nous cherchons tous les cornets de deux boules différentes en construisant un tableau à double entrée.

Pourquoi a-t-on barré certaines cases ?

S'exercer, résoudre

1 Un archipel est composé de six îles. Chacune est reliée aux autres par un pont.
Quel est le nombre de ponts ?

Cherche sur ton cahier d'essais.

2 Quatre équipes, les Alligators, les Babouins, les Castors et les Dromadaires, s'affrontent dans un tournoi.
Chaque équipe doit jouer contre toutes les autres.
Combien de matches auront lieu ?

3 Six personnes : Aglaé, Boris, Cathy, Danaé, Érika, Florian se rencontrent.
Chacune serre la main de tous les autres.
Combien de poignées de mains sont échangées ?

80 CALCUL RÉFLÉCHI
Moitié de nombres impairs

COMPÉTENCE : Savoir calculer la moitié d'un nombre impair.

Calcul mental

Quel est le chiffre des dixièmes dans… ?

12,5

Comprendre et choisir

1 = 0,5 + 0,5
3 = 1,5 + 1,5
5 = 2,5 + 2,5
7 = 3,5 + 3,5
9 = 4,5 + 4,5

A Recopie et complète le calcul des deux enfants.

Zoubir

moitié de 35 = moitié de 30 + moitié de 5
= …. + ….
= ….

Aglaé

moitié de 35 = moitié de 34 + moitié de 1
= …. + ….
= ….

B La moitié d'un nombre entier est-elle toujours un nombre entier ?

C Par quel chiffre se termine la moitié d'un nombre impair ?

S'exercer, résoudre

Banque d'Exercices n° 17 p. 187.

1 Calcule la moitié de : ◆ 11 ◆ 13 ◆ 15 ◆ 17 ◆ 19

2 Calcule la moitié de : ◆ 43 ◆ 51 ◆ 65 ◆ 77 ◆ 99

3 Un canari adulte pèse 27 grammes, son petit la moitié. Quel est son poids ?

4 Chiara a placé le point I au milieu du segment AB qui mesure 21 cm.
À quelle distance de A se trouve le point I ?

5 Les jumeaux Tomine et Mathias se partagent équitablement 45 euros qu'ils ont reçus pour leur anniversaire.

Quelle somme chacun aura-t-il ?

6 Une maman et son fils vont à un concert. La place adulte coûte 33 €. Les enfants paient demi-tarif.

Quelle somme devront-ils payer ?

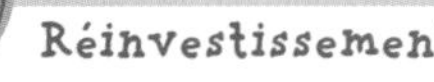

Réinvestissement

Dans chacun des nombres suivants, que représente le chiffre **7** ?

◆ 3 057 195 ◆ 7 245 610 ◆ 1 423 729
◆ 2 728 032 ◆ 4 302 876 ◆ 5 371 641

Le coin du chercheur

Quelle image de la lettre b renvoie un miroir ?

b ?

81 CALCUL RÉFLÉCHI Multiplier un nombre décimal par 10, 100, 1 000

COMPÉTENCE : Calculer en ligne le produit d'un nombre décimal par 10, 100, 1 000.

Calcul mental

Quel est le nombre de dixièmes dans… ?

1,2

Comprendre

A Pour un anniversaire, Karim achète 10 bonbons à 0,65 €. Combien paie-t-il ?

a. Observe, recopie et termine ses calculs.

0,65 € = 65 c
65 × 10 = ... c
.... c = ... €
0,65 × 10 = ...

Je calcule d'abord le prix en centimes, puis je convertis en euros.

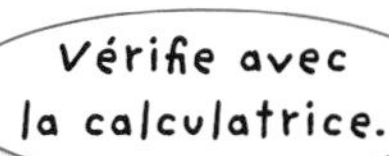

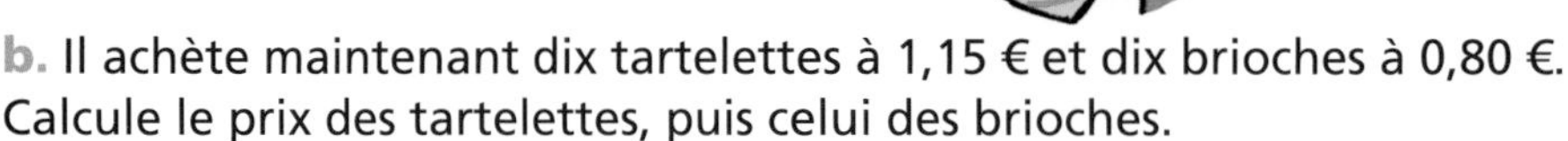

b. Il achète maintenant dix tartelettes à 1,15 € et dix brioches à 0,80 €. Calcule le prix des tartelettes, puis celui des brioches.

c. Observe la place de la virgule quand tu multiplies un nombre décimal par 10. Écris une règle qui permet de multiplier un nombre décimal par 10.

B Recopie ce tableau. Utilise la calculatrice pour le compléter.

×	4,125	0,58	1,2
100			
1 000			

Observe la place de la virgule quand tu multiplies un nombre décimal par 100, par 1 000.
Écris une règle qui permet de multiplier un nombre décimal par 100 ou par 1 000.

Banque d'Exercices n° 18 p. 187.

S'exercer, résoudre

1 Effectue sans poser les opérations.

a. ◆ 9,72 × 10 ◆ 9,72 × 100 ◆ 9,72 × 1 000

b. ◆ 5,5 × 10 ◆ 13,8 × 100 ◆ 20,9 × 1 000

c. ◆ 0,85 × 10 ◆ 0,025 × 10 ◆ 0,7 × 10

2 Recopie et complète.

◆ 0,9 × ... = 9
◆ .... × 100 = 0,7
◆ 0,8 × ... = 80
◆ .... × 10 = 12

3 Le secrétaire du club des nageurs achète 10 timbres à 0,54 € l'un et 100 timbres à 0,20 €. Combien paie-t-il ?

Mémo

Pour multiplier un nombre décimal par 10, 100, 1 000, on déplace la virgule de 1, 2, 3 rangs vers la droite. Si nécessaire, on complète avec des **zéros**.

◆ 4,59 × 10 = 45,9 ◆ 4,59 × 100 = 459 ◆ 4,59 × 1 000 = 4,590 × 1 000 = 4 590

Réinvestissement

0 — 0,25 — 1 ; $\frac{1}{4}$; $\frac{1}{2}$

Recopie et complète par un nombre décimal.

◆ $\frac{1}{4}$ = ... ◆ $\frac{1}{2}$ = ... ◆ $\frac{3}{4}$ = ... ◆ $\frac{3}{2}$ = ...

Le coin du chercheur

Quelle image de la lettre **q** voit-on dans un miroir ?

q ?

82 CALCUL RÉFLÉCHI Diviser un nombre décimal par 10, 100, 1 000

COMPÉTENCE : **Calculer en ligne le quotient d'un nombre décimal par 10, 100, 1 000.**

Calcul mental

Multiplier un décimal par 10.

1,25 multiplié par 10

Comprendre

	Tarifs		
	Forfaits		
	①	②	③
Nombre de photocopies	10	100	1 000
Prix en €	1,50	13	90

A Observe le tableau des tarifs des photocopies.

Karim calcule le prix d'une photocopie dans le forfait ①.

a. Recopie et complète ses calculs.

1,50 € = 150 c 150 : 10 = ... c

Il convertit en euro : .... c = ... € ;

donc 1,5 : 10 = ...

b. Rédige la réponse.

Le signe : signifie « divisé par ».

B Utilise ta calculatrice pour calculer le prix d'une photocopie pour les deux autres forfaits. Observe la place de la virgule quand tu divises un nombre décimal par 10, 100 ou 1 000.
Écris une règle qui permet de diviser un nombre décimal par 10, 100 ou 1 000.

S'exercer, résoudre

1 Effectue sans poser les opérations.

a. • 610,8 divisé par 10
• 610,8 divisé par 100
• 610,8 divisé par 1 000

b. • 825,5 divisé par 10
• 1 650,8 divisé par 100
• 9 372,1 divisé par 1 000

c. • 9,9 divisé par 10
• 78,4 divisé par 100
• 639 divisé par 1 000

2 Recopie et complète.

• 95 854 : .... = 95,854 • 306 : .... = 3,06

• 245, 8 : .... = 24,58 • .... : 10 = 0,9

• 458,5 : .... = 4,585 • .... : 100 = 0,9

3 Mille feuilles de papier format A4 pèsent 5 kg.
Quelle est la masse, en grammes, d'une feuille ?

4 Arthur achète 10 chewing-gums à 0,15 € l'un et 10 bonbons à 0,20 €.
Combien paie-t-il ?

5 Calcule, pour chaque abonnement, le prix de revient d'une photocopie couleur.

Abonnement	A	B	C
Nombre de photocopies	10	100	1 000
Prix en €	5	40	300

Mémo

Pour diviser un nombre décimal par 10, 100, 1 000, on déplace la virgule de 1, 2, 3 rangs vers la gauche. Si nécessaire, on complète avec des **zéros**.

• 451,9 : 10 = 45,19 • 451,9 : 100 = 4,519 • 451,9 : 1 000 = 0,4519

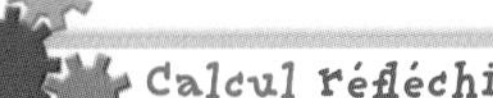

Calcul réfléchi

Ajouter 0,5 à un multiple de 0,5

Observe :

1,5 + 0,5 = 1 + 0,5 + 0,5 = 1 + 1 = 2

Calcule.

• 2,5 + 0,5 • 4,5 + 0,5 • 5 + 0,5 • 9,5 + 0,5

83 Unités de mesure et système décimal

COMPÉTENCES : **Faire le point sur les unités de mesure déjà étudiées.**
Préciser leur originalité et leur universalité.

Calcul mental

Multiplier un décimal par 100.
1,15 multiplié par 100

Chercher

Dans les cahiers de doléances écrits avant la réunion des États généraux, au mois de mai 1789, les Français se plaignaient de leurs unités de mesure. Elles variaient quelquefois d'une ville à l'autre et les conversions étaient difficiles.
Par exemple pour les masses, on utilisait :
le **grain**, le **denier**, l'**once**, le **quarteron**, le **marc**, la **livre**, le **minot**…

1 livre = 2 marcs 1 marc = 8 onces
1 once = 8 gros 1 gros = 3 deniers.

De même qu'il n'y avait qu'un roi, ils réclamaient « une loi, un poids, une mesure ».
C'est pourquoi on adopta à cette époque le système métrique, appelé système décimal.

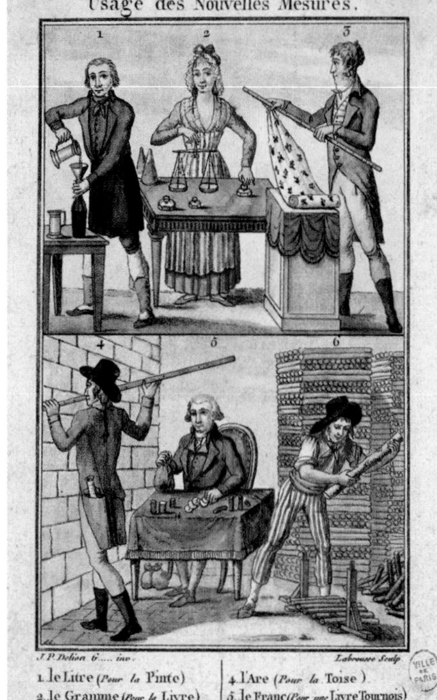

Les unités utilisent les préfixes suivants.

	Préfixes	
Multiples	kilo	1 000
	hecto	100
	déca	10
Unité		1
Sous-multiples	déci	0,1
	centi	0,01
	milli	0,001

A Pourquoi le système métrique est-il appelé système « décimal » ?

B Recopie et complète avec un nombre décimal.

- 1 mL = …. L
- 1 L = …. hL
- 1 km = …. m
- 1 mg = …. g
- 1 g = …. hg
- 1 m = …. cm

C Écris, en mètres, sous forme d'un nombre décimal :
– la hauteur d'un panier de basket : 3 m 5 cm ;
– la largeur de la cage de but au football : 7 m 3 dm 2 mm ;
– la hauteur, au centre, du filet de tennis : 9 dm 1 cm.

D Calcule en mètres : 1 m 4 dm 8 cm + 205 cm = 1,48 m + ….

Mémo

km	hm	dam	m	dm	cm	mm
kg	hg	dag	g	dg	cg	mg
	hL	daL	L	dL	cL	mL

S'exercer, résoudre

Banque d'Exercices n° 19 p. 187.

1 Dans chaque paire de mesures, quelle est la plus grande ?

a. ◆ 1 décilitre, 1 décalitre
◆ 1 décimètre, 1 décamètre
◆ 1 millilitre, 1 centilitre

b. ◆ 1 hectogramme, 1 gramme
◆ 1 centilitre, 1 litre
◆ 1 kilomètre, 1 hectomètre

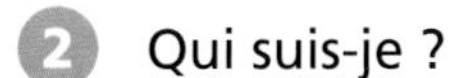

2 Qui suis-je ?

a. Je suis cent fois plus petit que le litre.
b. Je suis mille fois plus grand que le mètre.
c. Je suis dix fois plus lourd que le gramme.
d. Je suis dix fois plus petit que le centilitre.

3 Recopie et écris ces mesures sous la forme de nombres décimaux.

a. Le pont de Millau mesure 2 460 m de long, soit .... km.
b. La largeur d'une *Clio* est égale à 2 025 mm, soit .... m.
c. La longueur des ailes déployées d'une pie est de 64 cm, soit .... m.
d. Un diamant de 1 carat a une masse de 200 mg, soit .... g.
e. Un verre a une contenance de 12 cL, soit .... L.

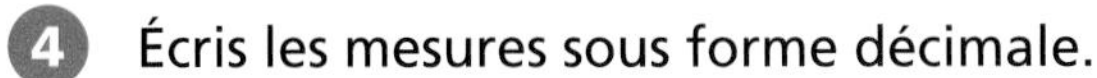

4 Écris les mesures sous forme décimale.

a. ◆ 1 m 5 dm = ... m ◆ 1 m 8 mm = ... m ◆ 1 m 5 cm = ... m
b. ◆ 2 dL 3 mL = ... L ◆ 1 L 3 dL = ... L ◆ 1 L 8 cL = ... L

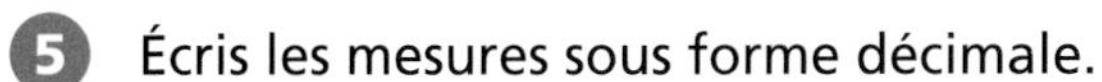

5 Écris les mesures sous forme décimale.

a. ◆ 200 m = ... km ◆ 5 hm 30 m = ... km ◆ 50 dam = ... km
b. ◆ 150 g = ... kg ◆ 2 hg 9 g = ... kg ◆ 50 dag = ... kg

6 La chatte de Pedro pèse trois livres* et son chaton deux fois moins.
Calcule, en kilogramme, la masse du chaton.

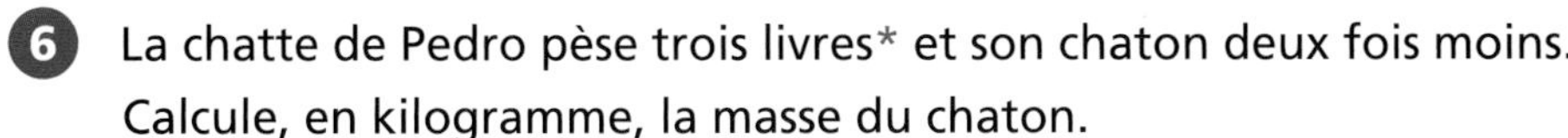

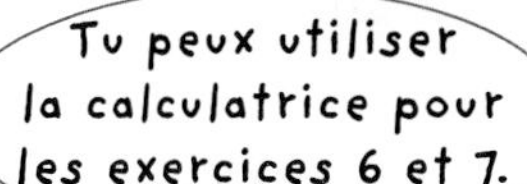

*** 1 livre = 416 g**

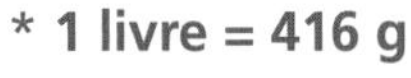

7 Le petit Poucet a pris les bottes de l'ogre. À chaque pas, il parcourt 7 lieues. Une lieue vaut 300 toises*.
Quelle distance, en km, parcourt-il à chaque pas ?
Arrondis le résultat au kilomètre près.

1 toise = 1,949 m

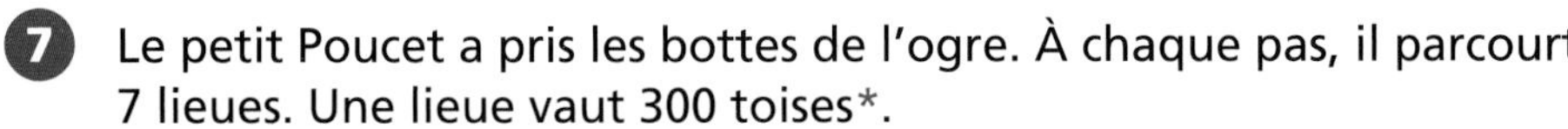

Calcul réfléchi

Ajouter des multiples de 0,25

Observe :

0,25 + 0,25 = 0,50 **0,25 + 0,50 = 0,75**
0,50 + 0,50 = 1 **0,75 + 0,25 = 1**

Calcule.

◆ 3,25 + 2,25 ◆ 4, 50 + 3,50 ◆ 3,75 + 4,25 ◆ 6,75 + 1,50

Le coin du chercheur

Faut-il compléter la suite par 24 ou 32 ?

1, 2, 4, 8, 16, ...

84 PROBLÈMES Approche de la proportionnalité

COMPÉTENCE : **Résoudre des problèmes relevant de la proportionnalité en utilisant des raisonnements personnels appropriés.**

Calcul mental

Diviser un nombre par 10.
15 divisé par 10

Lire, débattre

Chercher

A Charly, le responsable de l'aquarium *Aquasea*, décide de profiter d'une offre sur les poissons clowns.

Combien de poissons clowns peut-il acheter avec 120 € ?

a. Observe, recopie et complète les calculs de Charly et de sa sœur Alice.

30 €
les 4

Pour 30 €, j'ai 4 poissons.
Pour 60 €, j'ai .... poissons.
Pour 90 €, j'ai .... poissons.
....

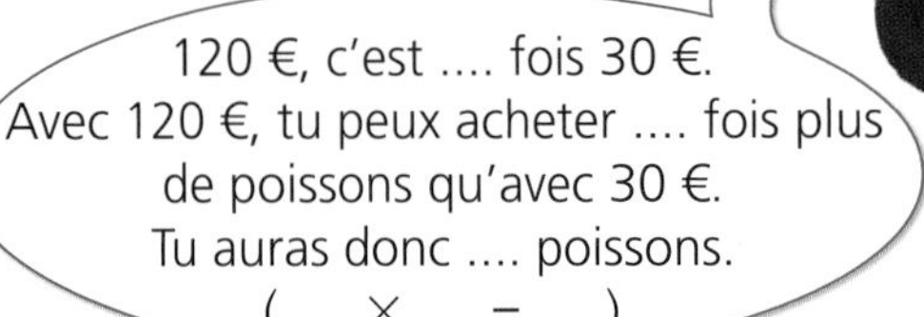

120 €, c'est .... fois 30 €.
Avec 120 €, tu peux acheter .... fois plus de poissons qu'avec 30 €.
Tu auras donc .... poissons.
(.... × .... = ...)

b. Explique le raisonnement de chaque enfant.

B **a.** Observe, recopie et complète le calcul de Tania.

45 €, c'est 30 € + 15 € Avec 30 €, j'ai .... poissons,
Avec 15 €, j'ai .... poissons
Avec 45 €, je peux donc acheter : .... + ... = ... poissons clowns.

b. Calcule combien Tania pourrait acheter de poissons clowns avec 75 €.

Mémo

6 poissons coûtent **4** €.
18 poissons coûtent **3** fois plus.
4 × **3** = 12 €

6 poissons coûtent **4** €.
3 poissons coûtent 2 €,
9 poissons (6 + 3) coûtent 6 € (4 + 2).

S'exercer, résoudre

Banque d'Exercices n°s 20 à 22 p. 187.

1 Quel est le prix de :
- 12 boulards ?
- 3 boulards ?
- 15 boulards ?

2 Géraldine organise une « pastaparty ». Son père lui prépare un tableau afin qu'elle prévoie les quantités de pâtes nécessaires selon le nombre d'invités.

Recopie et complète ce tableau.

Nombre d'invités	4	12	6	10	20
Masse de pâtes en g	240	…	…	…	…

3 Un maçon fabrique du béton.
Pour un sac de 25 kg de ciment, il ajoute :
- 40 litres de sable ;
- 50 litres de gravier ;
- environ12 litres d'eau.

Recopie et complète ce tableau.

Ciment en kg	25	…	75	…	250
Sable en L	40	80	…	…	…
Gravier en L	50	…	…	…	…
Eau en L	12	…	…	48	…

4 Dans quel magasin, peux-tu prévoir le tarif pour 1 000 photos ?

Justifie ta réponse.

ZOOMPHOTO le meilleur du numérique	
Tirages photo	Prix (€)
50	8
200	26
300	30
500	40
1 000	

PHOTOBOUM	
Tirages photo	Prix (€)
50	8
200	32
300	48
500	80
1 000	

5 Une voiture consomme 5 L de gazole aux 100 km.

a. Quelle quantité de gazole consomme-t-elle pour parcourir :
◆ 200 km ? ◆ 50 km ? ◆ 350 km ?

b. Quelle distance peut-elle parcourir avec 25 L ? avec 50 L ?

6 Un jardinier est payé 50 € pour 4 h de travail.
Il a travaillé 8 heures chez Mme Auran, 12 heures chez M. Dupré et 6 heures chez Mme Nicolas.

Combien a-t-il gagné chez chaque employeur ?

Calcul réfléchi

Observe :

2,8 + 0,2 = 2 + 0,8 + 0,2 = 2 + 1 = 3
28 dixièmes + 2 dixièmes = 30 dixièmes = 3

Calcule.
◆ 3,7 + 1,3 ◆ 2,6 + 2,4 ◆ 5,9 + 5,1 ◆ 7,5 + 6,5 ◆ 8,2 + 1,8

Le coin du cherch

Quel est le plus petit nombre d'un chiffre qui, ajouté à un nombre de deux chiffres, donne 106 ?

85 CALCUL RÉFLÉCHI
Organiser des calculs

COMPÉTENCES : **Organiser et effectuer des calculs du type 1,2 + 4,7 + 0,8 en regroupant les nombres décimaux permettant le complément à l'unité (1,2 + 0,8) + 4,7.**

Calcul mental

Somme d'un entier et d'un décimal.

6 + 2,45

Comprendre

A Lors d'un concours de pêche, Fatousia a pêché deux poissons de 1,9 kg et 0,1 kg ; Yu a aussi pêché deux poissons, l'un de 1,4 kg et l'autre de 1,6 kg.

Sans poser l'opération, trouve l'enfant qui a pêché la masse la plus importante de poissons.

B Mathis pêche trois poissons pesant 1,6 kg, 0,8 kg et 0,4 kg.
Océane en pêche quatre, pesant 0,7 kg, 1,2 kg, 2,3 kg et 0,8 kg.
Observe comment chacun calcule la masse totale des poissons pris par Mathis.

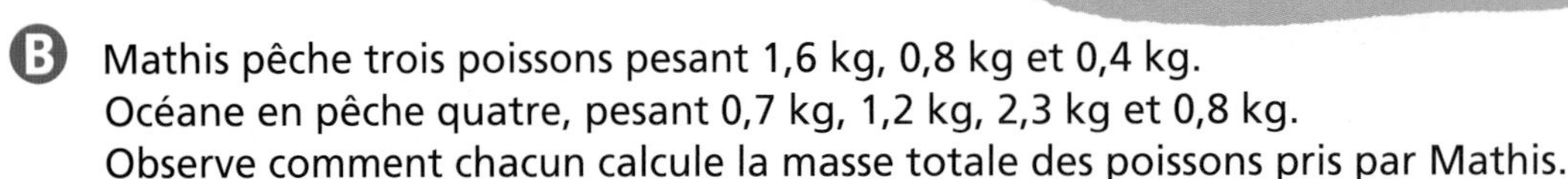

a. Recopie, puis termine leurs calculs en ligne.

Mathis	Océane
(1,6 + 0,8) + 0,4 = ... + 0,4 = ...	(1,6 + 0,4) + 0,8 = ... + 0,8 = ...
J'ai pêché .... kg de poissons.	Tu as pêché .... kg de poissons.

b. Quel est le calcul le plus facile ? Pourquoi ?

c. En utilisant la technique la plus facile, calcule maintenant la masse des 4 poissons pêchés par Océane.

S'exercer, résoudre

1 Organise ces calculs de façon à les rendre les plus simples possibles et effectue.

a. ◆ 6,1 + 0,9 ◆ 0,3 + 6,7 ◆ 2,8 + 1,2

b. ◆ 3,5 + 1,7 + 0,5 ◆ 4,1 + 2,3 + 0,9 ◆ 0,8 + 1,2 + 3,4

c. ◆ 3,4 + 0,8 + 0,6 + 2,2 ◆ 0,2 + 1,7 + 1,8 + 2,3

Bien sûr, ne pose pas les opérations !

2 Une entreprise goudronne 1,8 km de route la première semaine, 2,3 km la deuxième et 2,2 km la troisième.
Quelle est la longueur goudronnée en trois semaines ?

3 Maeva fait ses courses au supermarché. Elle vérifie le montant de ses achats :
6,80 € + 5,60 € + 6,20 € + 8,40 €.
Combien a-t-elle dépensé ?

Réinvestissement

Dessine la figure en doublant ses dimensions.

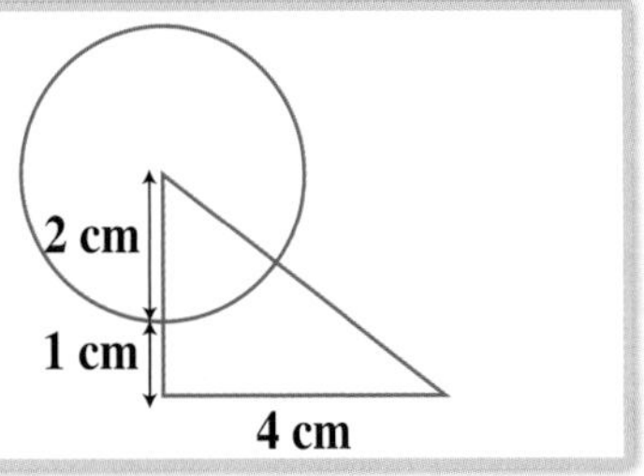

Le coin du chercheur

Trouve deux nombres qui se suivent et dont la somme est 199.

86 PROBLÈMES
Le calendrier gaulois

COMPÉTENCE : Réinvestir des notions mathématiques pour interpréter des documents et résoudre des problèmes.

Calcul mental

Somme de petits décimaux.

0,5 + 0,2

Lire, chercher

Le seul calendrier gaulois connu date du Ier siècle avant J.-C. Il a été trouvé en 1897 dans l'Ain. Il est exposé au Musée gallo-romain de Lyon.

Ce calendrier, gravé dans une plaque de bronze d'environ 1,5 m sur 0,90 m, est la plus longue inscription en langue gauloise parvenue jusqu'à nous.

A Le siècle gaulois

Les Gaulois mesuraient le temps en années, en lustres et en « siècles ».
Attention, un « siècle gaulois » comporte seulement 6 lustres de 5 ans chacun !

a. Quel est le nombre d'années dans un « siècle gaulois » ?

b. Quel est le nombre d'années dans un siècle de notre époque ?

Mon grand-père est âgé de deux siècles et demi !

c. Quel serait l'âge du grand-père gaulois dans notre calendrier actuel ?

d. Ce calendrier a été gravé il y a environ :

- 200 ans ?
- 2 000 ans ?
- 2 200 ans ?

B Le lustre

Un lustre est composé de trois années de 12 mois et deux années de 13 mois.
Tous les « siècles », les Gaulois supprimaient un mois de 30 jours pour arriver à une durée moyenne de 365 jours par an.

a. Dans un lustre, combien y a-t-il de mois ?

b. Quel est le nombre de mois d'un « siècle gaulois » ?

c. À combien de lustres correspondaient les études du druide ?

87 PROBLÈMES
Formuler la question

COMPÉTENCES : Comprendre un énoncé. Mettre en œuvre un raisonnement pour formuler la question.

Calcul mental

Somme de petits nombres décimaux.

0,5 + 0,6

Lire, chercher

A Lis cet énoncé et les questions des enfants.

90 enfants mangent à la cantine aujourd'hui.
Le cuisinier dispose de :
– 7 lots de 8 yaourts aux fruits rouges
– 6 lots de 6 yaourts aux fruits jaunes.

Marin : Combien de yaourts aux fruits jaunes compte-t-on dans un lot ?

Amélia : Combien d'enfants ne mangent pas à la cantine ?

Arthur : Peut-on donner un yaourt à chaque enfant ?

Margot : De combien de yaourts aux fruits rouges le cuisinier dispose-t-il ?

a. Quel enfant pose une question à laquelle :
- tu ne peux pas répondre ?
- tu peux répondre en effectuant des calculs ?
- tu peux répondre sans effectuer de calcul ?

b. Effectue ensuite les calculs et rédige les réponses.

B Lis ce texte et les questions proposées par Chloé et Youssef.

Le parc du château de Versailles comptait 350 000 arbres.
En 1999, la tempête a détruit 8 000 arbres.
De 2000 à 2005, les jardiniers en ont plantés 40 000, puis encore 15 000 en 2006.

Youssef : Combien d'arbres les jardiniers ont-ils plantés ?

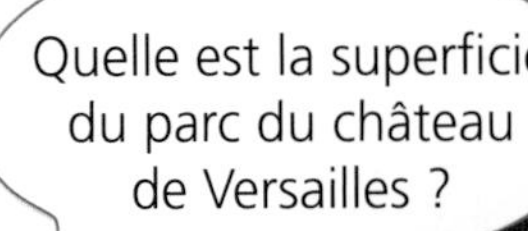

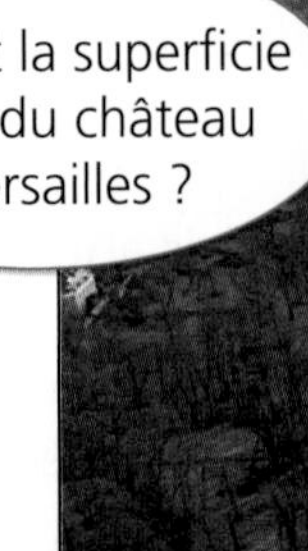

Chloé : Quelle est la superficie du parc du château de Versailles ?

a. Quel enfant pose une question à laquelle tu ne peux pas répondre ?

b. Réponds à l'autre question.

c. Rédige une autre question et donne la réponse.

S'exercer, résoudre

1 Lis cet énoncé, puis les questions des enfants.

Le compteur d'un taxi indique 32 875 km le lundi matin. Le chauffeur parcourt 285 km dans la journée du lundi.
Le mardi, il se rend plusieurs fois à l'aéroport. Le mardi soir, le compteur indique 33 420 km.

a. Quels enfants posent une question à laquelle :
- tu ne peux pas répondre ?
- tu peux répondre en effectuant des calculs ?
- tu peux répondre sans effectuer de calcul ?

b. Effectue ensuite les calculs et rédige les réponses.

2 Lis cet énoncé et réponds aux questions quand c'est possible.

Dans une pelote, il y a 85 m de fil de laine. Pour confectionner un pull-over, Manon utilise 13 pelotes, dont 4 pour les manches.

a. Combien de pelotes de laine faut-il pour confectionner des gants ?

b. Quelle longueur de fil de laine Manon utilise-t-elle pour confectionner un pull-over ?

c. Quelle est la taille du pull-over ?

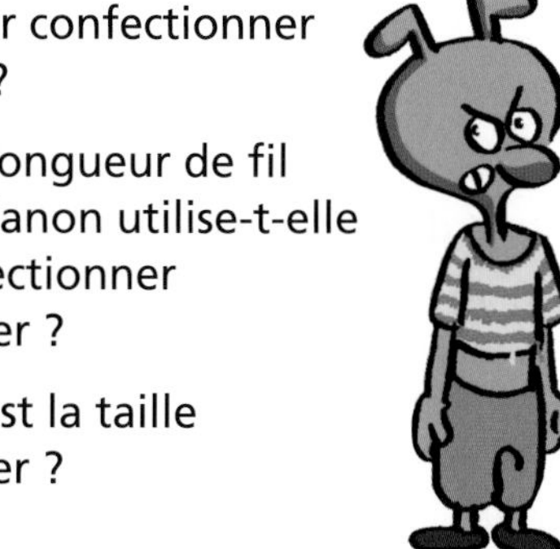

3 Lis cet énoncé.

Manon achète un pain à 0,90 € et trois croissants à 0,80 € pièce. Elle donne un billet au boulanger qui lui rend 1,70 €.

a. À quelles questions peux-tu répondre en effectuant un calcul ?
- Quel est le montant des achats ?
- Quel est le prix d'une brioche?
- Quelle est la valeur du billet que Manon a donné ?

b. Rédige les réponses.

Calcul réfléchi — Complément d'un nombre décimal à un nombre entier

Observe :

1 = 10 dixièmes = 0,9 + 0,1 = 0,8 + 0, 2
= 0,7 + 0,3 = 0,6 + 0,4 = 0,5 + 0, 5

Calcule.
- 3,8 + ... = 5
- 4,5 + ... = 6
- 5,9 + ... = 8
- 7,3 + ... = 9
- 9,6 + ... = 10

Le coin du chercheur

Combien de chemins différents mènent de A à B en suivant exactement 5 allumettes ?

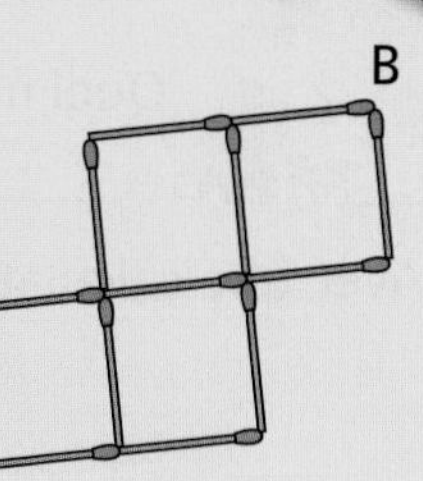

88 Calculatrice et décimaux

COMPÉTENCES : Utiliser une calculatrice avec les nombres décimaux.
Utiliser la touche « diviser ».

Calcul mental

Tables de multiplication de 6, 7, 8.

7×7

Lire, débattre

Chercher

A a. Affiche 56.41 sur ta calculatrice. Dessine les touches utilisées et colorie en jaune la touche qui représente la virgule.

b. Calcule mentalement et écris les résultats des opérations suivantes :

◆ 3,5 + 2,5 ◆ 1,50 × 2 ◆ 0,25 × 4 ◆ 0,75 × 2

Vérifie chaque résultat avec la calculatrice.

c. Procède selon l'exemple en effectuant d'abord mentalement un calcul approché, puis un calcul exact avec la calculatrice.

		Opération avec les nombres entiers les plus proches		Valeur exacte avec la calculatrice
3,90 + 5,07	→	4 + 5 = 9	→	8,97

◆ 6,9 + 17,25 ◆ 34,80 – 22,75 ◆ 25,18 × 4

d. Quelles touches utilises-tu pour passer de :

◆ 2 à 1,8 ? ◆ 8,39 à 8,4 ? ◆ 0,5 à 4 ?

B a. Dessine la touche qui permet d'effectuer une division.

b. Le quotient de 1 204 par 16 est-il : 752,5 *ou* 75,25 ?

c. Calcule le quotient de 969 par 34.

C Roberta affiche 400000 sur l'écran de sa calculatrice.

Elle tape sur la touche ÷, puis sur la touche 2, puis sur la touche ×, puis sur 2 et enfin sur la touche =.

Quel nombre s'affiche sur l'écran ? Vérifie.

Mémo

Avec une calculatrice :

– pour effectuer une division, utilise la touche ÷ ;

– pour taper une virgule, utilise la touche · .

S'exercer, résoudre

Banque d'Exercices n° 23 p. 187.

1 Avec la calculatrice, calcule le montant à payer.

2 Procède selon l'exemple en effectuant d'abord mentalement un calcul approché, puis un calcul exact avec la calculatrice.

		Ordre de grandeur avec les nombres entiers les plus proches		Valeur exact avec la calculatrice
1,90 + 3,08	→	2 + 3 = 5	→	4,98

- 22,15 + 12,75
- 5,85 – 4,09
- 90,76 – 49,85

3 Dessine les touches que tu utilises pour passer de :
- 4 à 3,6
- 5,99 à 6
- 4,5 à 45

4 Avec la calculatrice, retrouve le nombre manquant dans les égalités.
- 135, 53 + ... = 259,1
- .... + 231,4 = 356,25

5 Pour le grand prix de *F1* de Shanghai, en Chine, les bolides doivent parcourir 305,256 km en 56 tours.
Quelle est, en kilomètres, la longueur du circuit ?

6 Une bouteille contient 0,75 L de nectar d'abricot.
Combien de litres contient une caisse de 15 bouteilles ?

7 Un pot de filets d'anchois pèse 0,350 g.
Quelle est la masse d'un carton contenant 24 pots si le carton vide pèse 0,750 kg ?

Réinvestissement

Observe l'exemple, puis intercale un décimal entre chaque couple de décimaux.

7,4 < 7,8 → 7,4 < 7,6 < 7,8

- 2,3 < 3
- 4,5 < 4,9
- 3,1 < 3,2
- 0,25 < 0,28
- 0,15 < 0,16

Le coin du chercheur

Combien de morceaux de sucre cette boîte contient-elle lorqu'elle est pleine ?

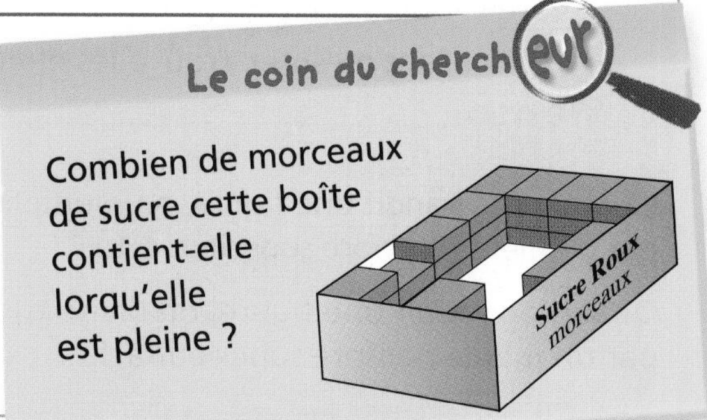

89 Agrandissement ou réduction de figures

COMPÉTENCE : Contrôler si une figure est un agrandissement ou une réduction d'une autre figure.

Calcul mental

Sommes de nombres décimaux.

1,5 + 0,3

Lire, débattre

Mathéo a demandé à l'illustrateur d'agrandir son portrait.

À ton avis, pourquoi Mathéo n'est-il pas satisfait ?

Mais c'est vraiment n'importe quoi... Il ne respecte rien !

Chercher

A a. Reproduis le bateau bleu ① sur une feuille quadrillée.

b. Amélie a commencé en rouge ② l'agrandissement du bateau. Reproduis-le et termine-le.

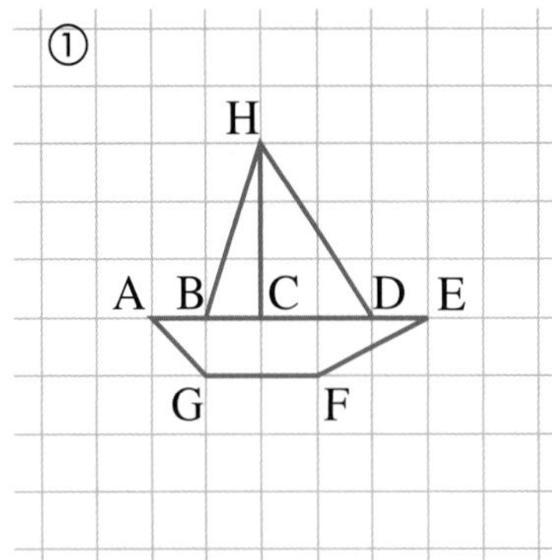

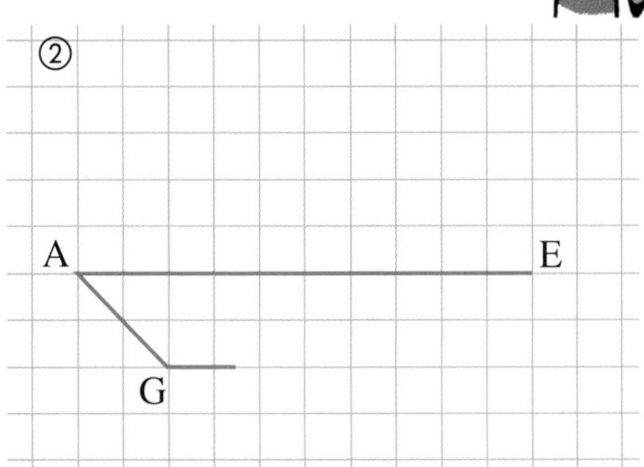

B Reproduis ce tableau.

Mesure, en mm, les dimensions des bateaux pour compléter les cases blanches.

	AE	AB	HC	HD	FG	HB	EF	CD
Figure bleue								
Figure rouge								

a. Comment passe-t-on des mesures de la figure bleue à celles de la figure rouge ?

b. Sans mesurer, trouve les dimensions qui doivent figurer dans les cases jaunes du tableau.

Mémo

Quand on agrandit une figure, on multiplie toutes ses dimensions par un même nombre supérieur à 1.

Quand on réduit une figure, on divise toutes ses dimensions par un même nombre supérieur à 1.

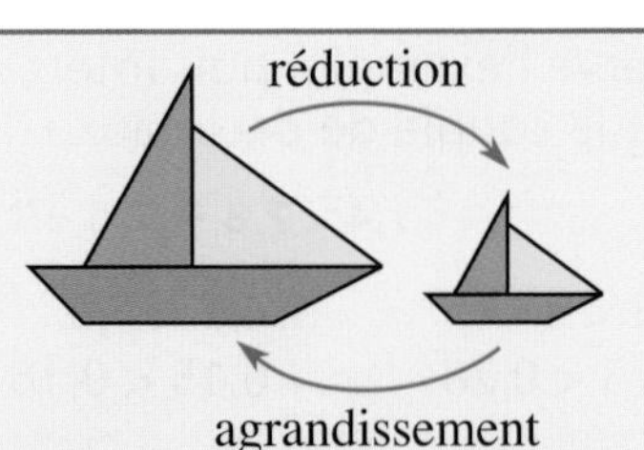

S'exercer, résoudre

Banque d'Exercices n° 24 p. 187.

1 Observe les figures A, B et C.
Comment passe-t-on :

a. de la figure A à la figure B ?

b. de la figure A à la figure C ?

c. de la figure B à la figure C ?

d. de la figure C à la figure A ?

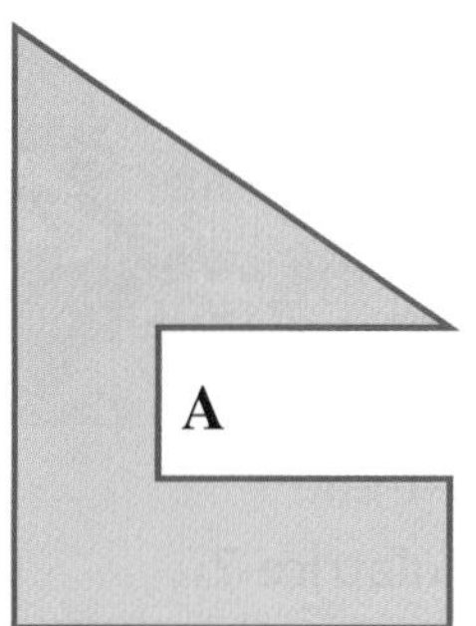

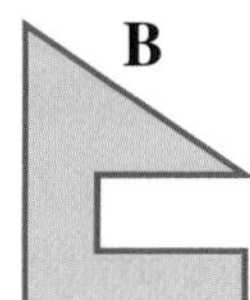

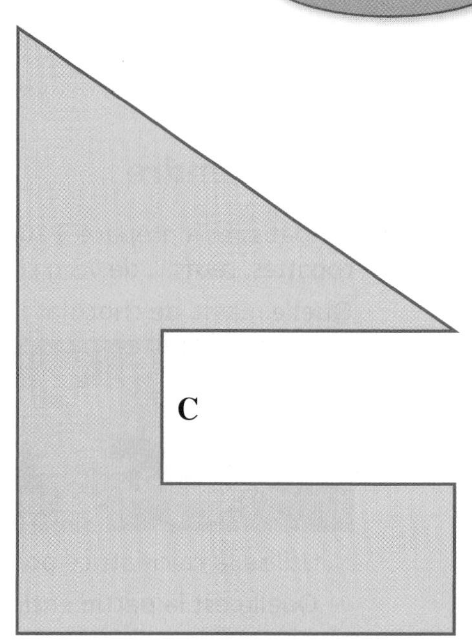

2 Reproduis cette figure en multipliant ses dimensions par 2.

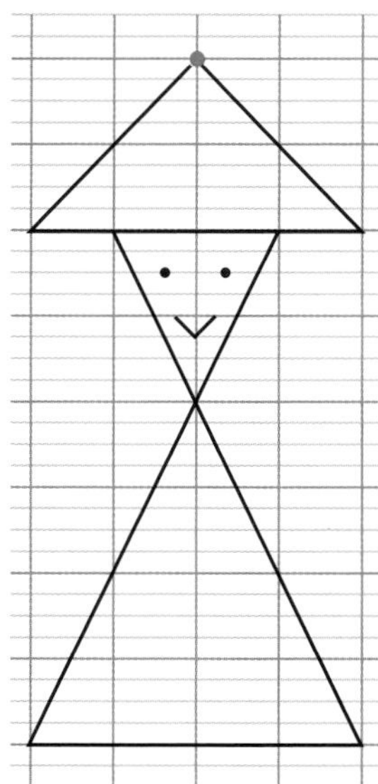

3 a. Réduis cette figure en divisant ses dimensions par 2.

b. Agrandis ensuite la figure que tu obtiens en multipliant ses dimensions par 3.

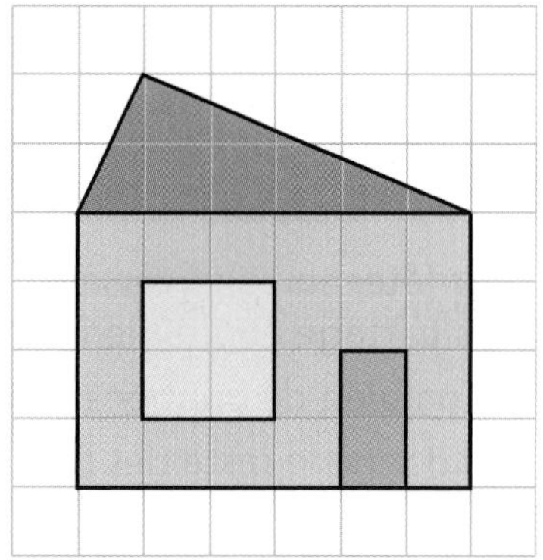

4 Reproduis le quadrilatère ABCD. Mesure les longueurs des segments BC et BD.

a. Agrandis cette figure pour que le segment DC mesure 12 cm.

b. Sans mesurer, peux-tu prévoir les longueurs des nouveaux segments BC et BD ?

c. Vérifie tes réponses à l'aide de la règle graduée.

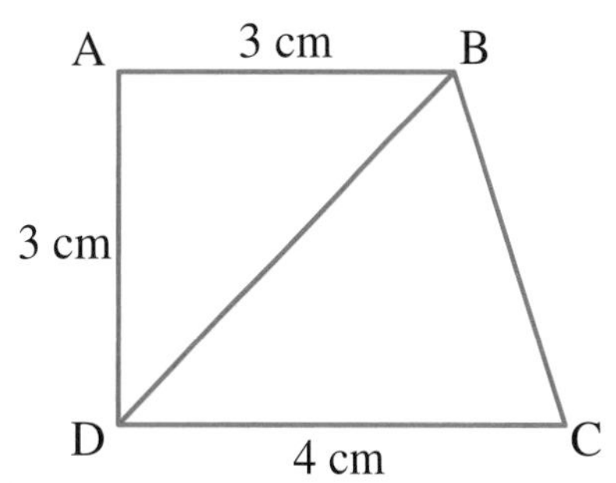

90 Calculer le quotient et le reste avec la calculatrice

COMPÉTENCE : Calculer le quotient entier et le reste avec la calculatrice.

Calcul mental

Somme de nombres décimaux.

1,5 + 1,5

Comprendre

A Un pâtissier a préparé 3 100 g de chocolat pour confectionner différents sujets : poissons, cocottes, œufs... de 75 g chacun. Combien de sujets obtiendra-t-il ?
Quelle masse de chocolat lui restera-t-il ?

a. Utilise la calculatrice pour diviser 3 100 par 75.Qu'affiche-t-elle ?

b. Quelle est la partie entière du nombre affiché par la calculatrice ?
Quel est le nombre de sujets en chocolat obtenus ?

B a. À l'aide de la calculatrice, calcule maintenant la masse de chocolat utilisé.

b. Écris l'opération que tu dois effectuer pour trouver la masse de chocolat restant.

C Réponds aux questions de l'énoncé et écris ton résultat sous la forme : 3 100 = (75 × ....) + ...

S'exercer, résoudre

Banque d'Exercices n° 25 p. 187.

1 a. Utilise la calculatrice pour trouver le quotient et le reste de :

- 378 divisé par 17
- 691 divisé par 12
- 1 063 divisé par 50
- 3 294 divisé par 11

b. Écris les réponses sous la forme : 378 = (17 × ....) + ...

2 Utilise ta calculatrice pour trouver le quotient et le reste de :

- 512 divisé par 7
- 5 740 divisé par 73

3 Pour fêter son anniversaire à l'école, Lucas apporte un paquet qui contient 124 bonbons. Il les partage équitablement entre ses 23 camarades de classe.

a. Combien de bonbons chacun de ses camarades reçoit-il ?

b. Il donne le reste des bonbons à la maîtresse. Combien en reçoit-elle ?

Mémo

Quand on divise 65 par 7, la calculatrice affiche 9.2857142.
9 est le **quotient entier** de 65 par 7.

Réinvestissement

Double de décimaux

Observe :

**1,4 × 2, c'est deux fois 14 dixièmes ;
donc 28 dixièmes, c'est égal à 2,8.**

Calcule.

- 1,6 × 2
- 2,4 × 2
- 3,5 × 2
- 4,7 × 2
- 5,3 × 2

Le coin du chercheur

Partage ce carré en sept carrés.
Colorie-les différemment

91 PROBLÈMES
La proportionnalité en cuisine

COMPÉTENCE : Réinvestir la proportionnalité dans des situations de la vie quotidienne.

Calcul mental

Dictée de fractions simples.

Trois demis

Lire, chercher

Voici les ingrédients nécessaires à la réalisation du flan de roquefort aux poires.

a. Reproduis ce tableau en le complétant.

b. Calcule les quantités d'ingrédients nécessaires pour 3, 9 et 12 personnes.

Flan de roquefort aux poires
Ingrédients pour 6 personnes
- 2 dL de crème fraîche
- 1 dL de lait
- 2 œufs
- 1 cuillère à soupe de farine
- 150 g de roquefort
- 3 poires
- 50 g de beurre

	3 personnes	9 personnes	12 personnes
crème fraîche			
lait			
œufs			
roquefort			

Tu peux utiliser un tableau pour organiser tes réponses...

Banque d'Exercices n°s 20 à 22 p. 187.

S'exercer, résoudre

1 Voici les ingrédients nécessaires à la confection d'un délicieux sorbet à la fraise.
Quelles sont les proportions d'ingrédients pour $\frac{1}{2}$ kg de sorbet ?

Pour 1 kg de sorbet
180 g de sucre
60 g de glucose
80 g d'eau
680 g de pulpe de fraise

2 Préparation de la crème anglaise :
– pour 6 personnes : 0,75 L de lait, 6 jaunes d'œufs et 120 g de sucre en poudre.
– pour 4 personnes : 0,5 L de lait, 4 jaunes d'œufs et 80 g de sucre en poudre.

Calcule les quantités d'ingrédients pour 10 personnes.

3 Pour l'anniversaire de Quentin, Laurence prépare un cocktail de jus de fruits pour 24 personnes.

a. Quelle masse de raisin, combien de citrons et de cubes de glace doit-elle prévoir ?

b. Prévois les quantités d'ingrédients nécessaires pour trois invités supplémentaires.

Pour 6 personnes
➤ 1,5 kg de raisin « Italia »
➤ 2 citrons doux de Nice
➤ 24 cubes de glace

4 Antoine a utilisé $\frac{1}{2}$ L d'eau.

a. Combien de personnes a-t-il invitées à prendre le thé ?

b. Calcule la quantité de chaque ingrédient utilisé.

Recette du thé à la menthe
Pour 6 personnes
- 3 cuillères à café de thé vert
- 1,5 litre d'eau.
- 1 poignée de menthe fraîche
- 6 cuillerées à soupe de cassonade

92 L'atmosphère de la Terre

Mobilise tes connaissances !

Objectif

Mobiliser ses connaissances et ses savoir-faire pour interpréter des documents et résoudre des problèmes complexes.

L'atmosphère est la mince enveloppe gazeuse qui entoure notre planète (*doc. 1*). Elle est formée de plusieurs couches.

Elle est indispensable à la vie, car elle permet à l'Homme, aux animaux et aux plantes de respirer. Elle protège les êtres vivants des rayons dangereux du Soleil. Sans sa présence, il ferait très froid sur notre planète.

Doc. 1. L'atmosphère (zone bleu clair) vue d'un satellite.

La composition de l'atmosphère

Jusqu'à 50 km d'altitude, l'air qui constitue l'atmosphère contient environ $\frac{4}{5}$ d'azote et $\frac{1}{5}$ d'oxygène.

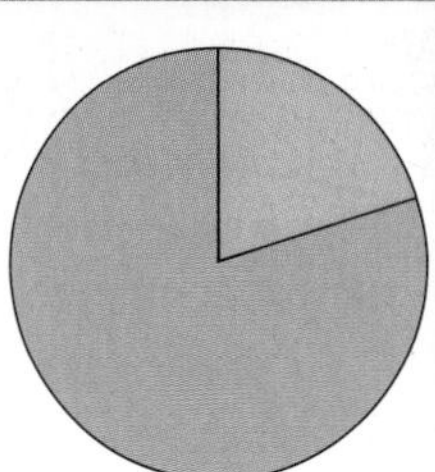

Doc. 2. Composition de l'atmosphère.

1. Sur le *doc. 2* que représente la partie bleue ? la partie orange ?

Les différentes couches de l'atmosphère

La couche où nous vivons s'appelle la troposphère. Elle a une épaisseur d'environ 12 km. Elle contient environ les $\frac{9}{10}$ de la totalité de la masse d'air et toute la vapeur d'eau, dont une partie constitue les nuages (*doc. 3*).
La température **décroît*** à partir du sol pour atteindre environ – 56 °C à 12 km d'altitude !
La stratosphère s'étend ensuite jusqu'à 50 km d'altitude. On y trouve la couche d'ozone qui nous protège des rayons dangereux du Soleil.
La température augmente régulièrement jusqu'à 0 °C. Au-delà de la stratosphère, il n'y a pratiquement plus d'air.

2. Écris les fractions $\frac{9}{10}$ et $\frac{1}{5}$ sous la forme de nombres décimaux.

altitude (km)
50, 25, 12, 8, 6, 4, 2, 1, sol
0°C
ballon sonde
Stratosphère
couche d'ozone
– 56°C
Éverest 8 800 m
Troposphère
0°C
15°C
0°C température

Doc. 3. Les différentes couches de l'atmosphère.

3. Vers quelle altitude se trouve la couche d'ozone ?
4. Jusqu'à quelle altitude peut monter un ballon sonde ?
5. Quelle est la température la plus élevée dans la stratosphère ?

Les polluants de l'atmosphère

L'être humain ne choisit pas l'air qu'il respire.
Il absorbe aussi les polluants dispersés par les vents.
Ces polluants ont un effet **néfaste*** sur la santé.
Ils ont aussi une grave influence sur la flore et la faune.
L'indice ATMO, consultable sur Internet, permet de mesurer la qualité de l'air (*doc. 4*).
Les principaux polluants proviennent de l'industrie, des transports, du chauffage des habitations et des bureaux.
Le dioxyde de carbone, formé lors d'une **combustion***, est l'un des principaux responsables du réchauffement de la planète.

6. Pourquoi l'indice Atmo de $\frac{10}{10}$ est-il très mauvais ?

Seuil	Indice	Qualité
	10	Très mauvais
Seuil d'alerte	9	Mauvais
	8	Mauvais
Seuil d'information	7	Médiocre
	6	Médiocre
	5	Moyen
	4	Bon
	3	Bon
	2	Très bon
	1	Très bon

Doc. 4. Qualité de l'air (Indice ATMO).

Protégeons l'atmosphère

Depuis la découverte, au-dessus de l'Antarctique, du trou dans la couche d'ozone (*doc. 5*) dû aux polluants, nous avons pris conscience de la fragilité de l'atmosphère et de la nécessité urgente d'agir.
La pollution atmosphérique est étroitement liée à nos activités et à notre mode de vie qui consomment de l'énergie et rejettent de plus en plus de gaz à **effet de serre*** dans l'atmosphère.
Il est donc urgent de réfléchir aux décisions individuelles et collectives à prendre sur la production et la consommation d'énergie afin de protéger les générations futures. Chaque geste compte.

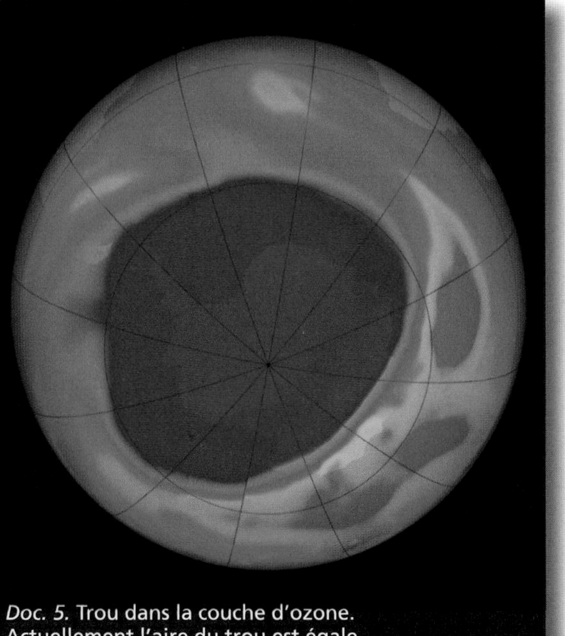

Doc. 5. Trou dans la couche d'ozone. Actuellement l'aire du trou est égale à 50 fois l'aire de la France !

Émission des transports urbains
(masse de dioxyde de carbone, par kilomètre et par personne)

- Bus : 80 g
- Voiture : 180 g
- Tramway : 20 g
- Vélo : 0 g

7. Range les moyens de transport du plus polluant au moins polluant.

8 a. Quelle masse de dioxyde de carbone, en kilogrammes, produit une voiture si elle parcourt 20 000 km ?

b. Quel est l'intérêt du covoiturage ?

9. Quelle est, en km2, l'aire du trou de la couche d'ozone, l'aire de la France étant 500 000 km2 ?

fr.wikipedia.org/wiki/Atmosphère_de_la_Terre
www.educapoles.org/index.php?lg=fr
www.ffme.fr/technique/meteorologie/index.htm

* **décroître** : diminuer.
* **néfaste** : dangereux, mauvais.
* **combustion** : réaction chimique qui produit de la chaleur.
* **effet de serre** : le réchauffement de l'atmosphère est une conséquence de l'effet de serre.

Pour chaque exercice, recopie la bonne réponse **A**, **B** ou **C**.

Problèmes

- Reconnaître et résoudre des problèmes relevant de la proportionnalité
- Reconnaître et résoudre des situations problèmes

		A	B	C	Aide
1	Pour préparer un clafoutis pour 8 personnes, il faut : 2 pommes, 4 œufs, 20 cL de lait, 60 g de farine et 120 g de sucre. Que faut-il pour 4 personnes ?	1 pomme 2 œufs 5 cL lait 40 g farine 500 g sucre	1 pomme 2 œufs 10 cL lait 30 g farine 60 g sucre	1 pomme 2 œufs 15 cL lait 20 g farine 100 g sucre	**Leçon 84** Mémo *(p. 170)* **Leçon 91** *(p. 181)*
2	M. Girard est apiculteur. Il possède 25 ruches qu'il installe à 800 m d'altitude. Chaque ruche compte environ 20 000 abeilles et produit en moyenne 6 kg de miel par an. Quelles questions peux-tu poser pour obtenir un énoncé de problème ?	**A** Quelle quantité de nougat peut-il préparer ? **B** Combien d'abeilles possède-t-il environ ? **C** Quel poids de miel récolte-t-il chaque année ?			**Leçon 87** Lire, chercher *(p. 174)*

Géométrie

- Agrandir, réduire une figure
- Construire une figure à partir d'un message

		A	B	C	Aide
3	Voici une figure. Laquelle est une réduction de moitié ?				**Leçon 89** Mémo *(p. 178)* Exercice 1 *(p. 179)*
4	Quel programme de construction permet de reproduire cette figure ?	**A** – Trace un carré. – Trace un cercle qui passe par 2 sommets du carré. **B** – Trace un cercle. – Trace un carré qui touche le cercle. **C** – Trace un carré. – Trace un cercle qui a pour diamètre un coté du carré.			**Leçon 75** Chercher A *(p. 158)* Exercice 1 *(p. 159)*

Connaissance des nombres

- Lire, écrire, décomposer, comparer des nombres décimaux

		A	B	C	Aide
5	Quel nombre est égal à $\frac{125}{100}$?	12,5	1,25	0,125	Leçon 74 Mémo *(p. 156)* Exercices 1, 3 et 5 *(p. 157)*
6	Quelle fraction est égale à 18,5 ?	$\frac{1\,850}{1\,000}$	$\frac{185}{100}$	$\frac{185}{10}$	
7	Écris en chiffres : 46 unités 85 centièmes.	4,685	46,85	468,5	
8	Quel est le nombre A ?	8,06	8,5	8,6	
9	Le nombre B ?	9,2	9,02	0,92	
10	Quel est le nombre suivant ? 7,7 7,8 7,9	7,10	7,11	8	Leçon 76 Chercher (B) Mémo *(p. 160)* Exercices 2 et 5 *(p. 161)*
11	Range par ordre croissant : 4 40,4 0,44 4,04	40,4 4,04 4 0,44	4 4,04 0,44 40,4	0,44 4 4,04 40,4	
12	Quel nombre est compris entre 3,4 et 3,5 ?	3,6	3,48	3,52	

Calcul

- Calculer la somme, la différence de nombres décimaux
- Multiplier, diviser par 10, 100, 1 000
- Utiliser la calculatrice

		A	B	C	Aide
13	Quel est le résultat de 6,25 + 12,8 ?	190,5	19,05	1 905	Leçon 78 Mémo Exercice 1 *(p. 163)*
14	Quel est le résultat de 24,6 – 8,7 ?	25,9	159	15,9	
15	Quel nombre complète cette égalité : 7,8 × … = 780 ?	10	100	1 000	Leçon 81 Mémo Exercice 1 *(p. 166)*
16	Utilise la calculatrice pour trouver le quotient entier et le reste de la division 479 par 28.	q = 3 r = 17	q = 171 r = 107	q = 17 r = 3	Leçon 90 Mémo Exercice 1 *(p. 180)*

Mesures

- Réinvestir les nombres décimaux dans les mesures

		A	B	C	Aide
17	500 m c'est égal à …	5,0 km	0,5 km	0,5 hm	Leçon 93 Mémo *(p. 168)*
18	250 cL c'est égal à …	2,50 L	0,25 L	25,0 L	

LEÇON 74

1 Cette droite est graduée en dixièmes.
Écris les nombres décimaux correspondant à chaque lettre.

8 9 10

A B C D E

2 Écris le nombre décimal égal à chaque fraction.

a. ◆ $\frac{8}{10}$ ◆ $\frac{15}{10}$ ◆ $\frac{143}{10}$ ◆ $\frac{1\,245}{10}$

b. ◆ $\frac{75}{100}$ ◆ $\frac{109}{100}$ ◆ $\frac{6}{100}$ ◆ $\frac{320}{100}$

3 Écris la fraction décimale correspondant à chaque nombre.

◆ 1,25 ◆ 0,04 ◆ 10,5 ◆ 1,05 ◆ 0,15

4 Observe l'exemple et complète.

$$\frac{269}{100} = 2 + \frac{6}{10} + \frac{9}{100} = 2{,}69$$

◆ $\frac{148}{10}$ = ... ◆ $\frac{504}{100}$ = ... ◆ $\frac{21}{100}$ = ...

5 Écris chacune de ces sommes :

◆ $1 + \frac{8}{10} + \frac{3}{100}$ ◆ $2 + \frac{25}{100}$

◆ $14 + \frac{3}{10}$ ◆ $20 + \frac{3}{100}$

a. sous la forme d'une fraction décimale ;
b. sous la forme d'un nombre décimal.

LEÇON 75

6 Trace un carré ABCD de côté 4 cm.
Trace sa diagonale AC.
Marque son milieu O.
Trace le demi-cercle de centre O et de diamètre AC, passant par le sommet D.

7 Écris le programme qui permet à quelqu'un qui ne voit pas la figure de la construire.

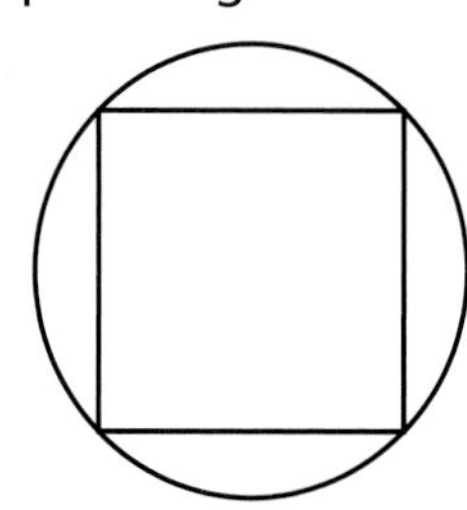

LEÇON 76

8 Parmi ces nombres décimaux :

◆ 1,8 ◆ 2,45 ◆ 0,9 ◆ 4,07 ◆ 3,48 ◆ 27,15

a. lesquels sont plus grands que 3 ?
b. lesquels sont plus petits que 2 ?
c. lesquels sont compris entre 1 et 3 ?

9 Écris un nombre décimal compris :

a. entre 2 et 3 b. entre 3,2 et 3,9
c. entre 25,3 et 25,4

10 a. Range ces nombres dans l'ordre croissant.

◆ 24,7 ◆ 8,16 ◆ 24,19 ◆ 8,2 ◆ 10

b. Range ces nombres dans l'ordre décroissant.

◆ 5,05 ◆ 20,14 ◆ 3,7 ◆ 5,5 ◆ 20,3.

11 Encadre chaque nombre décimal entre deux nombres entiers consécutifs selon l'exemple.

3 < 3,8 < 4

◆ 12,7 ◆ 26,09 ◆ 12,37 ◆ 0,75 ◆ 26,90

LEÇON 78

12 Pose et effectue les additions.

◆ 27,35 + 7,21 ◆ 34,4 + 8,75

◆ 176,9 + 97 ◆ 348 + 16,08 + 56,7

13 Pose et effectue les soustractions.

◆ 131,6 – 43,2 ◆ 49,8 – 17,34

◆ 205,32 – 84 ◆ 327 – 14,76

14 Recopie et complète les opérations.

```
   3 , . 4          2 5 8 , 0 0
 – 1 , 8 .        –     6 4 , 5 .
   . , 3 7          . 9 . , . 8

        2 , . 5
  + 1 6 5
  +   . 7 , 8
    1 8 . , 9 5
```

15 Sandra a dépensé 4 € pour acheter un stylo à 1,76 €, un cahier à 0,99 € et une équerre dont elle a oublié le prix.
Combien coûte l'équerre ?

16 Trouve la règle qui a servi à former chacune de ces suites de nombres. Recopie-les, puis écris les quatre nombres suivants.

a. 3,4 3,6 3,8
b. 17,75 17,80 17,85
c. 21,2 20,8 20,4

LEÇON 80

17 Thomas prépare de la confiture pour la vente au marché. Il utilise 85 kg de poires et la moitié de cette quantité en coings.

Quelle est la masse totale des fruits ?

LEÇON 81

18 Recopie et complète.

a. 7,2 × .... = 720 0,45 × .... = 450

.... × 14,3 = 1 430

b. 372 : .... = 3,72 49 : .... = 4,9

.... : 100 = 7,5

LEÇON 83

19 Une boîte de conserve dite « d'un quart » contient réellement 0,212 L de produit.

a. Quelle serait sa contenance si elle renfermait vraiment un quart de litre de produit ?

b. Calcule la différence entre ces deux contenances.

LEÇONS 84 et 91

20 Deux croissants coûtent 1,50 €.
Julien en achète 8.

Combien paie-t-il ?

21 Trois sachets de dattes pèsent 380 g.
Marie achète 9 sachets.

Quelle masse de dattes cela représente-t-il ?

22 Pour l'achat d'un lot de 6 bouteilles de soda en promotion, le marchand offre 2 paquets de biscuits.

a. Recopie et complète chaque ligne du tableau.

Nombre de bouteilles achetées	6	24	48	54	60	72
Nombre de lots	1	....	....	....	....	....
Nombre de paquets de biscuits offerts	2	....	....	....	....	....

b. Combien de paquets de biscuits reçoit-on pour un achat de :
– 48 bouteilles ?
– 54 bouteilles ?

c. Combien de paquets offre-t-on pour un achat de :
– 60 bouteilles ?
– 72 bouteilles ?

LEÇON 88

23 Utilise la calculatrice pour trouver le prix du camembert.

Jambon	11,40 €
Yaourt	3,35 €
Camembert	.... €
Jus de fruit	2,80 €
Café	3,75 €
TOTAL	22,75 €

LEÇON 89

24 La figure **B** est un agrandissement de la figure **A**. Reproduis et termine la figure **B** en respectant les dimensions.

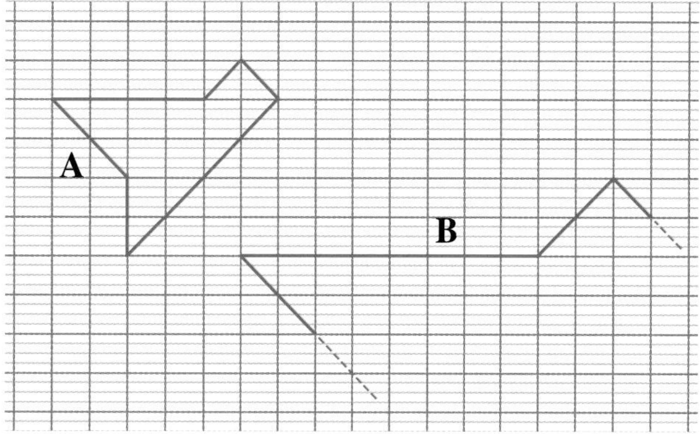

LEÇON 90

25 Utilise la calculatrice pour trouver le quotient entier et le reste de :

- 142 divisé par 8
- 429 divisé par 24
- 180 divisé par 21

Atelier problèmes (5)

Travail en équipe

Ⓐ Problèmes pour apprendre à chercher

Compétence : Élaborer des solutions originales pour résoudre des problèmes de recherche.

Problème 1

Ce bassin rectangulaire a un périmètre de 24 m. Il est entouré d'une margelle dont le périmètre extérieur mesure 32 m.
Quelle est la largeur de la margelle ?

Problème 2

On a peint en rouge un gros cube en bois.
On découpe ce cube en 27 petits cubes.

Combien de petits cubes auront une seule face rouge ?
Combien auront 2 faces rouges ?
Combien auront 3 faces rouges ? 4 faces rouges ?
Combien de petits cubes n'auront aucune face rouge ?

Problème 3

Quel est le plus grand cube que l'on peut construire avec 200 petits cubes ?

Combien de petits cubes utilise-t-on en tout ?

Ⓑ Problèmes à étapes

Compétence : Articuler les différentes étapes d'une solution.

Pour ces problèmes, tu peux utiliser la calculatrice.

Problème 4

Pour envoyer les invitations à la fête de son club d'escrime, Charles achète 10 paquets d'enveloppes à 1,20 € le paquet, 100 cartes à 0,30 € la carte et 100 timbres à 0,54 € l'un.

Combien paie-t-il ?

Problème 5

On utilise environ 150 L pour un bain et 30 L pour une douche.
1 L d'eau coûte en moyenne 2,5 c
Une famille prenait 4 bains par jour. Pour préserver les ressources en eau, elle se limite maintenant à 3 douches et 1 bain.

Quelle économie réalise-t-elle sur une année ?

Problème 6

Zoé est chargée d'une partie des courses pour le pique-nique annuel de son groupe de danse.
Elle achète 10 baguettes à 0,80 € l'une et 100 sucettes à 0,25 € l'une.
Elle a deux billets dans son porte-monnaie : un de 20 €, un autre de 50 €.

a. Quel billet doit-elle donner à la marchande ?

b. Combien celle-ci lui rendra-t-elle ?

ATELIER PROBLÈMES *(1)* *(p. 46)*

A Problèmes pour apprendre à chercher

Problème 1 : 11, 12 et 13.

Problème 2 : 12 autruches, 8 antilopes.

Problème 3 : Valentin repartira au bout de 4 pas.

Problème 4 : Fatou a 95 coquillages.

B Problèmes à étapes

Problème 5 : 23 km.

Problème 6 : Longueur de l'échelle : 326 cm.

Problème 7 : Il lui restera 30 €.

Problème 8 : Edmond a 35 billes.

ATELIER PROBLÈMES *(2)* *(p. 84)*

A Problèmes pour apprendre à chercher

Problème 1 : Le carnet coûte 1,50 €, le stylo 0,50 €.

Problème 2 : Poids des trois boules : A = 20 ;
= 50 ; E = 70.

Problème 3 : 15 et 26.

Problème 4 :
. L'expédition de Magellan est partie en 1519.
. Magellan est mort au cours de cette expédition à l'âge de 41 ans.

B Problèmes à étapes

Problème 5 :

Articles	Prix unitaire en €	Total en €
Filet de volley	62	62
Boîtes balles de tennis	9	36
Ballon	?	?
Total		213

13 – (62 + 36) = 115
Prix des 5 ballons : 115 € ; prix unitaire : 23 €.

Problème 6 : 36 rosiers par massif. Il n'en restera aucun.

Problème 7 :
. Durée du tour du monde : 32 h 44.
. Concorde a battu le record de 3 h 16.

Problème 8 : Prix du gâteau : 14,10 €.

ATELIER PROBLÈMES *(3)* *(p. 118)*

A Problèmes pour apprendre à chercher

Problème 1 : Le sommet C est le point d'intersection des deux arcs de cercles de centre A et B et de rayon 6 cm.

Problème 2 : 20 adultes et 10 enfants.

Problème 3 : Mathéo possède18 pièces de 2 € et 14 pièces de 1 €.

Problème 4 : Dimensions d'un rectangle : largeur 5 cm, longueur 10 cm.

B Problèmes à étapes

Problème 5 : Dépense de la famille pour le mois : 12 €.

Problème 6 : Somme annuelle de carburant : 2 772 €.

Problème 7 : Jacques parcourt son trajet quotidien en 2 000 pas.

Problème 8 : La boîte pleine contient 336 morceaux de sucre.

ATELIER PROBLÈMES *(4)* *(p. 154)*

A Problèmes pour apprendre à chercher

Problème 1 : Prix d'une place adulte 9 €, prix d'une place enfant 4,50 €.

Problème 2 : Longueur 80 m, largeur 40 m.

Problème 3 : Dans 20 ans l'âge d'Isaure sera le double de celui d'Édouard.

B Problèmes à étapes

Problème 4 : Le centre du cercle est le point d'intersection des diagonales du carré.

Problème 5 : Monsieur Dupont va dépenser : 675 €
900 – (150 + 75) = 675

Problème 6 : Rajiv devra ajouter 9 pages à son classeur pour placer toutes ses photos.
38 + 36 + 45 = 119
6 × 11 = 66
119 – 66 = 53
53 = (6 × 8) + 5

Problème 7 : L'ours brun pèse 145 kg à l'âge de 10 ans.

ATELIER PROBLÈMES *(5)* *(p. 188)*

A Problèmes pour apprendre à chercher

Problème 1 : Largeur de la margelle 1 m.

Problème 2 : Une face rouge : 6 petits cubes ; deux faces rouges : 12 cubes ; trois faces rouges : 8 cubes ; quatre faces rouges : 0 cube ; aucune face rouge : 1 seul cube.

Problème 3 : un grand cube avec une arête de 5 petits cubes. On utilise 125 petits cubes.

B Problèmes à étapes

Problème 4 : Charles paie 96 €.
(1,20 × 10) + (0,30 × 100) + (0,54 × 100)
= 12 + 30 + 54 = 96

Problème 5 : Économie sur un an : 3 285 €.
((150 × 4) × 365) × 2,5 = 547 500
((30 × 3) + 150) × 365 × 2,5 = 219 000
547 500 – 219 000 = 328 500
328 500 c = 3 285 €.

Problème 6 : Zoé donne un billet de 50 €, et la marchande lui rend 17 €.
(0,80 × 10) + (0,25 × 100) = 33
50 – 33 = 17

Corrections des Coins du chercheur

(p. 11) :
le grand carré,
le losange,
les 4 petits carrés.

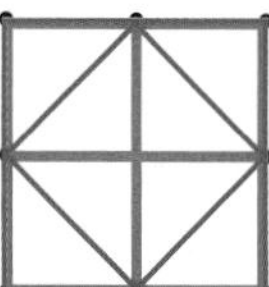

(p. 13) :

1	4	2	3
4	2	3	1
2	3	1	4
3	1	4	2

(p. 15) : Il faut permuter les verres 2 et 5.

(p. 19) : Je dois te donner 5 euros.

(p. 21) : L'escargot sortira du puits le 9e jour.

(p. 23) : On place 1 pomme sur chaque plateau de la balance et on tient la troisième dans la main.
Si la balance est en équilibre, c'est la pomme dans la main qui contient la pièce d'or. Sinon, c'est la pomme qui fait pencher la balance.

(p. 25) : Tu obtiens un triangle rectangle.

(p. 27) : LX (60) est plus grand que XL (40).

(p. 29) : L'archer tirera sa dernière flèche à 12 h 59.

(p. 31) :

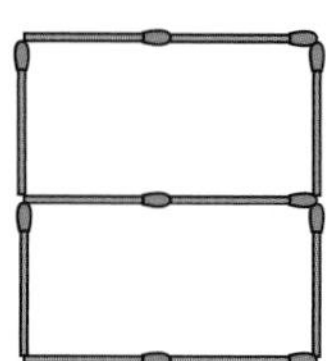

(p. 35) : Anna a 21 ans.

(p. 37) : Il y a 8 triangles dans la figure.
AEB ; BEC ; CED ; DEA ; ACD ; ACB ; ADB ; BCD.

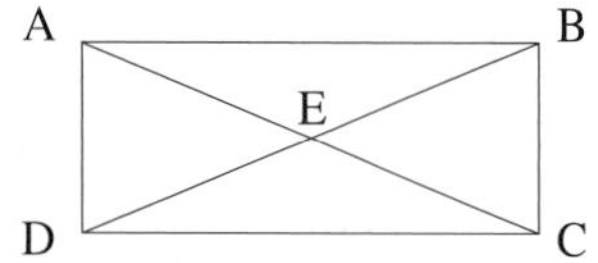

(p. 39) : La figure possède 2 axes de symétrie.

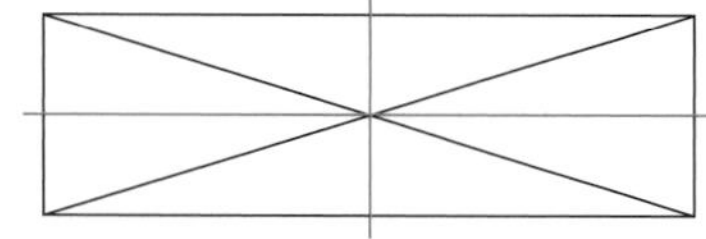

(p. 49) : 8 × 32 = 256
On multiplie le dernier nombre par le précédent.
(1 × 2 = 2 ; 2 × 4 = 8 ; 4 × 8 = 32 ; 8 × 32 = 256)

(p. 51) : 15 + 25 = 40 ; 40 + 25 = 65 ;
65 + 40 = 105 ; 105 + 65 = 170 ;
170 + 105 = 275. 40, 65, 105, 170, 275.

(p. 55) : On compte 9 rectangles.
ABCD ; ABFH ;
CDHF ; AEGD ;
EBCG ; AEJH ;
HJGD ; EBFJ ;
JFCG

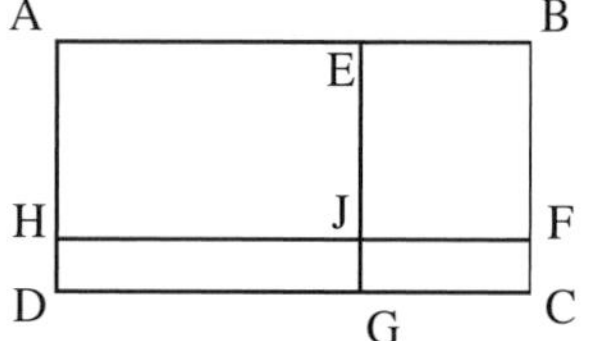

(p. 57) :

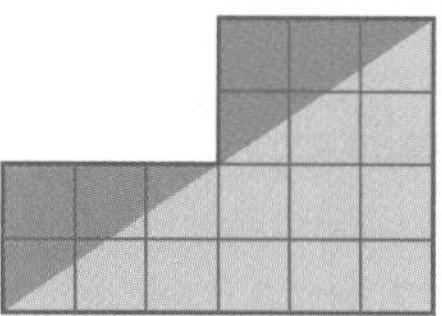

(p. 59) :
100 + (2 × 20) + (2 × 5) = 150

(p. 61) : On peut faire dix paires de doigts.

(p. 63) : Il faut tirer trois chaussettes.

(p. 65) : Le plus grand nombre pair de quatre chiffres est : 9 998.

(p. 67) : Il faut un million de mm pour obtenir 1 km (1 000 000 mm).

(p. 69) :

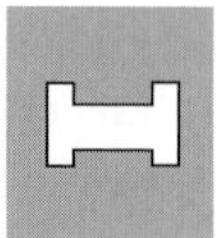

(p. 71) : La pyramide est constituée de 40 cube
20 + 12 + 6 + 2

(p. 73) : Ce nombre est 0.

(p. 75) : On compte neuf bornes hectométrique entre deux bornes kilométriques.

(p. 77) : 86 et 87.

(p. 87) :

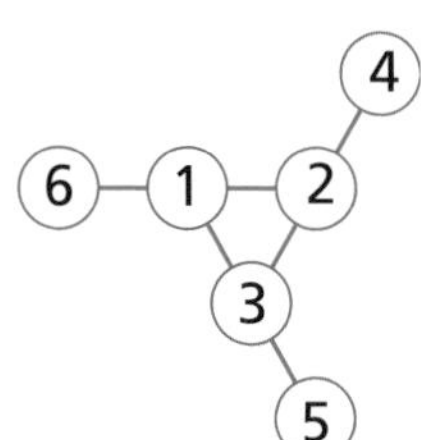

(p. 89) : On compte dix triangles isocèle.

(p. 91) : On peut tracer dix segments.

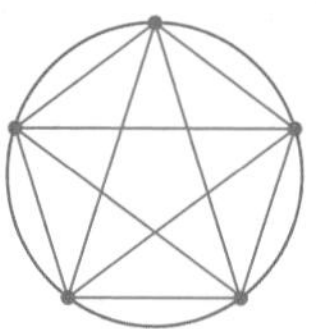

(p. 95) : La terrasse comprend (10 × 5) 50 dalle

. 97) :

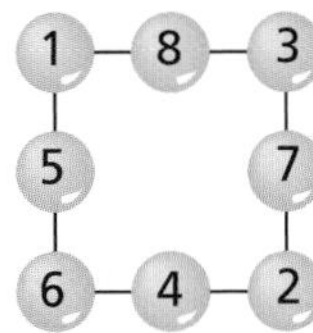

. 99) : Le nombre de dalles à l'origine était
· dalles (6 × 14).

. 101) : d_{10} et d_{12} sont parallèles.
utes les droites « paires » sont parallèles
ıtre elles.

. 103) : Il faut que la distance BC soit égale au
yon du cercle, donc AB = BC = CA.

. 105) : Le cube complet comptait 64 petits cubes.
ı a enlevé 11 petits cubes. Il en reste 53.

. 109) : Le nez de Pinocchio mesure 122 mm.

. 111) : Il a fallu 29 jours au nénuphar pour
couvrir la moitié de l'étang.

. 121) : Les droites d_{12} et d_{15} sont perpendi-
ılaires. Toutes les droites « paires » sont
ırpendiculaires aux droites « impaires ».

. 123) : La queue du chat mesure 24 cm.
ıisque la queue mesure 12 cm plus la moitié
ː la queue, c'est que ces 12 cm correspondent
l'autre moitié.

. 125) : 1 km = 100 000 cm.

. 127) : Le nez de Pinocchio mesure alors
3 cm.

. 129) : Le plus grand multiple de 10 qui
ımpte 4 chiffres est 9 990.

. 131) : Gaétan arrive 2e.

. 135) : Il aura toujours 3 ans de plus.

. 137) : 120 × 6 = 720.
× 2 = 2 ; 2 × 3 = 6 ; 6 × 4 = 24 ; 24 × 5 = 120 ;
20 × 6 = 720

. 139) : C'est mon frère ou mon cousin.

. 141) : CMXI = 911

. 143) : Il y a 5 carrés et 4 rectangles.

. 145) : 6 est la partie commune à ces 4 cercles.

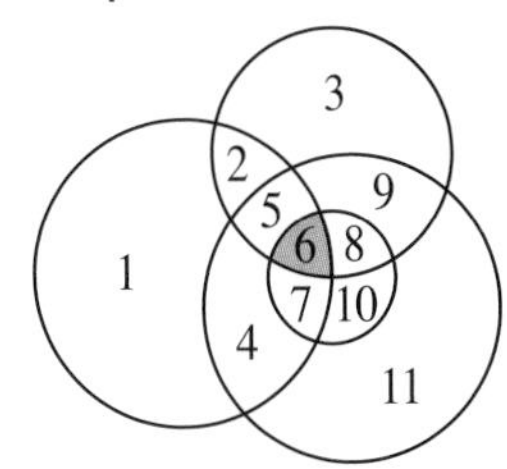

. 147) : Lorsqu'on compte jusqu'à 1 000, on
ˈononce le mot *quinze* trois fois par centaine
5, 75, 95). Cela fait 3 × 10 = 30 prononciations
ı mot.

. 157) : Il y a 18 livres sur l'étagère.

. 159) : Pose 2 billes sur chaque plateau
'une balance Roberval. Si les plateaux sont
en équilibre, la bille restante est la plus lourde.
Dans le cas contraire, prends les 2 billes
constituant la masse la plus lourde ; poses-en
une sur chaque plateau : tu trouves alors
la plus lourde.

(p. 161) : Pose 3 billes sur chaque plateau d'une balance Roberval. Si le plateau penche d'un côté, la bille la plus lourde est dans ce lot.
Si les plateaux sont en équilibre, la bille la plus lourde est parmi les 3 billes restantes.
Quand tu as trouvé le paquet de 3 billes contenant la plus lourde tu poses une bille sur chaque plateau. Si le plateau penche, la bille la plus lourde est dans ce plateau. Si les plateaux sont en équilibre, la bille la plus lourde est la bille restante.

(p. 163) :

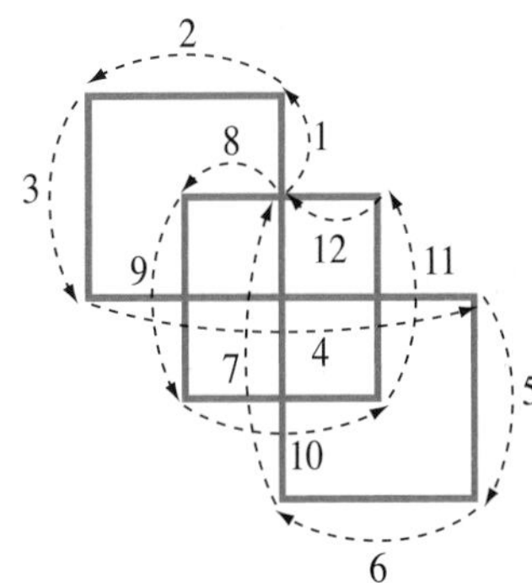

(p. 165) : On obtient la lettre « d ».

(p. 166) : On voit la lettre « p ».

(p. 167) : 1, 2, 4, 8.

(p. 169) : 1, 2, 4, 8, 16, 32.

(p. 171) : Le nombre 7 ; (99 + 7 = 106)

(p. 172) : 49 et 50.

(p. 175) : Par exemple :

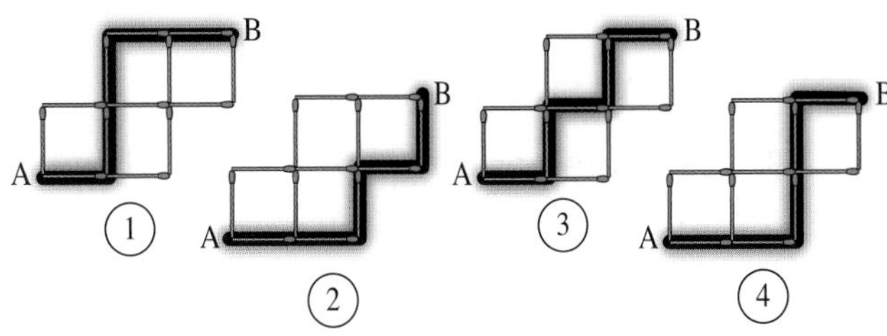

(p. 177) : 5 × 4 × 3 = 60
La boîte contient 60 morceaux de sucre lorsqu'elle est pleine.

(p. 180) :

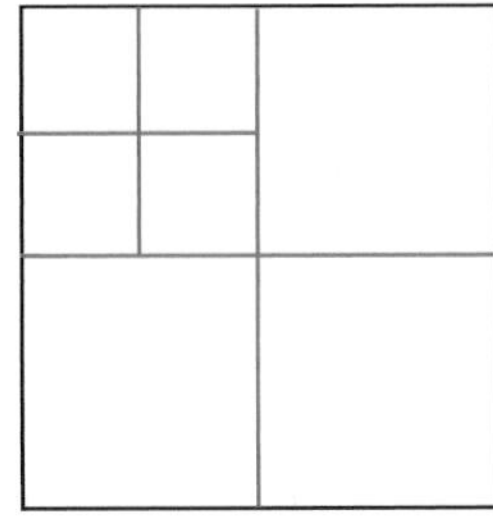

Références photographiques

Page 11 : © Robert Boesch/Anzenberger/Ask Images. ***Page 14*** : Tableau de Victor Vasarely, *Sika* 196 1966, © Bridgeman/ADAGP, Paris 2007. ***Page 32*** : © José Fuste Raga/Zefa/Corbis. ***Page 33*** *(haut)* : © L Olivier ; *(bas)* : © Cyril Delettre/REA. ***Page 35*** *(gauche)* : © Cyril Delettre/REA ; *(droite)* : © Éric Lafo ***Page 40*** *(haut)* : Lune © M. Weigaud/Ciel & Espace ; Terre © Rapho ; *bas* : © USIS/DITE. ***Page 41*** *(hau* © NASA/Ciel & Espace ; *bas* (image extraite de l'album *On a marché sur la Lune)* :© Hergé/Moulins 2007. ***Page 48*** : © Yann Arthus-Bertrand/Altitude. ***Page 50*** *(Photo A)* : © Alain Danino/UMA ; *(Photo B* © Duomo/UMA. ***Page 58*** : © Sergio Gutierrez/ANA. ***Page 59*** *(gauche)* : © Gilles Rolle/REA ; *(droite* Gilles Rolle/REA. ***Page 61*** : © Duomo/UMA. ***Page 62*** : © Yves Lanceau. ***Page 64*** : © Gilles Rolle/RE ***Page 65*** : © F. Espenak/Novapix. ***Page 75*** : © Photo Prod. ***Page 76*** : © Éric Lafont. ***Pages 78-79*** *(pho de fond)* : © Matthias Hangst/Witters/Presse-Sports ; ***page 78*** : © UMA ; ***page 79*** *(haut)* : © Ale Reau/UMA ; *(bas)* : © Francotte/Presse-Sports. ***Pages 112-113*** *(photo de fond)* : © Pascal Pittorin Naturimages ; ***page 113*** *(haut)* : © Jean-Philippe Plantey/Naturimages ; *(milieu)* : © Hervé Chaumetc Nature ; *(bas)* : © Fabrice Bartheau/Naturimages. ***Pages 148-149*** *(photo de fond)* : © Cedric Pasquini/RE ***page 148*** : © Peter Willi/Bridgeman ; ***page 149*** *(haut)* : © C.Emmler/Laif/REA ; *(milieu)* : © Christi Dumont/REA ; *(bas)* : © Boltin Picture Library/Bridgeman. ***Page 168*** : © Photo Josse. ***Page 173*** : © Pho Josse. ***Page 174*** : © François Guillot/AFP. ***Page 180*** : © Richard Damoret/REA. ***Page 182*** : © Nasa/Ciel Espace. ***Page 183*** : © Nasa/Ciel & Espace.

Création de la mascotte Mathéo : René Cannella

Création de la maquette intérieure : Laurent Carré

Conception et réalisation de la maquette de couverture :

Estelle Chandelier avec une illustration de Jean-Louis Goussé

Conception et réalisation des pages « Mobilise tes connaissances »
(pages 40-41, 78-79, 112-113, 148-149, 182-183) : Estelle Chandelier

Mise en pages : Médiamax

Illustrations intérieures : René Cannella

Dessins techniques : Rémi Picard

Cartographie : pages 58-59 © Hachette Tourisme ;
pages 75 et 77 © Hachette Éducation

Recherche iconographique : Anne Pekny

Fabrication : Isabelle Simon-Bourg

Édition : Janine Cottereau-Durand

ISBN : 978-2-01-117383-6

© HACHETTE LIVRE 2007, 43, Quai de Grenelle, 75905 Paris Cedex 15.
www. Hachette-education.com

Tous droits de traduction, de reproduction et d'adaptation réservés pour tous pays.
Le Code de la propriété intellectuelle n'autorisant, aux termes des articles L.122-4 et L.122-5, d'une part, que les « cop ou reproductions strictement réservées à l'usage privé du copiste et non destinées à une utilisation collective », d'autre part, que « les analyses et les courtes citations » dans un but d'exemple et d'illustration, « toute représentati ou reproduction intégrale ou partielle, faite sans le consentement de l'auteur ou de ses ayants droit ou ayants cau est illicite ».

Cette représentation ou reproduction, par quelque procédé que ce soit, sans autorisation de l'éditeur ou du Cen français de l'exploitation du droit de copie (20, rue des Grands-Augustins, 75006 Paris), constituerait donc u contrefaçon sanctionnée par les articles 425 et suivants du Code pénal.

Achevé d'imprimer en Italie par Officine Grafiche Novara
Dépôt légal: Décembre 2007 - Collection n° 85 - Édition n° 01
11/7383/0

Cercle et disque

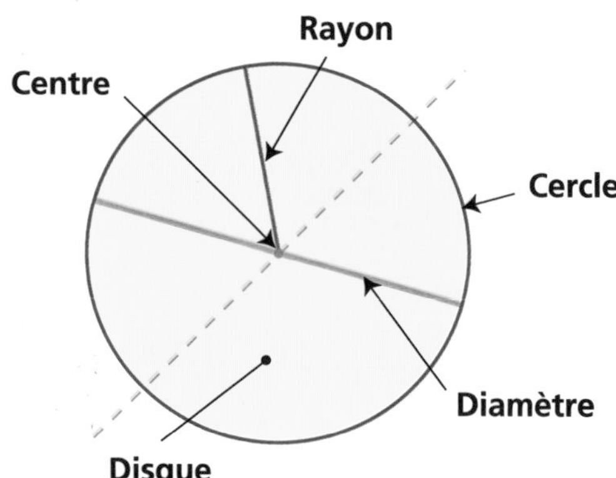

Le cercle est le bord du disque.

Toutes les droites passant par le centre sont des axes de symétrie du cercle et du disque.

Solides

Polyèdres

Un **polyèdre** est un solide dont toutes les faces sont des polygones.

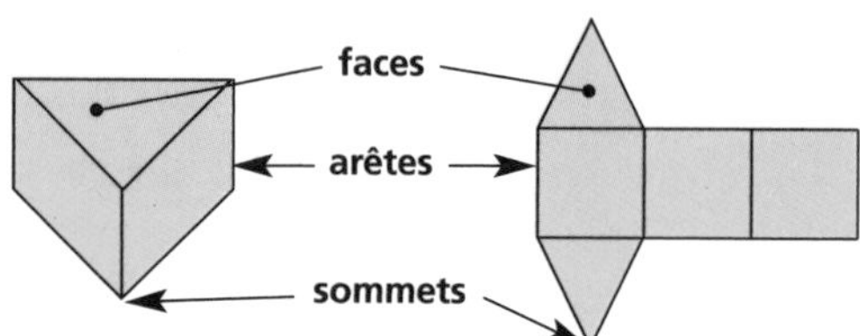

Le **pavé** ou **parallélépipède rectangle**
Les six faces sont des rectangles.

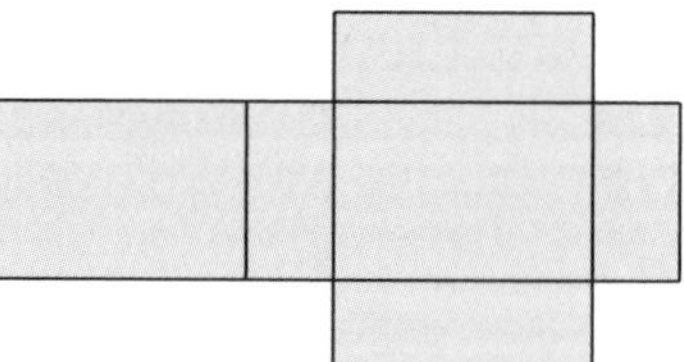

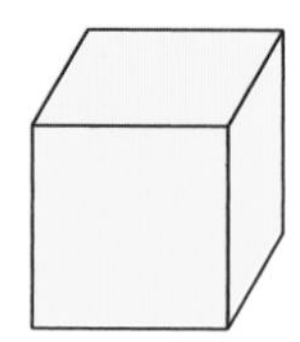

Le **cube**
Les six faces sont des carrés.

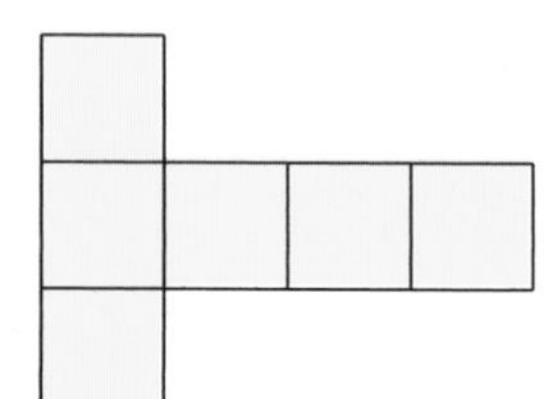

Unités de mesure

Longueur

1 cm

1 m = 10 dm = 100 cm = 1 000 mm

1 km = 1 000 m

Capacité

1 L = 10 dL = 100 cL = 1 000 mL

Masse

1 kg = 10 hg = 100 dag = 1 000 g

1 g = 10 dg = 100 cg = 1 000 mg

1 000 kg = 1 t

Durée

1 h = 60 min = 3 600 s

1 min = 60 s